P9-CEN-921

El asesino entre los escombros

Este libro se ha elaborado con papel procedente de bosques gestionados de forma sostenible, reciclado y de fuentes controladas, avalado por el sello de PEFC, la asociación más importante del mundo para la sostenibilidad forestal. Certificado por SGS según N.º: SGS-PEFC/COC-0634.
www.pefc.es

MAEVA desea contribuir al esfuerzo colectivo y permanente de proteger y preservar el Medio Ambiente con el compromiso de producir nuestros libros con materiales responsables.

CAY RADEMACHER

El asesino entre los escombros

Hamburgo, 1947

Traducción:

LAURA MANERO JIMÉNEZ

MAEVA

Título original:
DER TRÜMMERMÖRDER

Diseño e imagen de cubierta:
Zero Werbeagentur, München

Adaptación de cubierta:
ROMI SANMARTÍ

Fotografía del autor:
© PRIVAT

La traducción de este libro ha recibido una ayuda del Goethe Institut, organismo fundado por el Ministerio Alemán de Asuntos Exteriores.

Benito Castro, 6
28028 MADRID
emaeva@maeva.es
www.maeva.es

ISBN: 978-84-15532-80-4
Depósito legal: M-22.906-2013

Fotomecánica: Gráficas 4, S. A.
Impresión y encuadernación: Huertas, S. A.
Impreso en España / Printed in Spain

Para Françoise y nuestros tres hamburgueses:
Léo, Julie y Anouk

Frío despertar

Lunes, 20 de enero de 1947

Medio dormido, el inspector jefe Frank Stave busca con el brazo el cuerpo de su mujer hasta que recuerda que murió hace tres años y medio en el incendio. Aprieta el puño y luego aparta la manta. El aire helado disipa los últimos velos de la pesadilla.

Una penumbra gris se cuela por los resquicios de las cortinas de tela adamascada que Stave recuperó entre los escombros de la casa de al lado. Desde hace cinco semanas, cada noche las clava en el marco de la ventana con unas cuantas chinchetas que ha conseguido en el mercado negro. Los cristales son como de papel de periódico y una capa de hielo los blinda por el interior. Stave teme que cualquier día puedan hacerse añicos bajo el peso de los témpanos. Una preocupación absurda: las ondas expansivas de las incontables bombas que cayeron y estallaron ya hicieron vibrar las ventanas, pero ninguna llegó a romperse.

A causa de la congelación la manta se adhiere a la pared en algunos puntos. Tan gruesa es la capa de escarcha de las paredes que, en el empañado resplandor del amanecer, parece que la habitación esté recubierta de callosidades. Por debajo se adivinan las líneas de un papel pintado cuyo estampado fue moderno en 1930, y un enlucido lleno de manchas que en algunas esquinas ya no es más que el muro desnudo, hecho de ladrillos negros y rojos con mortero gris claro.

Stave camina despacio hasta la diminuta cocina; el frío de las baldosas del suelo le atraviesa las plantas de los pies aunque lleva puestos un par de calcetines viejos. Toquetea con dedos rígidos la cocina hasta que en el pequeño horno cilíndrico se encienden unas llamas. Apesta a abrillantador quemado porque la madera con la que alimenta la cocina fue una oscura cómoda de dormitorio en el edificio de al lado, al que una bomba alcanzó el verano de 1943.

Stave piensa en ella como en «la» bomba. La bomba que le quitó a su mujer.

Mientras espera a que se derrita un bloque de hielo en el viejo hervidor de la Wehrmacht* que ha puesto sobre el hornillo y la casa entre un poco en calor, se quita su viejo jersey de lana y el equipo de entrenamiento de la Policía, las dos camisetas interiores y los calcetines con los que ha dormido. Los va dejando con cuidado sobre la silla coja que hay junto a la cama. Como solo le suministran 1,95 kilovatios de electricidad al mes –una valiosísima energía que reserva para la placa eléctrica y la cena–, no enciende ninguna luz. Además, siempre deja la ropa siguiendo un mismo orden para poder vestirse a oscuras sin dificultad.

Con un poco de agua, todavía fría como si bajara de un glaciar, se salpica la cara y el cuerpo, donde las gotas le queman. Stave tirita sin querer. Después se pone camisa, traje, abrigo y zapatos. Se afeita casi sin luz, cauteloso, lento, porque no hay espuma y la cuchilla está ya mellada. Las nuevas, si es que llegan, tardarán todavía unas semanas en estar disponibles con la cartilla de racionamiento. Mientras tanto, deja que el resto del agua siga calentándose en la cocina.

A Stave le habría gustado tomar café de verdad, como antes de la guerra, pero solo tiene sucedáneo. Un brebaje gris e insípido que obtiene tras verter unos polvos en el agua tibia. Le añade también un par de bellotas ralladas, tostadas hace varios días, para darle por lo menos un poco de amargor. Dos rebanadas de pan moreno algo reseco para acompañar. El desayuno.

---

* En alemán, «Fuerza de Defensa». Es el nombre de las fuerzas armadas unificadas de la Alemania nazi. *(N. de la T.)*

El café que le quedaba lo cambió ayer en la estación central por un par de informaciones inútiles. Es inspector jefe de la Policía: un cargo introducido por los funcionarios de la ocupación británica y que a Stave siempre le chirría, porque él creció con títulos como los de «inspector criminal» o «jefe de guardias».

El sábado pasado atrapó a dos asesinos, dos refugiados de la Prusia Oriental metidos a estraperlistas. Habían estrangulado a una mujer que les debía dinero y luego la habían tirado a un canal lastrada por un bloque de hormigón de una casa en ruinas. Les había costado mucho trabajo romper antes la capa de medio metro de hielo que cubría el agua para después hundir en ella a su víctima. Por desgracia, no conocían las mareas..., y no sospechaban que, con la bajamar, el cadáver quedaría expuesto a la vista de todos en el lodo del fondo, bajo un hielo convertido en lente de aumento.

Stave identificó enseguida a la mujer, averiguó con quién se la había visto por última vez y detuvo a los criminales cuando aún no habían pasado ni veinticuatro horas.

Después, como todos los fines de semana en que las investigaciones le dejan un poco de tiempo libre, se acercó hasta la estación central y se perdió en el inacabable hormiguero de gente de los andenes para intentar sacarles información a los soldados que regresan a casa y a los habitantes de Hamburgo que abarrotan los trenes intentando huir al extranjero. Con susurros, con titubeos, preguntó por un tal Karl Stave.

Karl, que en abril de 1945, con diecisiete años, cuando todavía iba al instituto, se había alistado voluntario en una unidad del Frente Oriental que en aquellos momentos ya había llegado a las afueras de Berlín. Karl, que había perdido a su madre y consideraba a su padre un «tibio», un «antialemán». Karl, del que no se sabía nada desde la batalla por la capital del Reich; que era un fantasma en esa tierra de nadie entre la vida y la muerte; que podía haber caído, podía ser un prisionero de guerra en manos del Ejército Rojo, podía haber huido a algún lugar, vivir en la clandestinidad, con un nombre falso. Pero, de ser así, ¿no se habría puesto ya en contacto con su padre, a pesar de sus desavenencias?

Stave se paseó un poco por la estación, habló con figuras demacradas envueltas en abrigos demasiado grandes, hombres con cara de rusos a quienes enseñaba una fotografía ajada de su chico. Ademanes negativos con la cabeza, gestos cansados. Por fin uno que afirmaba saber algo. Stave le ofreció el poco café que le quedaba y así supo que había un Karl Stave en Vorkutá, un campo de castigo, o por lo menos alguien que podría haberse parecido una vez al joven de la fotografía, que se llamaba Karl de nombre de pila, puede, y que seguía encerrado allí dentro, puede, aunque tal vez no.

Tres golpes repentinos en la puerta sobresaltan a Stave y ponen fin a su ensimismamiento. El inspector jefe ha desenroscado el fusible del timbre. Así se ahorra unos cuantos milivatios de electricidad.

Por un momento tiene la absurda esperanza de que pudiera ser Karl el que llama a esas horas de la mañana, pero enseguida se reconviene: No te hagas ilusiones, se advierte.

Stave tiene cuarenta y pocos años y está muy delgado. Tiene los ojos de un azul grisáceo, pelo rubio y corto en el que ya empiezan a asomar las primeras canas. Se apresura a la puerta. Le duele la pierna izquierda, como siempre en invierno, por el tobillo que tiene rígido desde que se hirió aquella noche de 1943. Cojea un poco a pesar de que lucha contra esa tara con una rabia encarnizada, a pesar de que se obliga a correr, a hacer estiramientos, e incluso –cuando los Schulz, los del piso de abajo, no están en casa– a saltar a la comba.

En el umbral aparece un agente municipal con su chacó, ese alto sombrero protector de forma cilíndrica, y en un primer momento Stave no ve nada más de él. Toda la escalera está a oscuras desde que alguien robó las bombillas de los apliques. El agente debe de haber subido los cuatro pisos a tientas.

–Buenos días, inspector jefe –dice. Tiene una voz joven que tiembla un poco a causa de la agitación–. Hemos encontrado un cadáver. Debe acompañarme enseguida.

–Perfecto –repone Stave mecánicamente antes de darse cuenta de lo poco oportuno de su respuesta.

¿Sentimientos? En los últimos años de la guerra ha visto demasiados cuerpos mutilados, entre ellos el de su propia mujer, como para que le siga impresionando la noticia de que han asesinado a alguien. Excitación, eso sí: la excitación del cazador ante el rastro fugaz de un animal salvaje.

–¿Cómo se llama usted? –le pregunta al policía mientras se echa encima el pesado abrigo de lana y alcanza el sombrero.

–Ruge. Agente municipal Heinrich Ruge.

Stave se fija en el uniforme azul, la placa metálica con sus números en el lado izquierdo del pecho. Otra novedad de los británicos que todos los policías alemanes detestan: ese número de cuatro cifras sobre el corazón. Una diana reluciente para cualquier delincuente armado. El agente, al que el uniforme le va enorme, está flaco y es muy joven; no debe de ser mayor que el hijo de Stave.

Tras el inicio de la ocupación en mayo de 1945, los británicos despidieron a cientos de policías: a todo el que estuviera en la Gestapo, que tuviera un alto cargo, que hubiera sobresalido de alguna forma en el terreno político. Hombres como Stave, a quienes el antiguo régimen había considerado «de izquierdas» y había neutralizado en puestos insignificantes, son los que se han quedado. También han reclutado a nuevos agentes, jóvenes como ese tal Ruge que todavía no saben nada de la vida y menos aún del trabajo de la Policía. Ocho semanas de formación, un uniforme y a la calle. Principiantes que no tienen más remedio que aprender durante el servicio lo que implica ser un agente de la ley. Entre ellos, fanfarrones que nada más ponerse el uniforme se dedican a maltratar a los ciudadanos y que se pavonean entre los edificios en ruinas como si fueran jinetes de una caballería prusiana de pacotilla. También personajes de dudosa reputación que ya antes, durante la República de Weimar y el Reich, eran habituales de las comisarías..., solo que no estaban tras las mesas, sino dentro de las celdas.

–¿Un cigarrillo? –dice Stave.

Ruge duda un momento y después acepta el Lucky Strike que le ofrece. Es lo bastante listo como para no preguntar de dónde ha sacado el inspector jefe ese tabaco yanqui.

–Tendrá que encenderse el pitillo usted mismo –añade Stave, disculpándose–. Ya casi no me quedan cerillas.

Ruge se lo guarda en un bolsillo del uniforme. Stave se pregunta si el joven se lo fumará más tarde o lo usará como moneda. Aunque ¿qué comprará con él? Entonces se llama al orden: Siempre sospecho de todo el mundo.

Stave ya está listo. Se vuelve a medias hacia la puerta, pero entonces se acuerda de la pistolera que cuelga de un gancho junto a la entrada. El agente lo observa mientras él se pasa la correa de cuero por el hombro y se ajusta la pistola FN 22, calibre 7,65 milímetros. Los agentes de la Policía Municipal llevan en el cinto una porra de cuarenta centímetros; no tienen armas de fuego. Los británicos las han confiscado casi todas, incluso las escopetas de aire comprimido de las casetas de feria. Solo a unos cuantos agentes de Investigación Criminal se les permite ir armados.

Ruge parece ponerse más nervioso aún. Stave piensa que tal vez sea porque intuye que la cosa va en serio. Aunque quizá sea porque a él también le gustaría llevar pistola. Enseguida ahuyenta esos pensamientos.

–Vamos –dice, y sale a tientas al descansillo–. Cuidado con los escalones; es fácil resbalarse, y hoy ya tengo un cadáver con el que apechugar.

Los dos hombres bajan como buenamente pueden. Stave oye en cierto momento que el joven municipal suelta un taco en voz baja, pero no sabe si es porque ha resbalado o si es que ha tropezado con algo. Se conoce hasta el último escalón chirriante y encontraría la barandilla hasta en la más completa oscuridad.

Salen fuera. El apartamento de Stave da a la fachada, es el que queda más a la derecha en la última planta de ese edificio de cuatro pisos de Ahrensburger Strasse: de estilo modernista y muros revocados de blanco y malva, aunque los colores ya no se distinguen bajo la capa de mugre. La fachada está ornamentada con ventanas altas y blancas, y en cada apartamento hay un balcón con una barandilla ondulante de piedra coronada por hierro forjado. Una casa que no está mal. El edificio de dos números más allá es parecido, solo que de un color más claro. El que había entre ambos también era una construcción similar, pero allí solo quedan en pie un par de muros, muñones de ladrillo y cascotes, vigas carbonizadas, un tubo de estufa tan atascado entre los escombros que por el momento no ha habido saqueador capaz de robarlo.

El antiguo hogar de Stave. Durante diez años vivió allí, en el número 91, hasta esa noche en que las bombas cayeron y se llevaron las casas: una aquí, otra allá, dejando huecos en las filas de edificios como agujeros en una dentadura mal cuidada.

¿Por qué el número 91, pero no el 93 ni el 89? De nada sirve preguntárselo. Y, sin embargo, Stave lo piensa cada vez que sale del edificio. También recuerda cómo sacó a su mujer de entre los escombros, o, mejor dicho, lo que había quedado de su cuerpo. Después alguien, no llegó a saber quién –lo cierto es que no tiene un recuerdo muy claro de toda aquella semana del verano de 1943–, le ofreció el apartamento del número 93. ¿Dónde estarían las personas que habían vivido allí? Se había obligado a no pensar en eso.

–¿Inspector jefe?

Stave oye la voz de Ruge como si llegara de muy lejos. Después, la sorpresa: ante él tiene un coche patrulla, uno de los cinco vehículos que le han quedado a la Policía de Hamburgo.

–A esto sí que lo llamo yo un lujo –murmura.

Ruge asiente con la cabeza.

–Tenemos que darnos prisa antes de que alguien se entere de algo. –A Stave le parece que lo dice con excesivo orgullo.

Abre entonces la puerta del Mercedes Benz de 1939. Ruge no ha dado muestras de tener intención de hacerlo por él. En lugar de eso, rodea la aparatosa mole del coche y se sienta al volante.

Arranca y avanza en zigzag. Antes de la guerra, Ahrensburger Strasse era una calle recta de cuatro carriles, demasiado ancha; los edificios y los árboles que la flanqueaban, demasiado bajos para un bulevar tan ostentoso, pero en fin... Ahora solo hay escombros en la calzada: fachadas que se derrumbaron hacia delante como soldados caídos, chimeneas, montones de cascotes indescifrables. También cráteres de bombas, grietas, cadenas de tanques, tocones de árboles carbonizados, dos, tres coches accidentados e incendiados.

Ruge va esquivando los obstáculos. Demasiado deprisa, le parece a Stave, pero el joven está emocionado. Las farolas, las que siguen en pie, no funcionan. El cielo se cierne bajo y por Ahrensburger Strasse silba un gélido viento del norte. La luna trasera del viejo Daimler debe de estar resquebrajada por algún sitio, porque el temporal de aire siberiano se cuela en el interior desde atrás. Stave se sube el cuello del abrigo porque está helado. ¿Cuándo fue la última vez que sintió calor?

Los faros del coche se deslizan sobre cascotes marrones. A uno y otro lado de la calle ya hay personas que vagan como almas en pena a pesar de lo temprano que es y de estar a veinte grados bajo cero: hombres enjutos con abrigos de la Wehrmacht teñidos de otro color, espectros con una sola pierna envueltos en harapos, mujeres que se han echado la bufanda de lana sobre la cabeza para cubrirse también la cara, cargadas con cestos y latas... Más mujeres que hombres, muchas más.

Stave se pregunta adónde irán a esas horas. Las tiendas, si es que alguien consigue algo con la cartilla de racionamiento, solo abren entre las nueve y las tres para ahorrarse la electricidad de la iluminación.

En Hamburgo viven casi un millón y medio de personas. Cien mil murieron en la guerra o durante los bombardeos, muchas otras fueron evacuadas al campo. Pero la ciudad está llena de refugiados y también de aquellos que se conocen como DP, *Displaced Persons,* desplazados: presos liberados de los campos de concentración y prisioneros de guerra, sobre todo rusos, polacos, judíos que no quieren o no pueden regresar a su patria. Oficialmente viven en campamentos que les han construido los británicos, pero muchos prefieren echarse a las calles de la devastada metrópoli del Elba.

Stave mira por la ventanilla. Ve las formas irregulares de una casa derrumbada y muros como los de unas ruinas medievales, solo que más estrechos. Detrás de ellos, más muros todavía, y otros más, y más aún. Se tardarán cien años en reconstruirlo todo, piensa. Entonces se sobresalta.

–Uno Peter. –Una voz metálica que se oye por encima del motor ronco de ocho cilindros. La radio.

Hace un año que los británicos permiten a la Policía emitir desde la Central del ayuntamiento con los viejos aparatos de Telefunken. De todas formas, los cinco coches patrulla con radio únicamente pueden recibir comunicaciones, ninguno de ellos tiene instalada una estación emisora, así que en la Central nunca saben si han recibido sus mensajes o no.

–Uno Peter –amenaza de nuevo la voz–. Cuando lleguen al lugar señalado, hagan el favor de comunicarlo.

–Condenados burócratas –dice Stave–. Ahora tendremos que buscar un teléfono. ¿Adónde vamos, por cierto?

Ruge frena bruscamente porque un Jeep británico se les acerca dando bandazos. El agente le cede el paso y saluda al soldado que conduce, aunque este ni siquiera lo mira al pasar de largo levantando una estela de polvo en el aire seco.

–A Baustrasse, en Eilbek –responde el municipal–. Está...

–Junto a la estación de Landwehr. La conozco. –Stave se pone de peor humor–. En todo Eilbek no queda ni una sola casa entera. ¿En qué están pensando esos idiotas? ¿Cómo vamos a avisarlos? ¿Por paloma mensajera?

Ruge carraspea.

–Lamento mucho tener que comunicarle que no podremos llegar hasta Baustrasse con el coche, inspector jefe.

–¿Ah, no?

–Demasiados escombros. Los últimos doscientos o trescientos metros tendremos que hacerlos a pie.

–Fantástico... –masculla Stave–. Espero que no pisemos ningún proyectil sin estallar.

–El lugar de los hechos ha estado muy frecuentado últimamente, allí ya no queda nada por estallar.

–¿El lugar de los hechos?

Ruge se sonroja.

–Donde han encontrado el cadáver.

–Entonces será el lugar del hallazgo –corrige Stave, aunque se esfuerza por hablar en un tono conciliador. De pronto está más animado. Se olvida del frío y de los escombros y de las figuras fantasmagóricas que recorren las calles–. ¿Por casualidad no sabrá con qué vamos a encontrarnos?

El joven asiente con ganas.

–Estaba en la Central cuando ha llegado el aviso. Unos niños jugando... A saber a qué andarían jugando a esas horas, aunque tengo mis sospechas. En fin, el caso es que esos niños han encontrado un cadáver. Una mujer joven y... –Ruge vacila, vuelve a ponerse rojo–. Bueno, desnuda.

–Desnuda a veinte bajo cero. ¿Ha sido esa la causa de la muerte?

El municipal se ruboriza más aún.

–Todavía no lo sabemos –murmura.

Una mujer joven, desnuda y muerta: a Stave le invade el presentimiento de que le espera un caso desagradable. Desde que el director de Investigación Criminal, Breuer, lo ascendió hace unos meses a jefe de un pequeño grupo de investigadores, Stave ha trabajado en varios casos de asesinato, pero esto tiene pinta de ser peor que una cruenta pelea de navajas en el mercado negro o que el crimen pasional de un soldado que regresa a casa.

Ruge tuerce a la izquierda y sigue por Landwehr Strasse. Después se detiene ante los restos de unas vías que la cruzan.

Stave baja y mira alrededor. Está helado de frío.

–El hospital Marienkrankenhaus no queda muy lejos –dice–. Seguro que tienen teléfono. Irá usted a llamar allí en cuanto me haya acompañado al lugar del hallazgo.

Ruge da un taconazo. Una muchacha que tira de una carretilla cargada con un tocón de árbol despedazado se los queda mirando a ambos con desconfianza. Stave ve que tiene los dedos hinchados por el frío. Cuando ella se da cuenta de que la observa, levanta más la carretilla y aprieta el paso.

Stave y Ruge cruzan las vías: gravilla, piedritas unidas en grandes terrones a causa del hielo. Los raíles destrozados por las bombas parecen extrañas esculturas. Más allá, Baustrasse, de la que como mucho se adivina una línea fronteriza de bloques de pisos incendiados y sin tejado cuyos muros negros se extienden a lo largo de cientos de metros. Aun ahora, después de tantos meses, se sigue percibiendo el olor acre a madera y tela quemada.

Dos agentes municipales patean el suelo y dan palmadas para ahuyentar el frío mientras aguardan frente a un muro de tres pisos de altura que, inclinado, parece que vaya a derrumbarse con el primer ataque de tos y aplastarlos a ambos.

Stave no alza la voz, solo levanta una mano para saludar y avanza con cuidado por los cascotes. Al menos ahí no tiene que molestarse en disimular la cojera. No hay forma de dar un paso firme por ningún lado.

Uno de los dos municipales saluda llevándose la mano derecha al chacó y señala a un lado con la izquierda.

–La víctima está junto al muro.

La mirada de Stave sigue la mano extendida del agente.

–Mal asunto –masculla.

La víctima sin nombre

Una mujer joven, Stave calcula que tiene entre dieciocho y veintiún años, un metro sesenta de estatura, pelo rubio oscuro, media melena, ojos azules que miran a la nada.

–Es guapa –susurra Ruge junto al inspector jefe.

Stave mira al municipal hasta incomodarlo, pero entonces vuelve su atención de nuevo hacia el cadáver. No tiene sentido avergonzar al joven agente, que solo pretende ocultar su miedo.

–Vaya al hospital y haga esa llamada –ordena. Después se agacha junto a la víctima con cuidado de no tocar el cuerpo, ni tampoco los cascotes sobre los que yace.

Ni hecho a propósito, piensa de pronto Stave. La víctima está bien oculta, al abrigo tanto del muro como de los altos montones de ladrillos que la rodean. El cadáver, por lo que ha podido constatar, está casi intacto; ni siquiera tiene arañazos o hematomas, las manos están perfectas. No se defendió, piensa. Además, no son manos curtidas por el trabajo. No es una «mujer de los escombros» que se haya dedicado a recoger cascotes, no ha limpiado mucho, no era una trabajadora.

Su mirada recorre lentamente el resto del cuerpo. Vientre plano con una marca a la derecha: la vieja cicatriz ya bien curada de una operación de apendicitis. Stave saca su cuaderno y hace una anotación. Solo en el cuello de la víctima encuentra una señal, una línea de un rojo oscuro sobre la piel macilenta, de apenas tres milímetros de grosor, que rodea todo el cuello a la altura de la laringe, más marcada por la izquierda que por la derecha.

–Parece que la han estrangulado. Puede que con un lazo fino –les dice Stave a los dos agentes ateridos mientras sigue anotando todo lo que observa–. Miren a ver si encuentran algún alambre por las inmediaciones. O un cable.

Los dos se ponen a rebuscar entre las ruinas con desgana. Así Stave se los ha quitado de encima por el momento, aunque no cree que ninguno de los dos vaya a encontrar nada. Unas franjas oscuras sobre la escarcha, que por desgracia han pisoteado los descuidados agentes, parecen indicar marcas de arrastre. Seguramente el autor de los hechos arrastró a su víctima hasta allí después de haberla matado en algún otro sitio.

–Bonito cadáver –dice alguien a su espalda. La voz áspera de un fumador empedernido. Stave no tiene que volverse para saber a quién tiene detrás.

–Buenos días, doctor Czrisini –saluda, y se pone de pie–. Me alegro de que haya llegado tan pronto.

El doctor Alfred Czrisini –pequeño, calvo, grandes ojos oscuros tras unos lentes de concha redondos– no se molesta en quitarse de sus labios azulados el cigarrillo Woodbine, británico, que está fumando.

–Por lo que veo, no hacía falta que me diera tanta prisa –murmura–. Un cadáver desnudo con este frío... Podría haberme entretenido un par de horas más.

–Está bien congelada.

–Mejor que en la morgue. No será fácil determinar la hora de la muerte con exactitud. Hace seis semanas que no hemos pasado ni una sola vez de los diez bajo cero. Teóricamente, podría llevar días aquí tirada y, aun así, parecer fresca como una rosa.

–En su estado, yo no diría que está fresca como una rosa –protesta Stave, y mira alrededor.

Antes, Baustrasse formaba parte de un barrio humilde: decenas de edificios de apartamentos de cinco pisos, bien cuidados, ladrillo visto rojo oscuro, árboles en las aceras. Allí vivían trabajadores, artesanos, comerciantes. Todo destruido. La mirada de Stave encuentra muros dinamitados, tocones de árboles carbonizados, montañas de despojos. Solo al final de la calle, a la derecha, se alza el hogar infantil Mathias-Stift, pintado de amarillo y perdonado por las bombas como de milagro.

–Dos chiquillos del orfanato han encontrado el cadáver –dice uno de los municipales, que ha vuelto a acercarse con curiosidad y ha interpretado correctamente la mirada del inspector jefe.

Stave asiente con la cabeza.

–Bien, enseguida los interrogaré. Y eso, doctor, le simplifica mucho la cuestión de la hora de la muerte. Si esta mujer llevase mucho tiempo aquí, los chavales del orfanato ya la habrían encontrado hace días.

Le cae bien el forense, que a causa de su apellido –que se pronuncia «Chisini»– ha tenido que aguantar interminables burlas. En los años posteriores a 1933 fueron sobre todo insinuaciones por el origen polaco de su apellido, y en cierto modo amenazadoras. Czrisini trabaja rápido, es un solterón cuyas únicas pasiones conciernen a los cadáveres y los cigarrillos.

–¿Piensa usted lo mismo que yo? –pregunta el médico.

–¿Una violación?

Czrisini asiente.

–Joven, guapa, desnuda y muerta. Todo encaja.

Stave balancea la cabeza.

–Con veinte bajo cero, hasta el violador más enajenado temería por la integridad de su instrumento. Por otra parte, también puede que la agredieran en un lugar caldeado. –Señala las marcas de arrastre–. Seguramente la han traído aquí para deshacerse de ella.

–En cuanto la tenga en la mesa de autopsias, no tardaremos en saber más –responde el forense con alegría.

–Salvo su nombre –murmura Stave. ¿Y si el criminal no ha desnudado a su víctima solo por placer asesino? ¿Y si ha sido un cálculo frío? Una mujer desnuda en mitad de un solar en ruinas donde hace años que no vive nadie–. No será nada fácil identificarla –presagia.

Poco después se presenta el experto en pruebas, que también es el fotógrafo de la Policía; en Investigación Criminal faltan profesionales formados. Stave señala las marcas de arrastre. El fotógrafo se inclina sobre el cadáver. Cuando el *flash* se dispara, Stave ve de pronto ante sí los fogonazos de las baterías antiaéreas de las afueras de la ciudad, así como las deslumbrantes antorchas que caían lentamente al suelo en paracaídas y con las que los primeros aviones británicos marcaban los objetivos a los bombarderos que los seguían. Aprieta los párpados un instante.

–No se olvide de las marcas de arrastre –insiste.

El fotógrafo asiente sin decir nada; la orden ha sonado más brusca de lo que él pretendía.

Por último, pide que le traigan a los niños que han encontrado a la víctima. Ninguno de los dos pasa de los diez años; flacos, pálidos, labios azulados. Están temblando, seguramente no solo de frío. Huérfanos. Stave se plantea por un momento hacer de policía malo, pero enseguida se decide por lo contrario. Se inclina hacia ellos y les pregunta con simpatía cómo se llaman, luego les promete que no los castigarán por haberse escapado a explorar tan temprano por la mañana.

Cinco minutos después tiene conocimiento de todo lo que se puede saber acerca del caso: los dos críos se han escapado antes del desayuno para ir a buscar entre los escombros cartuchos de ametralladora y vainas brillantes de proyectiles antiaéreos. Casi todos los días algún niño acaba mutilado en algún rincón de la ciudad porque ha encontrado munición sin estallar entre las ruinas. De nada sirve regañarlos, no obstante. Stave todavía recuerda bien su propia infancia. ¿No habría buscado él todas esas reliquias con la misma fascinación? ¿No habría sido inútil que un adulto quisiera prohibirle esas aventuras? Antes de terminar, les pregunta a los muchachos si salen muy a menudo de expedición. Un silencio tímido, después una negativa vacilante con la cabeza: no, dicen que era la primera vez. Tampoco es probable que ningún otro niño se haya atrevido a hacerlo, porque el hogar infantil Mathias-Stift ha reabierto hace pocos días. Stave apunta los nombres de los chiquillos y luego los manda de vuelta al orfanato.

–Mierda, qué mala suerte que estén en el barrio desde hace tan poco –masculla vuelto hacia el forense, que supervisa a los dos operarios que meten el cadáver en un féretro.

–O sea que no hay ningún testigo que afirme que la desconocida fue depositada aquí anoche. Tendrá que atenerse usted a mis resultados. –El doctor Czrisini lo dice con sobriedad, pero, aun así, en su tono resuena cierto triunfalismo.

Stave le dirige una mirada interrogante al experto en pruebas. El hombre va trazando círculos cada vez mayores alrededor del lugar del hallazgo.

–Nada –le hace saber el fotógrafo, alzando la voz–. Ni un pedazo de tela, ni una colilla, ninguna huella dactilar. Tampoco hay pisadas ni alambre, si bien aún tenemos que peinar todo el solar.

En ese momento llega Ruge tropezando por encima de una montaña de cascotes. Le falta el aliento.

–Esos malditos médicos de Marienkrankenhaus... –empieza a decir.

–Ahórremelo –lo interrumpe Stave, y hace un gesto cansado con la mano–. ¿Ha podido llamar a la Central o no?

–Sí, tras algunas discusiones. –En la voz del joven agente todavía resuena la indignación.

–¿Y bien?

El municipal lo mira con sorpresa durante un momento, luego comprende.

–Tenemos..., es decir, tiene usted que presentarse ante el señor Breuer enseguida, en cuanto haya acabado aquí su trabajo.

Stave guarda silencio. Carl *Cuddel* Breuer es el director de Investigación Criminal desde hace un año. Tenía cuarenta y seis cuando los británicos lo ascendieron, demasiado joven para el cargo. En la época nacionalsocialista lo consideraban socialdemócrata, y en 1933 incluso llegó a desaparecer durante una temporada en el campo de concentración de Fuhlsbüttel, pero después de eso lo dejaron en paz. Un hombre que mantiene el departamento limpio de nazis y que al mismo tiempo obliga a sus agentes a comprometerse con el rigor y la profesionalidad. Stave se pregunta por qué lo mandará llamar Cuddel justo al principio de las diligencias de la investigación; no parece propio de él. Debe de ser algo gordo, piensa. Pero ¿el qué? En voz alta, a Ruge solo le dice:

–Antes buscaremos un poco más por aquí. Ya iremos a la Central más tarde.

El inspector jefe gira despacio sobre sus talones: ruinas, allá donde mire. Solo del otro lado de las vías, a unos cuantos cientos de metros y discernible apenas en la tenue luz del amanecer, un cubo de hormigón. El búnker de Eilbek. Un monolito de siete pisos de alto, paredes de hasta seis metros de grosor. Alrededor de siete docenas de esos búnkeres elevados mandaron construir los nazis durante la guerra como única protección para unas diez mil personas contra la tormenta de bombas. Ahora son fortalezas casi indestructibles, sin ventanas, alojamientos provisionales para quienes perdieron sus casas en los bombardeos, desplazados, náufragos. Nadie sabe con exactitud cuántas personas malviven allí, en ese aire sofocante, sin espacio, entre el ruido, la suciedad y el hedor.

–Nadie habrá visto nada desde las ventanas, eso seguro –farfulla el municipal, que ha seguido la mirada de Stave.

–Si yo tuviera que vivir en esa cueva –dice este–, solo me arrastraría allí dentro para dormir y pasaría el resto del tiempo respirando aire fresco, aunque fuese con esta temperatura.

Ruge ya sospecha cuáles son los planes del inspector jefe.

–Podemos acercarnos con el coche hasta casi delante del bloque –propone sin demasiado entusiasmo.

–Bien –contesta Stave–. Vayamos a ver qué nos cuentan los ocupantes del búnker.

Dan media vuelta por los escombros hasta llegar al otro lado de las vías, después recorren cautelosamente con el coche las calles arrasadas: tardan casi un cuarto de hora en llegar traqueteando por los adoquines de la minúscula Von-Hein-Strasse, que casi parece asfixiarse bajo la mole de hormigón. Stave baja del Mercedes y examina los alrededores. Junto al búnker hay ruinas; justo enfrente, dos talleres mecánicos milagrosamente intactos, del tamaño de dos barracas, cerrados a cal y canto porque no hay coches que reparar. Tras los talleres, un exiguo parque junto a un riachuelo donde la mayoría de los árboles han sido quemados hasta la raíz o talados para aprovechar la leña.

El viento del norte le sopla en la cara. Un hombre con una sola pierna cojea con sus muletas, avanzando contra el temporal, y desaparece en el interior del búnker. Stave lo sigue. La entrada tiene un tejadillo adosado al bloque, y en la puerta de acero ondea todavía el cartel con las instrucciones en caso de alarma aérea. Dentro, una escalerilla de caracol de acero y una atmósfera como de submarino: cargada, estancada, húmeda. El agua chorrea por el hormigón de las paredes, llenas de grietas. Apesta a sudor, desinfectante, ropa mojada, col, moho.

La escalera se interna en el búnker. El primer piso lo indica un mugriento uno escrito en números romanos con pintura blanca sobre una puerta de acero. Stave contempla el trazo tembloroso, la pintura medio levantada y corrida que, bajo la luz de la bombilla de quince vatios, parece una herida cicatrizada. Tras ella, unos tabiques hechos con tablones sin lijar han convertido toda la planta en un laberinto. Así compartimentan los ocupantes sus diminutos «apartamentos», cubículos que albergan a cuatro, seis o más personas aún. De unos clavos cuelgan capas para la lluvia y chaquetas mojadas. Un niño grita desconsoladamente en algún lugar.

–Yo me ocupo de este piso, usted del de arriba –le ordena Stave al municipal–. Y así nos vamos turnando hasta haber peinado el búnker entero. Pregunte a todo el mundo si ha visto algo en las inmediaciones del lugar del hallazgo. Por muy trivial que haya sido. Y no se interese solo por las últimas veinticuatro horas, sino también por los días anteriores. Es posible que la víctima lleve más tiempo ahí. Si alguien se niega a colaborar, muéstrese enérgico. A la gente de los búnkeres no le gusta hablar, y menos aún con la Policía.

Ruge sonríe, da un taconazo y se lleva la mano derecha a la porra. A Stave no se le escapa el detalle, pero no dice nada. Está cansado de hacer de niñera de municipales con exceso de celo.

El inspector jefe llama dando unos golpes en los tablones del primer compartimento. No hay respuesta. Aparta a un lado la tela mugrienta que cubre la entrada del cubículo. Una camilla de la Wehrmacht elevada sobre viejas cajas de fruta hace las veces de cama: ropa sucia en el suelo, un diploma de bachiller clavado en la pared, el papel amarillento y quebradizo. Sobre la sábana de la camilla está tumbado un joven demacrado, roncando. Stave lo zarandea de un hombro. El tipo protesta y se vuelve hacia la pared, pero no abre los ojos. Apesta a licor de destilación casera; está como una cuba. Stave le da un golpe fuerte en el hombro con la mano derecha, pero del joven durmiente no obtiene más que un gruñido. No hay nada que hacer.

Va hasta el compartimento vecino: está vacío. Luego al siguiente, donde da unos golpes en la madera áspera.

–¡Si buscas dónde quedarte, métete ahí al lado! –dice una voz ronca–. En ese ya no vive nadie. Pero que no te pille el administrador, y no hagas ruido.

–Investigación Criminal –anuncia Stave, y levanta el abrigo viejo y pesado que cubre la entrada. Es de tela impermeable; es posible que sea de un marinero.

En la pared contraria hay unas literas oxidadas sin colchones. Sobre la cama de abajo ve una manta arrugada; en la cabecera, una mochila hace las veces de almohadón. A la cama superior le falta la red metálica sobre la que normalmente descansaría el colchón. Un par de listones atravesados sobre el marco forman una especie de estantería en la que hay un petate tan repleto que Stave teme que las maderas cedan bajo su peso y toda la carga acabe cayendo sobre la cama de abajo. Delante del camastro hay un viejísimo sillón de sala de estar; el estampado de la tapicería se ha desgastado hasta adoptar colores indefinibles y tiene la parte posterior cubierta de hollín: un botín saqueado de alguna casa bombardeada.

En el sillón hay un hombre sentado al que el inspector jefe, a primera vista, echa unos setenta años. Después lo mira mejor: puede que cincuenta. Pelo gris hielo sin lavar desde hace semanas. Las greñas grasientas le llegan hasta los hombros, sobre los que una corona de caspa blanca brilla como la nieve contra el azul oscuro del jersey de gruesa lana azul marino. Viste pantalones oscuros y grandes botas de trabajo con punteras de hierro. Un hombre que en su juventud debió de ser grande y fuerte: sus músculos, que todavía imponen, quedan medio ocultos bajo una piel flácida y arrugada. Ojos azules, cejas pobladas, una cicatriz como de un dedo de ancho que, desde la comisura izquierda de la boca, le cruza la mejilla y el cuello hasta llegar a la oreja. Va arremangado a pesar del frío, y en el antebrazo se distinguen varios tatuajes azules: un ancla, una mujer desnuda, una palabra que Stave no llega a reconocer. Un marinero varado en tierra, piensa el inspector jefe. Se lleva la mano derecha a la empuñadura de la pistola mientras, con la izquierda, saca su identificación de la Policía.

–Anton Thumann –dice el hombre, pero no se levanta. En el compartimento no hay más lugar para sentarse que la litera, y Stave no piensa acomodarse en ella. De modo que, de pie, explica que han encontrado el cadáver de una mujer en las inmediaciones.

–¿Y qué tiene eso que ver conmigo? –lo interrumpe Thumann aun antes de que haya acabado.

–¿Ha pasado por Baustrasse estos últimos días? ¿O por la estación de Landwehr? ¿Ha habido algo que le llamara la atención?

–Casi nunca salgo. Hace demasiado frío. Permanezco en este búnker como si estuviera hibernando. Cuando el puerto se descongele y los ingleses por fin nos dejen hacernos a la mar otra vez, me largaré de aquí. Hasta entonces, me quedo metido en este agujero e intento moverme lo menos posible.

Stave describe a la víctima lo mejor que puede.

–¿La conoce?

Thumann suelta una risa seca.

–He conocido a muchas mujeres jóvenes y desnudas. Baratas y no tan baratas. Por como la ha descrito, podría ser cualquiera de ellas.

El inspector jefe respira hondo a pesar de lo enrarecido del aire.

–¿No vive aquí ninguna joven que responda a esa misma descripción? ¿Melena de tono rubio oscuro, ojos azules, unos veinte años?

Una risotada, después un gesto negativo de la cabeza.

–¿Cómo quiere que lo sepa? Soy feliz cuando no tengo noticia de los demás. Dos compartimentos más allá vive una piltrafa humana de pocos años. Está borracho noche y día. Aquí al lado, un tuberculoso que tosió hasta palmarla. Después de eso, hará un par de semanas, apareció toda una familia. Ninguno de ellos hablaba una palabra de alemán. Seguramente eran franceses. Desplazados de algún campo, tal vez. No intercambié ni una frase con ellos, pero los oía cuchichear entre sí. Las paredes son muy finas. Un día se presentó aquí uno de sus compañeros y se llevó a toda la cuadrilla. Ahora el cubículo vuelve a estar libre. Seguro que no tarda mucho en arrastrarse alguien ahí dentro, aunque a mí qué más me da... Todas las noches hay una mujer que chilla como si le estuvieran cortando una mano. Es horrible.

Pero ¿cree usted que sabría decirle quién suelta esos gritos? ¿O de qué compartimento vienen? Ni la menor idea. Y en los pisos de más arriba no he estado ni una sola vez. ¿Para qué? Aquí no conozco a nadie, no me interesa ir husmeando detrás de nadie, ni siquiera de una ratita joven y rubia. Yo solo quiero que me dejen en paz, y eso ya me cuesta lo mío.

–Gracias por la información –dice Stave, y sale del compartimento sin despedirse.

Una hora después vuelve a reunirse con el agente Ruge ante la entrada del búnker. Necesita respirar aire fresco.

–Jamás hubiera dicho que este condenado temporal siberiano me sentaría tan bien –dice, y se sacude el abrigo. Tiene la sensación de que el hedor de la desesperación y la dejadez se le han pegado a la ropa.

También Ruge está pálido, algo sudado, cansado.

–Gente de búnker... –jadea, como si eso lo explicara todo.

El inspector jefe asiente con la cabeza. A esas guaridas de hormigón han ido a parar los proscritos, los derrotados, los abandonados. Todo el que todavía siente un poco de fuerza en su interior encuentra la forma de salir de ahí al cabo de un tiempo. Prefiere construirse un refugio de cartón y cascotes entre las ruinas a dejarse enterrar en vida bajo seis metros de hormigón armado.

–Acabo de sorprender a un viejo –comenta Stave– arrancando dos papeles de la pared del compartimento de su vecino dormido. Dos dibujos infantiles. Cuando he hablado con él, se ha limitado a decirme que odia todo lo que sirva para embellecer el búnker. Es una locura.

–Nadie dice haber visto nada en las ruinas de ahí delante –informa Ruge–. Nadie ha ido por allí estos últimos días. Nadie ha visto nada sospechoso. Nadie conoce a ninguna mujer joven. Cómo me gustaría detener a toda esa chusma...

–Ya están en una cárcel –responde Stave, cansado, y da unos golpes en la pared de hormigón–. A mí tampoco han podido decirme nada decente. Y les creo. La verdad es que ya casi nadie se asoma por esta puerta.

–Pues entonces parece que no tenemos ningún testigo, inspector jefe.

La mañana ha ido avanzando. Stave tiene hambre y está cansado. Qué bien, piensa, no tener que ir a pie.

Ruge conduce el Mercedes esquivando montones de escombros. El pesado coche traquetea a causa de los baches y Stave tiene que agarrarse para no resbalar en el asiento.

–Disculpe –masculla el municipal, que se concentra en el volante con obstinación–. Enseguida habrá pasado lo peor.

Lo cierto es que tanto en el casco antiguo como en la ciudad nueva hay algunas calles principales que ya están despejadas. Stave se reclina en el asiento y cierra los ojos hasta que se detienen frente a la Central de Investigación Criminal.

La torre de oficinas de Karl-Muck-Platz es un coloso de ladrillo de once plantas construido en los años veinte con mampostería de un rojo oscuro y ventanas blancas, modernas y sin adornos. Antes era la sede de una aseguradora, pero tras la guerra se instaló allí la Brigada de Investigación Criminal. La mayoría de los agentes no tienen en mucha estima el bloque, aunque sí agradecen que esté prácticamente intacto. En Hamburgo no quedan muchas ventanas que cierren bien. A Stave, sin embargo, la torre le gusta porque es todo lo contrario a la alegre y pomposa sala de conciertos neobarroca que se alza al otro lado de la plaza, como si Investigación Criminal quisiera contraponer la severidad y la corrección de la Policía a la frívola ligereza del arte.

Con un gesto sobrio, el inspector jefe se despide de Ruge y baja del Mercedes. En la fachada de la torre, diez sólidos pilares cuadrangulares sostienen una especie de pórtico. En su techo, unos azulejos esmaltados en azul, blanco y amarillo forman un diseño alegre, notas de color escondidas en una ciudad gris. También decoran el exterior del edificio escudos de armas y figuras alegóricas de cerámica, además de un elefante de bronce de tres metros de alto que ni siquiera las brigadas de aprovisionamiento de los nazis se atrevieron a fundir durante la guerra y al que los de Investigación Criminal llaman *Anton*. Sobre la entrada principal se cierne una joven que sostiene una carabela esmaltada en dorados, marrones, azules y blancos. «La novia del marinero», la llaman algunos agentes, o «la puta del puerto», si están de mal humor.

Stave no tiene ni idea de qué podría simbolizar esa figura en un principio. Cruza la puerta de doble batiente que lleva a la Central de la Brigada de Investigación Criminal, tan alta que por ella podría pasar un velero. Sube cojeando la escalera, en la que un sinfín de pequeñas teselas marrones, rojas, blancas y negras forman cenefas. No hay día que no piense en la piel de una gigantesca serpiente cuando las pisa.

Por fin ha llegado: sexta planta, despacho 602.

En la antesala, medio oculta tras una enorme máquina de escribir negra, Erna Berg está sentada en una silla que amenaza con desmontarse en cualquier momento. Stave saluda a su secretaria y se esfuerza por sonreír. Que esa mañana haya visto una muerta desnuda no es razón para mostrarse enfadado. Erna Berg le cae bien. Rubia, alegre, ojos azules, siempre optimista, algo rellenita. A saber cómo conseguirá conservar tanta carne sobre las costillas a pesar de las míseras porciones de las cartillas de racionamiento.

Rebosa energía aunque es viuda de guerra: en 1939 se casó a toda prisa con un soldado al que destinaban al frente; el hijo llegó un año después. No dio a su marido por desaparecido hasta 1945, cuando algunos camaradas que regresaban a casa le explicaron que había muerto. De todos modos, como el dato no ha podido comprobarse, no recibe ninguna pensión de viudedad. Stave sabe que su hijo y ella no viven únicamente de su escaso sueldo de secretaria de Investigación Criminal, sino que de vez en cuando también se saca algún dinero con el estraperlo. Él hace la vista gorda.

–El director lo está esperando –dice ella, y le guiña un ojo–. Se ha enterado de lo del cadáver –añade en voz baja.

–Sí que ha corrido pronto la voz... –masculla Stave–. Abra un nuevo expediente. «Víctima sin identificar. Baustrasse.» El informe lo redactaré más tarde. Y solicite una autopsia a la Fiscalía. El doctor Czrisini ya está al corriente.

Su secretaria pone ojos de exasperación.

–Tendrá que deletrearme ese apellido –protesta–. Nunca conseguiré aprendérmelo bien.

Stave le escribe el nombre del forense en una hoja, en vano busca un hueco libre en el minúsculo escritorio y al final la cuelga en la pared que hay detrás de la mesa de su secretaria.

–Me voy a ver al jefe –dice, y cierra la puerta al salir.

Unos momentos después está en el despacho del director de la Brigada de Investigación Criminal de Hamburgo. Cuddel Breuer es de estatura media y tiene la cara redonda, el pelo algo ralo, una mirada afable. Sería fácil confundirlo con el funcionario honrado y bonachón de una oficina de Correos de provincias. Y justamente eso hacen muchos policías, además de delincuentes, la primera vez que lo ven.

Breuer tiene unos ojos vivos, los hombros demasiado anchos para una persona de aspecto tan amable. Ninguno de los dos se ha quitado el abrigo; la temperatura en las oficinas debe de rondar los diez grados, como mucho.

–¿Un café? –pregunta el jefe–. Es sucedáneo, pero al menos está caliente.

Stave asiente con gratitud y rodea con las manos la taza esmaltada para entrar en calor.

Breuer le señala una hoja que hay en una bandeja de documentos, sobre el escritorio.

–Las cifras del año pasado –explica–. En 1946 se cometieron en Hamburgo 29 asesinatos, 629 atracos, 21.696 robos y 61.033 hurtos. O, hablando con propiedad, esos son los crímenes y delitos que fueron denunciados. Aparte de violaciones, agresiones físicas y contrabando de todo tipo. «Delincuencia de la miseria», lo llama el señor fiscal, y me temo que tiene razón. También me temo que 1947 no será un año mucho mejor, sobre todo con este invierno.

Stave asiente. Hace un par de días, una patrulla sorprendió a dos desplazados con carne procedente de un matadero ilegal. Los dos delincuentes, antiguos condenados a trabajos forzados procedentes de Polonia, sacaron armas y abrieron fuego. Un municipal murió, el otro sigue en el hospital con heridas graves. Más tarde consiguieron detener a los dos desplazados y un tribunal militar británico los sentenció a muerte. Ahora esperan su ejecución.

–Una mujer desnuda estrangulada es algo que aún no habíamos tenido –prosigue Breuer. Todavía habla con simpatía–. Pronto correrán rumores... ¡Como si no tuviéramos ya suficientes preocupaciones! Las casas heladas, la electricidad que escasea, las cartillas de racionamiento. Trenes de carbón que han quedado bloqueados a saber dónde por los temporales de nieve. O que, si consiguen avanzar, acaban saqueados. Los oficiales británicos que han requisado las mejores villas de la ciudad y ahora plantan carteles: «¡Prohibido el paso a los alemanes!». Cada día llegan a la ciudad nuevos refugiados desde el este, de los campamentos de desplazados, prisioneros de guerra que han quedado libres... ¿Dónde vamos a meterlos a todos? No podemos reconstruir las casas, con este frío ni siquiera se puede mezclar la argamasa. Los ciudadanos de Hamburgo están furiosos.

–Y como no pueden descargar esa furia contra nadie, nos harán la vida imposible si no conseguimos atrapar al asesino enseguida –añade Stave.

–Veo que me entiende. –Breuer asiente con satisfacción.

Stave le describe someramente a su jefe lo que se sabe del caso: la víctima joven y sin identificar, las ruinas, los escasos testigos oculares.

–¿El doctor Czrisini abrirá el cadáver? –pregunta Breuer.

–Hoy mismo.

Breuer se reclina contra el respaldo y cruza los brazos detrás de la cabeza. No dice nada durante un par de minutos, pero Stave ha aprendido a no ser impaciente. Por fin el director de Investigación Criminal asiente, se enciende un Lucky Strike y aspira el humo con placer.

–Nuestra brigada dispone de setecientos agentes en Hamburgo –dice al final, y deja escapar unas volutas entre sus labios–. La mayoría son principiantes, muchos otros compañeros tienen antecedentes políticos.

Stave guarda silencio. La mayoría de los policías, incluso antes de 1933, ya eran bastante reaccionarios; más adelante, unos doscientos trabajaron para la Gestapo solo en Hamburgo. En cuanto llegaron, los británicos despidieron de inmediato a más de la mitad de los altos cargos. Sin esa limpieza política, Breuer jamás habría ocupado el sillón de mando, y tampoco él, Stave, habría podido medrar en su carrera. Eso hace que no sean precisamente muy queridos entre los compañeros con más antigüedad, aquellos que no han sido despedidos y han escapado por muy poco de la depuración británica.

–Una muerta de la que ni siquiera sabemos el nombre. Una mujer joven, desnuda. Un criminal que, incluso en estos tiempos tan difíciles, no mata por necesidad, sino porque una pulsión abominable parece empujarlo a ello. Un asesino del que no tenemos ni una sola pista. Una ciudad que nos exige una actuación rápida –prosigue Breuer; su tono es casi soñador–. Tenemos entre manos un trabajo muy desagradable, Stave. No puedo asignárselo a ningún principiante. Y ninguno de los agentes más antiguos se peleará por hacerse con el caso.

Por eso me lo das a mí, porque de todas formas yo no soy demasiado popular, piensa Stave, pero en voz alta se expresa de otro modo:

–Yo me encargo, jefe.

–Bien. ¿Habla usted inglés?

Stave se yergue de pronto en la silla.

–Un poco, aunque me temo que no demasiado bien.

–Qué lástima –dice Breuer, y luego, como si nada, añade–: No importa. Su hombre, según tengo entendido, domina admirablemente el alemán.

–¿Mi hombre?

–Los británicos han designado a un oficial de enlace para las investigaciones.

–Mierda –se le escapa.

–Se debe a las especiales implicaciones políticas y de psicología de masas que tiene este caso –sigue explicando su jefe sin inmutarse–. Lo han solicitado ellos. También voy a asignarle a un compañero de Orden Público para que colabore con usted. Bajo su mando, desde luego.

–¿De Orden Público?

–La víctima estaba desnuda –le recuerda Breuer con delicadeza.

–¿A quién?

–El inspector Lothar Maschke. Enseguida se ha presentado voluntario.

–Hoy no es mi día de suerte –murmura Stave.

Breuer sonríe y llama a su secretaria.

–¡Haga pasar a los dos caballeros!

El primer hombre que entra en el despacho lleva el uniforme marrón verdoso de un teniente del ejército británico. Stave calcula que tiene unos veintitantos años, aunque su tez clara, casi rosada, y el pelo corto y rubio le hacen parecer más joven aún; no es muy alto, nervudo, con el paso ágil de un deportista. Sin querer, Stave se pregunta por qué será que el uniforme, a pesar de estar planchado a la perfección, le queda un tanto desaliñado. La expresión del rostro del oficial, aunque servicial y amable, se le antoja un poco altanera.

–El teniente James C. MacDonald, de la Administración Británica de Hamburgo, *Public Safety Branch* –lo presenta Breuer.

El oficial se lleva la mano a la gorra con brusquedad y saluda. Stave, que no sabe muy bien cómo contestar a ese saludo militar, no está seguro de qué hacer con la mano.

MacDonald sonríe y luego le ofrece la diestra.

–Un placer, inspector jefe.

Habla con un ligero acento británico, pero Stave sospecha que la pronunciación es el único punto débil de MacDonald con el alemán. No me sorprendería que fuese capaz de redactar los informes mejor que la mayoría de compañeros de la Policía, piensa.

–Bienvenido a Investigación Criminal, teniente –dice en voz alta.

El segundo hombre ha entrado en el despacho del director siguiendo con cierta timidez al británico. A Stave le parece que debe de tener más de treinta años, es muy alto y desgarbado, y lleva un traje de civil algo deslucido que le queda demasiado grande. Pelo rubio rojizo y un fino bigotito más pelirrojo aún. Dedos índice y corazón de la mano derecha teñidos de amarillo nicotina, movimientos inquietos: un fumador compulsivo que en los tiempos que corren nunca consigue suficientes cigarrillos.

Stave asiente con la cabeza a modo de saludo. El inspector Lothar Maschke, de Orden Público; ya lo conocía. No hace mucho que Maschke ha salido de la Escuela de Policía, pero ya ha conseguido ganarse la antipatía de la mayoría de los agentes de Investigación Criminal, aunque en realidad nadie sería capaz de dar un motivo en concreto. Stave cree que se ha dejado crecer el bigote para parecer algo mayor, y por dentro se ríe un poco de él, porque todavía vive con su madre. Precisamente un agente de Orden Público.

–Señores míos –exclama Breuer frotándose las manos–, espero con entusiasmo los resultados de sus investigaciones.

–Vayamos a mi despacho –propone Stave.

Se despide de su jefe con un ademán de la cabeza y luego les indica el camino a los otros dos. Solo me faltaban estos, piensa con resignación, y los sigue por el sombrío pasillo, iluminado por una única y amarillenta bombilla de quince vatios.

El despacho de Stave es luminoso, la vista desde la ventana da a la sala de conciertos y a las ruinas de más allá. Su viejo escritorio de madera parece desierto. Siempre guarda meticulosamente cada documento en los cajones de abajo, clasifica todos los expedientes y los mantiene ordenados en un voluminoso archivador metálico de color gris.

Erna Berg entra y le entrega una carpeta de papel en la que ha metido una hoja: el expediente del nuevo asesinato.

El inspector jefe presenta a su secretaria a los dos hombres.

Maschke asiente brevemente con la cabeza y murmura algo ininteligible. MacDonald, por el contrario, le tiende una mano.

–Encantado de conocerla –dice.

Stave se sorprende al ver que su secretaria se sonroja.

–Ahora les traigo otra silla –repone ella, quizá con demasiada premura.

–Deje que lo haga yo –se ofrece MacDonald. Sale corriendo a la antesala y entra con una segunda silla para las visitas.

Erna Berg le sonríe.

Con un gesto, Stave le indica que se retire y que cierre la puerta del despacho. De pronto no puede evitar pensar en Margarethe y en cómo fue cuando se conocieron. Esa timidez y esa emoción. De repente envidia al joven oficial británico. Qué tontería. Ahuyenta el recuerdo de su mujer y el de todas las mujeres menos de una: la víctima desnuda.

–Siéntense –pide con educación–. Les haré un resumen.

El inspector jefe informa metódicamente acerca del cadáver desnudo con la cicatriz de apendicitis y la marca de estrangulamiento, acerca del lugar del hallazgo, de los dos chavales, de los interrogatorios a los inquilinos del búnker, de la infructífera búsqueda de huellas. Cuando concluye, MacDonald saca un paquete de cigarrillos ingleses y les ofrece uno. Stave y Maschke dudan, como si cada cual esperase a ver la reacción del otro. Entonces el inspector jefe hace un esfuerzo y acepta el cigarrillo dándole las gracias. En realidad ya no fuma, pero por lo visto Maschke esperaba a ver si él, que hasta el final de las investigaciones será su superior, aceptaba el regalo de un antiguo enemigo. El agente de Orden Público da una calada ansiosa; tanto que MacDonald le ofrece un segundo cigarrillo con una sonrisa entre cortés e irónica.

–¿Y qué hacemos ahora? –pregunta entonces.

Stave lo mira con sorpresa.

–Yo soy soldado, no policía –explica MacDonald–. Sé hacer la guerra, no llevar una investigación.

Maschke tose con tanta violencia que expulsa humo azulado por la boca y la nariz.

Stave hace un esfuerzo por arrancarse una sonrisa.

–Cuanto más sepamos de la víctima, más sabremos también acerca de su asesino –empieza a decir–. A menudo el criminal y su víctima se conocen, así que lo que haremos ahora es intentar descubrir algo más sobre la identidad de la mujer. Abriremos el cadáver.

–¿Tenemos que abrir el cadáver nosotros? –lo interrumpe MacDonald, solo que sin sonrisas esta vez.

–Lo hará un forense –responde Stave para tranquilizarlo, y por primera vez levanta la vista con una mirada amable. Ese espanto infantil ha hecho que el joven británico le caiga en gracia. Menudo soldado estás tú hecho, piensa, si te dan miedo los muertos–. Nosotros recibiremos el informe médico. Con eso puede que nos enteremos de algo. De la hora exacta de la muerte, por ejemplo. Aunque no creo que ningún médico de este mundo pueda desvelarnos mucho más sobre la identidad de la desconocida.

–Aparte del que le extirpó el apéndice –interviene Maschke.

–Sí –admite Stave–. Es un comienzo. Solicitaremos copias al fotógrafo de la policía y repartiremos las imágenes por los hospitales de Hamburgo. Puede que alguien la reconozca. De todas formas, una extirpación de apéndice es una operación muy rutinaria. Prácticamente ningún cirujano ni ninguna enfermera se acordaría de un caso en concreto.

–Sobre todo porque en los últimos años los hospitales han tenido mucho que hacer –añade Maschke–. Y eso si el hospital en cuestión sigue en pie y el personal médico sigue con vida.

El inspector jefe le lanza una mirada de advertencia a su compañero. Ya es bastante molesto tener a un oficial de la ocupación metido en el grupo de investigación. Solo falta que, además, lo anden provocando.

Pero MacDonald actúa como si no se hubiera dado cuenta de nada.

–¿Y si los médicos no pueden ayudarnos? –pregunta.

–Colgaremos carteles con la fotografía de la víctima por toda la ciudad. Aunque resulte un poco... –Stave duda un momento, busca la palabra óptima–, delicado –dice con pesadez.

Como el británico se limita a levantar las cejas en actitud interrogante, aclara:

–Por un lado, tenemos que acudir a los ciudadanos en busca de pistas. Es muy posible que alguien reconozca a la víctima; es incluso probable. Por otro, tampoco quiero gritar a los habitantes de Hamburgo que un asesino anda suelto por ahí cometiendo sus maldades. Eso podría provocar alarma.

–Por eso me han enviado a mí –dice MacDonald con una franqueza cautivadora–. También las autoridades británicas tienen mucho interés en que las investigaciones se desarrollen todo lo deprisa y con toda la discreción posible.

–Comprendo. –Stave tose ligeramente y apaga el cigarrillo cuando todavía no lo ha terminado, algo que Maschke, que apura el suyo hasta las yemas de los dedos, registra con una mirada de incredulidad–. Pero es que, aparte de eso, no tenemos mucho a lo que aferrarnos –reconoce–, más allá de una vaga sospecha inicial.

Observa con satisfacción que el oficial se yergue ahora más en la silla, está más alerta, sí, casi tenso. Maschke, por el contrario, sigue mirando la brasa del cigarrillo que se consume en el cenicero. Stave intuye que él ya sabe lo que viene a continuación.

–Aspecto de cuidarse mucho, manos sin heridas, limpias, buena tez, alimentación satisfactoria... Nuestra mujer no era una trabajadora. Tampoco creo que llegara a Hamburgo durante las últimas semanas con algún grupo de refugiados, porque estaría más demacrada. Y no me parece una desplazada. Sus cuerpos suelen presentar marcas de... –otra vez busca las palabras adecuadas–, las privaciones anteriores.

–¿Privaciones? –pregunta MacDonald.

Stave suspira. De nada sirve andarse con rodeos. Menos aún en un equipo de investigadores tan reducido y con un caso de asesinato como este.

–No lleva tatuado el número de ningún campo de concentración –explica–, no presenta más heridas que la cicatriz de la operación de apendicitis, no hay señales de golpes, patadas ni desnutrición extrema. De todas formas, evidentemente, es posible que fuera polaca, o rusa, o ucraniana, y que el Reich la importara como fuerza de trabajo. Es posible que le fuera asignada a un granjero en algún lugar de Schleswig-Holstein o la Baja Sajonia, o a alguna fábrica. Y que después, en 1945, decidiera quedarse aquí como desplazada en lugar de regresar a casa con el buen padre Stalin. Aunque, como he dicho, no tiene manos de trabajadora.

–¿Hija de buena familia? –especula MacDonald. De pronto parece que el oficial se divierte con la investigación, piensa Stave.

–Es posible. Sin embargo, las desapariciones de hijas de buena familia enseguida se denuncian. Hasta el momento, no ha sido el caso. Quizá nos llegue un aviso en las próximas horas. De todas formas, si esta tarde no ha entrado nada, nos ahorraremos una visita a una de las villas del barrio de Blankeneser.

–Entonces, ¿quién pudo ser la víctima?

–Una golondrina de la calle –propone Maschke, que por fin ha abandonado la frustrante contemplación del cigarrillo apagado.

–No conozco esa expresión de mis clases de alemán –comenta MacDonald.

Maschke se echa a reír.

–Una puta. Una ramera. Una mujer de la vida. Una pros-ti-tu-ta. Por eso estoy yo en el equipo de investigación, ¿no es así?

Stave asiente. Ahora ya comprende por qué cae tan mal Maschke entre los agentes de Investigación Criminal.

–Por lo menos su aspecto físico encaja –reconoce de mala gana–, y las circunstancias de su muerte seguramente también. Hay suficientes indicios como para sondear a la clientela de Maschke.

–¿Y eso qué quiere decir?

–Que nos vamos a los antros de Reeperbahn –informa Stave, y sonríe con acritud.

MacDonald tuerce la boca con alegría.

–Mis camaradas del Club de Oficiales no me creerán cuando les diga que he tenido que ir allí estando de servicio.

–Siempre vale la pena ganar una guerra –sisea Maschke, pero en voz tan baja que Stave no está seguro de que el británico lo haya entendido.

–Debo advertirle algo, teniente –dice enseguida, y quizá levantando demasiado la voz–. Me temo que los caballeros de Reeperbahn no se alegrarán precisamente de vernos llegar, y por desgracia las damas tampoco.

Después llama a su secretaria.

–Necesitamos que el fotógrafo haga unas copias. Solo de la cabeza de la víctima, para que puedan reconocerla. A ser posible, no demasiado explícitas.

–¿Cuántas? –pregunta Erna Berg, pero no mira a Stave cuando habla, sino al oficial británico.

Adiós muy buenas a mi autoridad, piensa Stave.

–Una docena. Que el inspector Müller se lleve consigo a un par de agentes para recorrer los hospitales y ponerles la foto delante de las narices a todos los cirujanos que encuentren. A la víctima le extirparon el apéndice; es posible que alguno de los señores doctores la recuerde. Y una copia más para la imprenta. Necesitaremos mil carteles. –Duda, lo piensa un momento–. No, solo quinientos. Después redactaré el texto. Comuníqueles a las autoridades correspondientes de la Policía Municipal que las patrullas de agentes podrán colgarlos ya pasado mañana. También necesitaré otras tres copias para estos dos caballeros y para mí mismo.

–Así se hará, jefe –responde Erna con voz melosa, y sale enseguida.

MacDonald la sigue con la mirada y luego, como si se sintiera sorprendido por Stave, se dedica a contemplar el despacho.

–Tiene usted todo esto muy bien arreglado –comenta.

Stave sonríe con indulgencia. Después saca papel y un trocito de lapicero de un cajón del escritorio.

–Voy a redactar el texto de los carteles –explica–. Nos encontraremos dentro de media hora en la entrada principal y nos daremos una vuelta por Reeperbahn.

Veintinueve minutos después, Stave ya está en el vestíbulo, frente a la enorme puerta. Tiene hambre, tiene frío y se le ocurren unas mil cosas que preferiría hacer antes que ir a interrogar a chulos y putas.

MacDonald lo está esperando. Maschke baja la escalera corriendo con el abrigo a medio poner y dos minutos tarde, tal como Stave constata con disgusto. Se pregunta qué habrá hecho su compañero de Orden Público durante la última media hora.

Cuando salen al exterior, MacDonald mira a un lado y a otro con asombro.

–¿Dónde está su vehículo, Stave?

–La Policía también tiene la gasolina racionada, teniente. Casi siempre nos movemos a pie o en tranvía. De aquí a Reeperbahn no hay más que un paseo.

–De haberlo sabido, habría traído un Jeep –repone MacDonald, y chasquea la lengua con pesar.

–Y habríamos ido de burdel en burdel por todo Reeperbahn con un Jeep británico –refunfuña Maschke–. Todas las patrullas inglesas se habrían cuadrado al vernos pasar.

Stave sacude la cabeza, molesto. Después reparte las copias de la fotografía de la víctima; todavía huelen a productos químicos.

–Vamos.

Se sube el cuello del abrigo. Ya es más de mediodía y no ha comido nada desde el escaso desayuno de esa mañana. El viento helado sigue silbando entre las ruinas. Stave se siente como si le hubieran dado una paliza. MacDonald, por el contrario, con su uniforme planchado y su lozanía, parece como si se dispusiese a dar un paseo para hacer bien la digestión... Lo cual seguramente es cierto, piensa Stave. Maschke tiene entre los labios el segundo cigarrillo inglés y va arrastrando los pasos algo por detrás de ellos, como si no perteneciera a su grupo.

En el muro sucio de una casa hay pegados varios carteles y papeles amarillentos, algunos grandes como un mantel: «Military Government – Germany/Law No 15», lee Stave al pasar. «Gobierno Militar de Alemania/Ley núm. 15.» Notificaciones bilingües de las autoridades de la ocupación. El inspector jefe echa una ojeada experta a los papeles. Nada nuevo. Carteles como esos, además de las notas escritas a mano y los mensajes garabateados con tiza sobre los muros desnudos, son los periódicos que nos hemos ganado a pulso, piensa. La prensa de verdad apenas publica una o dos veces por semana y solo un par de páginas escasas; las existencias de papel no dan para más. Ninguna radio alemana, según ha oído decir, obtendrá permiso para emitir otra vez hasta dentro de varias semanas. Y en el cine, el noticiero semanal consiste sobre todo en las películas que proporcionan tanto británicos como americanos.

¿Cómo hacer llegar un mensaje a los ciudadanos si no es empapelando los muros? De modo que el gobierno militar cubre con carteles las casas de todas las calles principales y también las columnas de anuncios que no han sido destruidas: nuevos racionamientos, cambios en los horarios del toque de queda, nuevas leyes... ¡Que ningún ciudadano diga que no se había enterado! Hasta los propios alemanes emulan por necesidad los métodos de sus nuevos amos y señores: en los ladrillos pegan notas con las que buscan a familiares desaparecidos, propuestas de intercambio, informaciones sobre pisos disponibles. El alcalde hace públicas las disposiciones municipales de la misma forma. Y nosotros, los de Investigación Criminal, se dice Stave, contribuimos a la decoración con los rostros de criminales y las fotografías de cadáveres que se muestran en nuestros carteles.

Llegan a Heiligengeistfeld, una plaza gigantesca, sucia, abandonada a merced de las ráfagas de aire frío. Dos búnkeres grises y negros se elevan hacia el cielo, bloques macizos como templos de una religión sombría y extinta. Un cartel desgastado indica que en la planta baja de uno de ellos se encuentra alojada la redacción de *Nordwestdeutschen Hefte,* pero a esas horas nadie entra ni sale de allí. Sobre la entrada del otro búnker llama la atención un cartel apenas algo mayor que el primero: «Scala». Y, debajo, el programa del momento: *Las mil y una chicas.* Un teatro de variedades en un búnker, casi un millar de localidades, muchachas con poca ropa y disfraces de fantasía hechos con celofán de colores, cancioncillas sentimentales. A Stave le parece perverso que el establecimiento se haya instalado justamente en ese lugar. En esos momentos, sin embargo, el garito está algo muerto.

También el resto del barrio rojo de Hamburgo parece aún espectral. Lo cierto es que las luces son más bien mortecinas, pero nadie tiene electricidad para carteles luminosos. Algunos bares y cafés de variedades han quedado destruidos por las bombas: el Panoptikum, el Volksoper, el Café Menke; ruinas. Con tablones y ladrillos rescatados, los antiguos propietarios han construido nuevos antros entre los escombros; cobertizos miserables en los que, por las noches, los hombres que todavía no se han cansado de disparar pueden hacer puntería con ballestas sobre discos, aunque en esos momentos no hay nadie probando suerte.

Sin embargo, son muchos los que van de aquí para allá. Mujeres y hombres, también varios niños con abrigos descoloridos que se pasean por la acera de la esquina de Reeperbahn y Hamburger Berg sin motivo aparente, trazando círculos, mirando al cielo. El mercado negro.

Cuando los tres investigadores se acercan, la gente los rehúye como si tuvieran la lepra. Stave maldice para sus adentros: maldito uniforme británico. Él solo podría haberse mezclado sin llamar la atención con esas decenas de personas. Así, sin embargo, lo único que ve son gestos apresurados cuando cigarrillos, aguardiente o Dios sabe qué desaparecen en el interior de los abrigos. Las mujeres y los jóvenes se vuelven de espaldas, nadie los mira, un par de tipos se dan a la fuga por callejuelas laterales. Las únicas que finalmente se les acercan son dos muchachas. De unos dieciocho años, calcula Stave, ni siquiera se han transformado aún en mujeres. Rubias, pieles de turón al cuello, sonrisas falsas. Veinticinco metros más y las tendrán junto a ellos.

El inspector jefe da unos cuantos pasos enfilando Reeperbahn, cada vez más molesto. Davidwache, la comisaría, ha quedado intacta para gran decepción de todos los chulos de Hamburgo. La cervecería Zillertal ha sobrevivido a la tormenta de bombas, igual que unos cuantos establecimientos más: el Onkel Hugos Restaurant, el Alkazar. Y el Kamsing, una decena de metros más allá en dirección a Talstrasse, el único restaurante chino de la ciudad, que ofrece sopas picantes y arroces con especias exóticas, aun en estos tiempos y aunque sean de oscura procedencia. Stave siente hambre al pensar en el Kamsing, así que toma una decisión.

–Esto no nos lleva a nada –informa a los otros dos–. Las chicas se nos acercan, pero todos los demás nos dan esquinazo.

–Mejor así que al contrario –comenta MacDonald, y sonríe a las «golondrinas de la calle».

Como me descuide, a este lo pierdo hasta en pleno día, piensa Stave.

–Nos separaremos –ordena–. Teniente, usted y yo entraremos en los establecimientos y nos emplearemos a fondo con la clientela que encontremos allí. Maschke, usted quédese en la calle y pregunte a las damas y a sus protectores. Nos encontraremos dentro de dos horas delante de Davidwache.

De esta manera, Stave aparta al oficial británico de los focos. Ya se ha cansado de que todo el mundo le eche miraditas. En los bares y burdeles MacDonald también llamará la atención, cierto, pero allí dentro no podrán escapárseles tan fácilmente. Solo, en cambio, Maschke podrá interrogar a las chicas de Reeperbahn y a sus chulos sin llamar la atención. Y, además, para ello tendrá que pasar dos gélidas horas a la intemperie, mientras que el inglés y él por lo menos entrarán un poco en calor yendo de establecimiento en establecimiento. Por primera vez desde hace horas, Stave sonríe.

Se despiden de Maschke con un ademán de la cabeza y dan media vuelta antes de que las dos rubias se les hayan acercado más. Una chica los sigue con la mirada, decepcionada; la otra parece que quiera gritarles alguna palabra poco agradable. Entonces, sin embargo, abre los ojos con terror.

–Bonjour, Mesdemoiselles –entona Maschke, todo amabilidad–, *vous avez la bonne chance de trouver un vrai cavalier.*

La chica ha reconocido a Maschke, de Orden Público, piensa Stave. Demasiado tarde, palomita. Y, distraído, se pregunta dónde habrá aprendido su compañero a hablar francés tan bien. Stave aún llega a ver cómo Maschke saca del bolsillo del abrigo su identificación policial y se la enseña a las dos damas, pero entonces llega con MacDonald al Zillertal y abre la puerta.

Una atmósfera rancia, un tufo frío a tabaco viejo, aguardiente barato y sopa de col. La mayoría de las mesas están desocupadas. A una de ellas se sientan cuatro hombres entrados en años con las caras enrojecidas y, ante sí, vasos de agua en los que reluce un líquido incoloro. En la mesa de al lado, dos chicas cansadas hacen como si no oyeran los comentarios picantes de los caballeros y calientan sus raquíticas manos poniéndolas por encima de unos platos esmaltados en los que aún humea la sopa de col. En una mesa al fondo de la sala hay dos hombres jóvenes: abrigos caros, género de antes de la guerra, zapatos buenos. Fuman cigarrillos yanquis, miran de reojo a Stave y MacDonald, luego se vuelven de espaldas y cuchichean algo. Estraperlistas.

En la barra, un camarero que todavía no es viejo y que un día fuera gordo; ahora ya solo le cuelgan pellejos de las mejillas. Recoge a toda prisa unas botellas sin marcar que tiene en el mostrador y las guarda en un armario. El despacho de alcohol está estrictamente regulado por parte de las autoridades, pero todo el mundo sabe que los taberneros de St. Pauli ofrecen aguardiente de contrabando o de destilación casera como «agua de Seltz».

No es problema mío, se dice Stave, y se dirige al camarero, cuyos pellejos palidecen todavía un poco más. Enseña su identificación y luego le pone al hombre la fotografía de la víctima delante de las narices.

–¿La había visto alguna vez? –pregunta.

El hombre se lo queda mirando primero a él, luego observa su identificación, la fotografía y por último a MacDonald, de quien seguramente espera algo así como una salvación. El británico, sin embargo, ya no sonríe, y Stave constata que el teniente, por el contrario, le devuelve la mirada con frialdad al hombre. Como un verdugo, piensa, y de pronto se pregunta si el hecho de que MacDonald hable alemán ha sido el único motivo para que lo asignaran a la investigación o si no tendrá, quizá, otras aptitudes muy distintas. Al final el camarero se da por vencido. Concentrado, mira la fotografía con cierta repugnancia y luego niega con la cabeza.

–No la conozco. ¿Quién es?

–Gracias –dice Stave, asiente brevemente y se vuelve hacia otro lado–. Preguntemos a esos jóvenes de los cigarrillos –le susurra a MacDonald–, pero mientras tanto ocúpese usted de que las dos damas de ahí siguen tomándose la sopa como buenas chicas. No hay que dejar que desaparezcan.

–¿Y si alguna va al baño?

–Pues la sigue.

Stave ya ha llegado junto a la mesa del fondo de la sala. Los dos estraperlistas siguen vueltos de espaldas, aunque sin duda hace rato que saben que está ahí.

Acerca una silla sin esperar invitación y se sienta con ellos. MacDonald se queda de pie, un paso por detrás.

El inspector jefe escruta por fin los dos rostros: bien afeitados, bien alimentados, sonrisa burlona, mirada dura. Tipos que casi no llegan a los veinte pero que en la guerra ya han visto de todo. Gesto de homicidas. Stave tiene que contener el impulso de llevárselos directamente detenidos a ambos. De nuevo, vuelve a sacar identificación y fotografía y se las enseña.

–¿Conocen a esta dama? –pregunta con cortesía.

Por un segundo, los dos hombres se quedan tan perplejos que se les cae la sonrisa de la cara. Habían esperado otra cosa del policía: preguntas sobre tabaco, dinero, medicamentos, el interrogatorio habitual del contrabandista. Stave ve cómo relajan sus cuerpos.

–No –dice el más corpulento de los dos–. Lo siento –añade incluso.

Su acompañante se toma algo más de tiempo, pero también él sacude la cabeza.

–No es una chica de Reeperbahn, eso seguro, inspector jefe.

–¿Y una cliente? –Stave renuncia a añadir «del mercado negro».

Los hombres cruzan una mirada rápida, luego deciden comprender su pregunta.

–Ahí fuera no es fácil quedarse con la cara de la gente, si entiende lo que quiero decir –responde el más corpulento–. Así que no puedo estar seguro al cien por cien, pero me parece que nunca he visto a esa mujer.

–Está claro que era guapa –tercia el otro, como si eso tuviera algo que ver en el asunto.

Stave cierra los ojos. Cree a los dos vendedores, cree también al camarero... La cosa no empieza bien.

–Gracias –dice con amabilidad.

Cuando se levanta, se da cuenta de lo cansado que está. Le hubiese gustado quedarse a tomar un par de rondas con esos dos tipos. Qué absurdo.

–Les preguntaremos también a las chicas y luego nos largamos de una vez –sisea en dirección a MacDonald.

–¿Y los otros clientes? –pregunta el británico.

–Bien, usted vaya a preguntar a esos cuatro héroes de ahí, yo a las dos chicas.

–Preferiría lo contrario –murmura MacDonald, pero lo dice sonriendo y se sienta junto a los hombres, que beben de sus vasos de agua.

–¿Qué se le ofrece, jefe de guardias? –dice la mayor de las dos mujeres cuando Stave se les acerca.

Me ha estado observando, piensa, y hace rato que sabe que no soy cliente para ella. Una chica lista. Se la queda mirando un momento sin decir nada.

La mayor le sonríe con descaro, la más joven parece tímida. Las dos tienen veinte, veintitantos años. Igual que la víctima.

–Su compañero, ese de ahí fuera, es muy diligente –dice la mayor, y señala con la mano derecha hacia la ventana.

Stave sigue la dirección de su gesto, mira al exterior y ve a Maschke, que se ha plantado frente a una prostituta de más edad y aspecto triste.

–A ese pelirrojo lo conozco. Interroga a todas las mujeres, aunque no lleven más que un poco de carmín, porque no sabe distinguir a una dama elegante de una chica de la vida. Cualquier día es capaz de detener a la esposa del alcalde. Pero a usted no lo conozco, y a ese acompañante inglés suyo, tampoco.

Stave decide no enseñar su identificación, tampoco le dice su nombre. Lo único que saca es la fotografía. La mayor permanece impertérrita, la más joven palidece y se lleva una mano a la boca horrorizada.

–¿Qué cerdo ha hecho eso? –pregunta la mayor. Tiene un acento ampuloso, habla arrastrando las palabras. De la Prusia Oriental, deduce Stave.

–Eso quisiera saber yo –responde–. Aunque también me gustaría saber quién es la chica.

–No la había visto nunca.

–¿Y usted? –Stave le pasa la fotografía a la más joven por encima de la mesa.

–Me encuentro mal –protesta ella–. Voy a vomitar. ¡Aparte de mí esa foto!

Stave no obedece.

–Podrá ir a vomitar en cuanto me haya dicho si había visto alguna vez a esta mujer.

–No –dice casi gritando. Se levanta bruscamente y corre encorvada hacia una puerta mugrienta que hay al fondo de la sala.

MacDonald se ha puesto en pie de un salto. Stave se sobresalta al ver que el británico ha desenfundado una pistola. Qué rápido es el condenado, piensa mientras se apresura a hacerle un gesto negativo con la mano. El teniente vuelve a sentarse con los hombres, que se han quedado pálidos y ahora lo miran con pavor.

–Hace solo una semana que Hildegard está en el negocio –susurra la mayor de las dos chicas, disculpando a su amiga–. De donde viene ella, no se ven cosas así todos los días.

–¿Y usted? ¿Ve esto todos los días?

Ríe con crudeza.

–Yo llegué desde Breslau en un convoy. Por el camino vi tantos muertos que una fotografía ya no me afecta. ¿Cree que era una chica de la calle?

Stave está a punto de contestarle de mala manera que eso a ella no le incumbe, pero justo a tiempo percibe un tinte de terror en el descaro que finge su voz: el miedo de toda puta a que su próximo cliente quiera algo más que un polvo rápido detrás de una esquina. Algo más feo. Algo mortal.

–¿Cómo se llama usted? –pregunta entonces.

La chica duda un momento.

–Ingrid Domin –murmura–, pero para mis clientes soy Veronique. Suena más erótico. Francés, ya sabe. –Hace un gesto cansado, desdeñoso.

Stave piensa en el saludo que Maschke les ha ofrecido a las dos chicas de antes. Después ahuyenta esa imagen, arranca una hoja de su cuaderno y garabatea algo: «Tel. 34 10 00, Extensión 8451–8454». Debajo escribe su nombre.

–Hágame un favor: si se entera de algo, llámeme..., o pase a verme. –Entonces apunta también el número de su despacho–. Aunque a usted le parezca una tontería o una locura, hágamelo saber. ¿Me lo promete?

La chica asiente y guarda rápidamente el papel en su bolso de mano.

El inspector jefe se levanta.

–No sé si la víctima era una... –dice, midiendo sus palabras–, mujer de su gremio. Hasta hace un par de minutos lo sospechaba. Ahora ya no estoy tan seguro, pero es posible que lo fuera. De modo que tenga usted mucho cuidado. Y hable también de ello con sus compañeras.

–Seré buena chica y cuidaré de mí misma –le promete Ingrid Domin. Por primera vez sonríe.

–Tiene usted éxito con las mujeres –susurra MacDonald cuando se reúne con él.

A Stave le tiemblan las comisuras de los labios.

–Una ha salido corriendo a vomitar en cuanto le he dicho algo –le recuerda al teniente.

–Pero la otra ha sido más amable con usted de lo que han sido esos cuatro bebedores conmigo –contesta MacDonald.

–De modo que ha sido un fracaso.

–En toda regla. Nunca han visto a la mujer de la fotografía. Aunque por lo menos uno de ellos estaba tan borracho que seguramente no habría sido capaz de reconocer ni a su madre.

–Eso sucede más a menudo de lo que uno piensa, que un niño no reconozca la foto del cadáver de su madre –repone Stave.

–Y ahora ¿qué?

–Al siguiente local. Y luego a otro. Y a otro más.

–Por suerte ya no quedan muchos en pie –masculla MacDonald–. Nunca hubiera pensado que les daría las gracias a los compañeros de la Fuerza Aérea por las bombas.

Stave no contesta nada; se limita a empujar la puerta.

Una hora y media después, los dos entran en el Kamsing, la última parada de su trayecto. Nada. Han interrogado a media docena de camareros, unos cuantos clientes, por lo menos veinte prostitutas, algún que otro chulo y varios estraperlistas. Nadie dice haber visto nunca a la víctima.

–Lo invito a una de esas espantosas sopas chinas –dice MacDonald–. Aquí seguramente sirven cerebro de mono y muslitos de rata.

–Mientras estén calientes... –murmura Stave con agradecimiento, y se deja caer en una silla coja frente a una mesita redonda. Entonces mira alrededor.

El restaurante está lleno, o por lo menos más lleno que los demás establecimientos que han visitado. En una especie de alcoba hay una mesa grande en la que juegan a las cartas ocho jóvenes vestidos con elegancia. Póquer. Y los billetes que hay sobre la mesa son de mil, marcos del Reich.

Qué hijos de perra, piensa Stave, pero él mismo sabe que es la envidia lo que aviva su indignación moral. Vendedores del mercado negro que se pasan las noches enteras jugando. Reloj de oro en la muñeca: «la gran cruz de caballero del estraperlista», como los llama un compañero suyo. Por él, Stave sabe que esos hombres llevan cartillas de racionamiento escondidas bajo el cuello del abrigo, que por esas mesas pasan joyas y medicamentos envueltos en papel de periódico. Pero todavía no, más tarde, cuando empiece la noche. Además, eso no es problema suyo. Stave sorbe con cuidado la sopa caliente.

–A saber qué especias le echarán –comenta MacDonald con sorpresa entre cucharada y cucharada–, pero le hace entrar a uno en calor tan deprisa como un *single malt*.

Stave renuncia a explicarle al teniente que hace ocho años que él no prueba ni un trago de whisky.

–Bueno... –murmura simplemente. Ha entrado en calor por primera vez en el día, la boca le arde y está aturdido a causa de las especias exóticas. Siente cómo se le relajan todos los músculos. Si no me levanto ya, me quedaré aquí dormido con MacDonald mirando, piensa. Así que se obliga a ponerse en pie–. A la batalla. La mitad de los clientes son para usted. –Traza vagamente con la mano una línea que cruza el salón–. La otra mitad, para mí. Nos encontraremos luego en la puerta.

Varios minutos después salen juntos del Kamsing con la misma información que antes y regresan deambulando por Reeperbahn hasta Davidwache, donde Maschke los espera ya. El aliento del agente forma pequeñas nubecillas blancas ante su boca, tiene la punta de la nariz azulada a causa del frío y da palmadas con las manos. De pronto Stave siente lástima por él.

–Nadie ha visto nunca a nuestra mujer aquí en Reeperbahn. Debía de ser una buena chica –informa el joven agente.

El cinismo de Maschke le molesta. ¿De verdad está tan de vuelta de todo? ¿O se esconde algo más tras esa actitud? ¿La timidez del hombre adulto que aún vive con su madre? ¿O es que Maschke, igual que muchos agentes de Orden Público mayores que él, ha desarrollado ya, en el poco tiempo que lleva de servicio, una especie de instinto protector con «sus» golondrinas de la calle? ¿Es, quizá, algo así como alivio lo que intuye en él? ¿Alivio al ver que no falta ninguna de las chicas de Reeperbahn?

–Regresamos al despacho, comentamos brevemente la situación y luego a casa con mamá –decide el inspector jefe.

En su despacho, Stave mira por la ventana. Hamburgo se extiende ante él casi tan sombrío como en los tiempos de los apagones de protección contra los ataques aéreos. Apenas dos o tres resplandores de luz amarillenta en alguna que otra casa, probablemente las que han requisado los británicos. El brillo titilante de la madera que arde en pequeños hornos de fabricación casera que ponen en peligro la vida de quienes los han encendido en edificios medio bombardeados. El destello de las velas. Su despacho está inundado por la luz grisácea de una bombilla empañada. Stave le dirige una mirada de preocupación. Si se funde, no sabe cuándo le traerán otra de repuesto. Puede que la primavera próxima. Suspira y se vuelve hacia los dos hombres que tiene sentados frente a su escritorio.

Erna Berg se ha marchado hace rato. Sobre la mesa ha dejado el informe del inspector Müller. Stave lo hojea sin decir nada.

–Ningún cirujano ha reconocido a la víctima –comenta al terminar. Está exhausto–. Como es natural, el compañero no ha podido hablar en una sola tarde con todos los médicos pertinentes de la ciudad. Proseguirá mañana, pero la cicatriz de apendicitis de la víctima no parece conducirnos a ninguna pista por el momento. Además, en las últimas horas tampoco se ha registrado ninguna denuncia por desaparición.

Maschke tamborilea impacientemente sobre el escritorio con sus dedos amarillo nicotina.

–Tengo la sensación de que no era una chica de la calle.

–¿Puede que fuera nueva en Hamburgo? –sugiere MacDonald.

–El hielo del Elba tiene un metro de grosor, el puerto está cerrado –dice Stave, dándoles que pensar–. La mayoría de las vías férreas están cubiertas de hielo y tienen las agujas congeladas. Hay temporales de nieve.

–Los puentes cayeron bajo las bombas, las estaciones están destruidas –añade Maschke con acritud. MacDonald no hace caso de sus palabras.

–La mayor parte de los trenes que, a pesar de todo, consiguen llegar, traen los vagones cargados de carbón o patatas, no portan personas. Y en los pocos convoyes de pasajeros que hay, tienen prioridad los prisioneros de guerra que regresan a casa. No es imposible, pero sí poco probable que una desconocida de otra ciudad haya llegado en los últimos días, por lo menos en unas condiciones físicas tan buenas como las de la víctima.

–A menos que alguien la haya traído en coche –murmura MacDonald, ensimismado.

Stave se sorprende de la franqueza del teniente, puesto que él ya había pensado en esa posibilidad pero no se había atrevido a expresarla de forma tan abierta.

–En efecto –repone–. La gasolina está racionada, los alemanes tienen que llevar un libro de ruta, tienen que conseguir autorización para hacer trayectos largos. Además, casi no quedan vehículos intactos, tampoco camiones. No es muy probable que un alemán transportara a la desconocida. Un británico, por el contrario, sí habría podido.

–Bonita teoría –murmura Maschke con malicia.

MacDonald sigue impasible.

–Tengo la fotografía de la víctima. Preguntaré entre mis compañeros.

Stave sonríe.

–Gracias. Por suerte, la..., llamémosla «pista británica», no es la única que podemos seguir. Si partimos de la hipótesis de que la víctima no era una prostituta ni la hija desaparecida de una casa rica, pero tampoco una trabajadora ni una recién llegada, todavía nos quedan algunas opciones. Tal vez nuestra desconocida era secretaria de la Administración municipal, o de las autoridades de la ocupación, o estaba empleada en una de las compañías que ya han vuelto a abrir.

–O era dependienta, puede que en una casa de modas –añade Maschke–. El C&A de Mönckebergstrasse está abierto.

El inspector jefe asiente con la cabeza.

–Sigamos: nuestra desconocida, pues, se gana honradamente la vida, por lo menos lo bastante para poder cuidarse un mínimo aceptable. De pronto desaparece, pero nadie denuncia su desaparición a la Policía. ¿O sea que no tiene amigos ni familiares aquí? –Piensa en Erna Berg–. ¿Puede que sea una viuda de guerra? ¿O una refugiada, pero que llegara a Hamburgo hace ya uno o dos años? –Stave se levanta y recorre su despacho a grandes pasos. De repente ya no está cansado–. Por otro lado, quizá sí tiene un amigo, un familiar, pero este se guarda mucho de presentarse ante nosotros... ¡Porque es el asesino! En la mayoría de estos casos, asesino y víctima se conocen. De manera que ¿tenemos que buscar al prometido de la desconocida? ¿O a su tío? Es posible.

–Entonces, ¿qué propone que hagamos? –pregunta MacDonald.

–Esperar. Pronto tendremos el informe de la autopsia. Nuestro cartel pronto estará colgado por toda la ciudad. Tengamos paciencia. Este caso no lleva ni un día abierto.

–Un día agotador –murmura Maschke.

Stave sonríe con indiferencia.

–Mañana volveremos a reunirnos aquí. Buenas noches.

Una hora después ha llegado a su helado apartamento y enciende el fuego. Se ha subido tres patatas de las escasas provisiones que guarda en el sótano. Están congeladas, y al calentarse desprenden una baba agridulce. Las hierve en la cocina junto con su último repollo. Después pasa patatas y repollo por la máquina de picar carne, forma una hogaza alargada con la masa pastosa, le añade sal y la rehoga en la sartén. «Falsa *Bratwurst*», llama al plato la vecina que le dio la receta, y aunque tarda más de una hora en cocinarla sobre el pequeño fogón, Stave se toma su tiempo. Por lo menos al final obtiene como recompensa la ilusión de comer algo nutritivo. Además, la cocina le evita ponerse a pensar.

Pero en algún momento termina. Envuelto en un jersey, los pantalones de entrenamiento y varias capas más, se tumba en la cama y mira hacia la ventana, donde el resplandor de la luna se hace añicos contra la capa de hielo y forma extraños dibujos verdosos.

Stave quiere pensar en la víctima. Quiere sopesar mentalmente los pros y los contras de todas las teorías, buscar pistas que puedan habérseles pasado por alto, pero ante la imagen de la desconocida se cuela sin remedio la de su mujer. Y entonces su pensamiento queda atrapado en aquella noche del bombardeo de hace casi cuatro años.

Si por lo menos tuviera aguardiente, piensa Stave, ahora podría emborracharme.

Un suelo helado

Martes, 21 de enero de 1947

Una pared de llamas, amarillo, rojo, blanco, azul. Un calor abrasador contra el rostro, le duele al respirar. Vigas que revientan, ladrillos que estallan, un estrépito mayor que el de una ametralladora. El hedor a pelo quemado y a piel derretida. Stave corre sin pausa entre los escombros, fuego por todas partes, su condenada pierna le hace tropezar, va insoportablemente lento aunque sabe bien que Margarethe no está más que a unos pasos de él. Sus gritos. Ella grita su nombre y él se ha quedado atascado con algo. Muros ante sus ojos, madera ardiendo, quiere vociferar su nombre, pero el humo se le mete por la boca, lo atraganta, lo hace toser. Ahora Margarethe se ha quedado callada, un silencio espantoso.

Stave despierta dando una sacudida en la cama y con sudor frío sobre la piel. Hielo en la ventana, oscuridad en el apartamento..., pero él aún siente las ascuas, la luz brillante de las llamas que consumen los cinco pisos de altura. Maldita pesadilla, piensa, y se frota los ojos. Además, la noche de la desgracia él estaba de servicio en la otra punta de Hamburgo. De hecho, se había quedado atrapado en una casa que se venía abajo; su pierna rígida se lo recuerda todos los días. En las ruinas de su propia casa, sin embargo, no llegó a entrar, herido y medio aturdido por el miedo, hasta horas después del bombardeo. Nunca llegó a oír gritar a Margarethe.

Hay gente que recibe la visita nocturna de vivencias que ha sufrido en propia piel: el miedo a perder la vida cuando estuvo en el frente, en un submarino, en el sótano, en una celda de la Gestapo. Eso se puede llegar a superar, piensa Stave. Quizá buscando de nuevo ahora, acabada la guerra, el lugar de aquel horror. Pero ¿cómo se deshace uno de una pesadilla que jamás vivió?

La autocompasión tampoco le sirve de mucho, así que se levanta penosamente de la cama. Las mantas crujen un poco porque la escarcha se resquebraja. Pronto tendré que ir a por más madera, piensa Stave mientras enciende la cocina.

Poco después está recorriendo a pie el largo camino hacia la Central de Investigación Criminal. No hay gasolina para los autobuses. Algunas líneas de tranvía vuelven a estar en condiciones, pero solo funcionan unas cuantas horas al día. Podría acostumbrarme a tener a Ruge de chofer, piensa el inspector jefe.

Sin embargo, la verdad es que agradece esa hora de marcha. Hace ya tiempo que se ha habituado al paisaje de las ruinas, los carteles amarilleados, los mensajes escritos con tiza, las figuras temerosas en las calles... Eso ya no lo deprime. Por el contrario, disfruta de caminar a paso rápido. Le hace entrar en calor por dentro, y al mismo tiempo el aire helado le despeja la cabeza. Durante una hora no tiene preocupaciones, no siente inquietud alguna.

Llega por fin, de buen humor, a la torre de Karl-Muck-Platz. Erna Berg ya está allí y le sonríe, un poco más alegre de lo habitual, le da la sensación.

–El teniente lo está esperando en su despacho.

Maschke también está, pero por lo visto la secretaria ha olvidado enseguida su presencia, o ha evitado mencionarla adrede. El inspector jefe los saluda a ambos y toma asiento. Prefiere dejarse puesto el abrigo. Erna Berg entra apresurada, deja dos hojas multicopiadas sobre el escritorio, le dirige a MacDonald una mirada tímida y desaparece de nuevo.

–El informe del doctor Czrisini –explica Stave. Los dos guardan silencio mientras él lo estudia unos minutos–. Por lo menos han quedado explicadas un par de cosas –dice después–. La muerte tuvo lugar probablemente entre el 18 y el 20 de enero, más bien hacia el final de ese intervalo. Así que trabajaremos con la hipótesis del 20 de enero. Causa de la muerte, estrangulamiento. El autor utilizó posiblemente un alambre. Se encontraba con bastante seguridad a espaldas de la víctima y tiró del alambre desde atrás. No parece que la mujer se defendiera. Al menos no hay nada que así lo demuestre, ni en el interior ni en el exterior del cuerpo.

–¿Relaciones sexuales? –pregunta Maschke.

Stave niega con la cabeza.

–No hay indicios de violación. Tampoco rastros de semen ni ninguna otra señal de que mantuviera relaciones consentidas poco antes de la muerte. Aunque, claro, eso no puede descartarse por completo.

MacDonald carraspea, algo avergonzado.

–¿En qué sentido?

Maschke sonríe sin alegría.

–Si accedió a ello, no le quedarían las lesiones típicas. Ahí abajo. Y si el último afortunado al que le dejó acercarse utilizó un condón, entonces tampoco encontraremos semen.

–Puede formularse así, sí –rezonga Stave–. También parece claro que llevaba como mucho dos días allí tirada, puede que menos. El autor no ha tenido mucho tiempo para desaparecer del mapa.

El teniente sonríe.

–Sobre todo porque no hay barcos, y muy pocos trenes salen de la ciudad. O sea que aún seguirá en Hamburgo.

–Lo cual no tranquilizará precisamente a la gente de bien –añade Maschke.

–Pero a nosotros nos facilitará el trabajo, espero –declara Stave. Después se vuelve de nuevo hacia MacDonald–. ¿Ha preguntado ya entre sus compañeros?

–Echaron un vistazo a la foto de la mujer estrangulada anoche, cuando la saqué en el club –responde el teniente–, pero ninguno la había visto nunca. Los oficiales preguntarán también a sus tropas, pero me temo que tampoco eso nos conducirá a nada.

Maschke resopla con desdén, pero, al ver la mirada de advertencia de Stave, no dice nada.

–De todas formas, no lo deje –murmura el inspector jefe–. Es como lo de los cirujanos y la operación de apendicitis: mientras no hayamos descartado a todos los testigos potenciales, no podremos estar seguros al cien por cien.

El teniente asiente con la cabeza.

–Será un placer. –Y vuelve a sonreír.

Tal vez para él estas pesquisas son una especie de deporte, como la caza del zorro, piensa Stave, y quizá no sea la forma más equivocada de verlo. Suspira.

–Ahora tengo que reunirme con el fiscal para informarlo. Teniente, ¿será usted tan amable de seguir preguntando un poco entre sus camaradas? Lo cierto es que los soldados británicos son por el momento los únicos que no tienen problemas para salir de Hamburgo. El tiempo apremia, pues.

MacDonald asiente.

–Y Maschke, usted vaya a ver a los compañeros de Robos. Podría ser que estuviésemos ante un robo con homicidio. Una víctima a la que han desvalijado por completo. En estos tiempos, hasta de una prenda de ropa interior se saca algo en el mercado negro. Mire a ver si tienen algo en sus archivos.

Maschke carraspea, de pronto parece desconcertado.

–Es que verá, inspector jefe, esos expedientes...

Stave maldice en silencio. Desde el 20 de abril de 1945, cuando los británicos estaban ya a poca distancia de la ciudad, la Gestapo estuvo quemando expedientes, parte de ellos en los crematorios del campo de concentración de Neuengamme. Con ello no solo eliminaron las pruebas de sus crímenes, sino también numerosos archivos sobre delitos de criminales comunes.

De manera que, si un ladrón asesino hubiese actuado ya con un modus operandi similar antes de 1945 –estrangulamiento con alambre, desvalijamiento completo de la víctima–, tampoco podrían encontrar ningún archivo sobre él.

–Inténtelo de todos modos –ordena Stave.

Maschke se levanta para irse y se despide de Stave con una cabezada. Del teniente hace caso omiso.

MacDonald también se ha puesto en pie. Como de pasada, pregunta:

–¿Qué fiscal es el responsable del caso?

–El doctor Ehrlich –responde Stave–. Hasta ahora no he tenido trato con él.

–Lo conozco, de Inglaterra. –El teniente le dedica una mirada medio burlona, medio compasiva–. Será mejor que se prepare. Es un hueso duro de roer, aunque a primera vista no lo parezca. Creo que Ehrlich no le tiene ninguna estima a la Policía de Hamburgo.

Stave se deja caer de nuevo en la silla y le ofrece asiento también a MacDonald.

–Todavía tenemos unos minutos. Le agradecería mucho que me pusiera al corriente.

MacDonald sonríe.

–Esto queda entre nosotros.

–Desde luego.

–El señor Ehrlich –prosigue el teniente, pensativo– entró en la Fiscalía de Hamburgo en 1929. Un hombre muy cultivado, muy erudito, con dotes musicales, coleccionista de arte moderno, sobre todo expresionista. Y, por desgracia, judío.

El inspector jefe cierra los ojos, porque intuye lo que viene a continuación.

–Con la llegada de los nacionalsocialistas al poder en 1933 lo destituyeron de inmediato, claro está. –MacDonald habla todavía en un tono de charla informal–. A partir de entonces fue tirando como corrector en una editorial de volúmenes jurídicos. Su mujer, tan aria como salida de una ópera de Wagner, por cierto, daba clases de piano. A sus dos hijos los enviaron a un internado inglés para apartarlos de la línea de fuego. Después llegó la Noche de los Cristales Rotos.

Stave asiente. Recuerda esa noche: al recibir los primeros avisos de incendio quiso salir corriendo de la comisaría de Wandsbek hacia la sinagoga más cercana, pero entonces llegó la orden de permanecer en los despachos. Una orden bastante tajante. Stave la acató. No es que fuera la hazaña más heroica de su vida, precisamente. Nunca había hablado de ello con nadie, ni siquiera con Margarethe.

–A Ehrlich lo detuvieron el 1 de noviembre de 1938 y lo llevaron al campo de concentración de Neuengamme. Debieron de ser tiempos muy duros, aunque él nunca se haya referido a esa época más que con insinuaciones. Al cabo de unas semanas volvieron a dejarlo libre porque sus amigos de Londres le habían conseguido un visado británico. Vendió su colección de arte a un precio irrisorio, imagino. Con el dinero que obtuvo consiguió un billete para Inglaterra el verano de 1939. Su mujer no pudo acompañarlo, el visado era solo para él. Entonces estalló la guerra.

MacDonald hizo un gesto casi de disculpa.

–La mujer se quedó sola. Humillada, abandonada por su marido y sus hijos. Los vecinos la rehuían, ni siquiera pudo seguir dando clases de piano porque nadie quería dejarse ver con ella. Ehrlich, en Londres, estaba como un tigre enjaulado; lo intentó todo para sacarla del país: por Suiza, por Estados Unidos, España, Portugal. No hubo manera. En 1941 le llegó a través de la Cruz Roja la noticia de que su mujer se había quitado la vida con una sobredosis de somníferos.

»Por entonces yo ya conocía a Ehrlich. Había encontrado un puesto en Oxford dando clases de Derecho Romano. Nos hicimos..., bueno, amigos sería decir demasiado. Hace un par de meses le proporcioné el cargo en la Fiscalía.

–¿Que hizo usted qué? –suelta Stave sin querer.

MacDonald sonríe con ironía y Stave se pregunta cuánto poder tiene en realidad ese joven oficial.

–Ehrlich quería regresar a Alemania para ayudar a construir la democracia, como él dice. Así que pregunté entre nuestra gente y le ofrecieron el puesto. Hay escasez de juristas libres de cargos y recibimos con los brazos abiertos a todo «no nazi» que podamos encontrar. No solo en la Fiscalía, en la Policía también.

Un cumplido, comprende Stave, perplejo.

–Pero ¿por qué precisamente en Hamburgo? Aquí Ehrlich tendrá cuentas por saldar. No es una situación ideal para un fiscal.

–Al contrario: es una situación excelente –contesta MacDonald–. El señor Ehrlich forma parte de la acusación de los juicios antinazis de Curiohaus.

Stave no necesita que MacDonald le explique nada: en ese edificio de Rothenbaumchaussee tiene lugar desde el 5 de diciembre de 1946 un proceso judicial contra nueve hombres y siete mujeres que, como vigilantes del campo de concentración de mujeres de Ravensbrück, están acusados de ser responsables del asesinato de miles de personas.

–¿Y aún le queda tiempo para este nuevo caso?

–Él mismo lo ha solicitado. El señor Ehrlich trabaja mucho –responde el teniente.

Una vez que el británico ha salido del despacho, Stave se queda sentado un rato. ¿Por qué Ehrlich? En los juicios de Curiohaus puede enviar al patíbulo a nazis especialmente crueles, pero ¿qué interés puede tener un fiscal con orientaciones políticas como él en el cadáver de una joven desnuda y sin nombre? Un caso difícil, quizá, pero no político. ¿O sí?

Por fin Stave se rinde y se levanta con un suspiro. Tal vez lo que seduce al fiscal del asesinato sea simplemente el misterio, más allá de sus motivaciones personales. O tal vez, gracias a un caso en cuya resolución Investigación Criminal fracasa, espera despachar a un par de agentes que en aquella época trabajaron en colaboración demasiado estrecha con la Gestapo y que, a pesar de los despidos de 1945, han conseguido permanecer en su silla.

Es muy posible que no tarde en descubrirlo. Por desgracia, también es posible que Ehrlich llegue a saber de alguna forma qué hizo Stave para impedir los saqueos de las sinagogas en 1938. Es decir, nada.

El edificio del Tribunal Penal de Hamburgo es un enorme palacio renacentista: fachada rosada, molduras de arenisca color hueso, altas ventanas blancas, algunas de ellas flanqueadas por columnas torneadas. Un sólido cajón decimonónico al que, increíblemente, no alcanzó ninguna bomba durante la II Guerra Mundial. La Fiscalía tiene allí sus despachos.

Stave entra en el edificio. No han sido más que unos cuantos pasos desde la Central de Investigación Criminal, cruzar la plaza, pasar por delante de la sala de conciertos y atravesar un pequeño parque abandonado.

Pocos minutos después se encuentra sentado en una incómoda silla para visitas en el despacho de Ehrlich. Stave está nervioso, casi se siente como un colegial a quien han llamado al despacho del director; se enfada consigo mismo por ello, pero tampoco así consigue ahuyentar la inquietud de su interior. Mira a su alrededor con disimulo mientras su interlocutor continúa hojeando informes.

El doctor Albert Ehrlich es bajito y calvo; sus ojos flotan tras los gruesos cristales de unos lentes redondos con montura de concha. Cuello encorbatado, pantalones planchados con raya afilada, chaqueta de *tweed* inglés. En el despacho no hay ninguna foto de su mujer ni de sus hijos, absolutamente ningún objeto personal, solo carpetas y cuadernos por todas partes. Una máquina de escribir negra y contundente descansa en una mesita auxiliar. Stave mira de soslayo los dedos de Ehrlich, cortos, anchos, cubiertos de un vello claro: no lleva alianza.

Tampoco él la lleva ya. Una noche del verano de 1943 la lanzó al Elba, en el puerto. Se quedó un buen rato de pie al final del muelle; el agua estaba seductoramente cerca y tan oscura... Pero entonces dio media vuelta y regresó a casa, si es que podía llamar así a aquellos escombros. Stave cierra los ojos un momento.

–Lamento muchísimo haber tenido que hacerle esperar –dice Ehrlich al fin, y cierra la tapa de un expediente–. ¿Un té? –Una voz cultivada, comedida.

Stave sonríe titubeante.

–Con mucho gusto.

Abre los ojos de golpe cuando la secretaria entra con una tetera que humea y desprende un fuerte aroma. Té de verdad, constata Stave, Earl Grey, no infusión de ortiga.

Ehrlich le sirve una taza.

–Antes solía tomar café –confiesa–. Al té me acostumbré en Inglaterra. Además, es muchísimo más fácil de conseguir, sobre todo si vive uno en la zona británica.

–¿Por eso ha regresado precisamente a Hamburgo, el puerto de la zona británica? –pregunta Stave.

–Ah, ya veo que el teniente MacDonald lo tiene informado –repone Ehrlich, y sonríe con diversión. La mirada de sus agrandados ojos de búho, no obstante, está alerta, como al acecho.

Idiota, se regaña Stave a sí mismo. La típica manía de los de Investigación Criminal: atacar, sorprender, provocar inseguridad durante la conversación. Con este fiscal no es el camino adecuado.

–Gracias por haber dado curso tan deprisa a nuestra solicitud de autopsia del cadáver –dice para cambiar de tema.

Ehrlich se relaja.

–Hablemos del caso. Soy todo oídos.

Stave le informa de cuanto han descubierto hasta el momento, así como del estado actual de las investigaciones y de todas sus teorías sobre víctima y autor de los hechos.

–Será difícil –dice Ehrlich, pensativo, cuando el inspector jefe termina de hablar.

–Tenemos que descubrir como sea quién es la víctima. Si no, es posible que no consigamos seguir adelante –reconoce Stave.

–Entonces, tampoco usted cree en la tesis de un robo con homicidio, aunque haya enviado a Maschke en busca de unos expedientes que, como usted y yo bien sabemos, fueron quemados en ciertos hornos.

Qué rápido es, piensa Stave con un sobresalto. En un robo con homicidio, la identidad de la víctima no conduce necesariamente al autor, puesto que los delincuentes a menudo atacan a personas desconocidas. Ehrlich debe de haber deducido que el autor y su víctima se conocían y que Stave tiene otra sospecha.

–Me esfuerzo por ser minucioso –repone.

–Una virtud muy alemana –contesta el fiscal con fina ironía.

–Una virtud de los criminalistas de todo el mundo. –De pronto Stave está harto de jugar al ratón y el gato–. Pero tiene usted razón –prosigue en un tono conciliador, y se relaja. Tal vez sea porque de repente le ha tomado confianza a Ehrlich, o quizá sea simplemente cosa del té caliente: en contra de su costumbre de presentar siempre a los fiscales únicamente hechos probados o suposiciones plausibles, esta vez decide expresar también una sospecha medio fundada–. El crimen no solo ha sido cruel –explica Stave, vacilante–, sino también eficiente: un ataque que provoca una muerte inmediata, seguido del desvalijamiento a conciencia del cadáver.

–A sangre fría –comenta Ehrlich.

–Sí. Planeado con detalle, ejecutado a la perfección. Alguien que es capaz de algo así, o bien tiene una falta total de moralidad o bien es un enfermo mental que al mismo tiempo posee una mente lógica y muy clara.

–Después de esta guerra y de los doce años del último régimen, por Alemania andan sueltos bastantes personajes a quienes poco importa cargar con una muerta más o menos sobre sus conciencias, a todas luces subdesarrolladas. Entre ellos hay sin duda muchos psicópatas, pero a la mayoría seguramente los calificaríamos de hombres de bien.

–Y, aun así, no todos los días aparece en Hamburgo una joven desnuda, estrangulada con un alambre y abandonada entre los escombros.

El fiscal asiente.

–*Touché*. En fin, ¿qué supone que ocurrió en realidad, inspector jefe?

–Apuesto por un perturbado. Alguien que conocía a la víctima o que por lo menos la había observado sin ser visto durante una temporada. Que seguramente llevaba semanas o meses planeando el ataque. Y que atacó en el momento oportuno.

–¿Indicios?

–Aparte de la brutalidad de las circunstancias del crimen: ninguno. –Stave considera que de nada sirve engañar al fiscal en este sentido–. En mi trabajo no tenemos que vérnoslas muy a menudo con esta clase de perturbados, no soy ningún experto en estos temas. Si es verdad que, tal como leí una vez, siguen un patrón en sus crímenes, no he sido capaz de reconocerlo aún. Además, todavía es demasiado pronto para eso.

Los dos guardan silencio un buen rato. No hace falta decir en voz alta lo que tanto Stave como Ehrlich piensan: que a esta víctima podrían seguirle otras.

–¿Qué tiene pensado hacer ahora? –pregunta el fiscal al cabo, y vuelve a servirle más té.

El inspector jefe asiente con gratitud, rodea la taza con las manos para entrar en calor, aspira el aroma y sonríe. Después saca del bolsillo de su abrigo un rollo de papel que todavía huele a tinta.

–El primer ejemplar del cartel de búsqueda –explica, y se lo tiende al fiscal por encima de la mesa.

–¡Mil marcos del Reich como recompensa! –lee Ehrlich–. «Robo con homicidio en Baustrasse, Hamburgo. El lunes 20 de enero de 1947 se encontró entre los escombros del número 13 de Baustrasse, Hamburgo, el cadáver de una mujer, desconocida hasta la fecha. Todo apunta a un robo con homicidio.» Caray, está hecho usted un poeta, inspector jefe.

Ehrlich contempla la foto de la asesinada y lee su descripción.

–Pero si acaba de decirme que en realidad no cree que haya sido un robo con homicidio –dice entonces–, y lo leo aquí escrito en letra de imprenta como si fuera un hecho probado.

–No quiero inquietar a nadie –se justifica Stave–. Además, mencionar a un asesino posiblemente perturbado tampoco nos ayuda mucho, me temo.

–Explíquese mejor.

–Si decimos que estamos buscando a un loco, vendrán a vernos cientos de testigos que denunciarán a vecinos, a compañeros de trabajo o a toda clase de personas que algún día se cruzaron en su camino. Eso entretiene de manera innecesaria a nuestro personal y solo comporta molestias.

–Seguramente tiene usted razón.

–El cartel estará pronto colgado por toda la ciudad. Esperaremos a ver si se presenta alguien que conozca a la víctima.

–¿Y qué haremos hasta entonces?

–Ir al cementerio –responde Stave–. Esta tarde la entierran en el camposanto de Öjendorf. Aguardaré a cierta distancia, a ver si aparece alguien a llorar su muerte.

Tras la visita a Ehrlich, Stave no regresa directamente a su despacho. Pasea sin rumbo por la ciudad. Tiene que ordenar sus ideas y eso lo consigue mejor cuando está en movimiento. Una vez más, repasa todos los detalles del caso: ¿qué sabe de la víctima? Casi nada. ¿Sobre el asesino? Menos aún. ¿Qué le queda por hacer, aparte de esperar? A que aparezca un testigo, alguien que pueda identificar a la desconocida por el cartel de búsqueda. ¿Y si eso no sucede? ¿Se le ha pasado algo por alto? Pero ¿el qué?

El inspector jefe se siente presionado y detesta esa sensación. Por Cuddel Breuer. Por Ehrlich. Stave, sin embargo, prefiere trabajar solo. A los especialistas los acepta de buen grado cuando son necesarios: fotógrafos, expertos en pruebas, forenses. Pero ¿qué se supone que tiene que hacer con Maschke? Igual que con MacDonald. No son investigadores, no son profesionales. Por otro lado, puede que la mirada de un profano sea útil; al británico pueden llamarle la atención detalles que él, Stave, ya ni siquiera ve. Además, parece bastante listo y tiene influencias.

Stave emerge de sus pensamientos. Ha aparecido en Eppendorfer Baum, una calle a bastante distancia de Karl-Muck-Platz. Hay una casa medio derrumbada en la que han improvisado un tenderete de comidas. Una bomba destruyó los pisos superiores del viejo edificio, así que ha quedado allí como un cadáver destripado. Solo la planta baja parece seguir intacta, y sobre la puerta hay un cartel de madera fabricado con torpeza que anuncia «Platos recién hechos».

Stave entra en la luminosa sala, que por desgracia no tiene calefacción, y se sienta a una mesa. No hace caso de los latigazos que nota en el tobillo izquierdo. Mira a su alrededor como de costumbre: mediodía, un par de obreros y oficinistas, una madre con dos niños; sola en el rincón, una figura enjuta con rasgos eslavos y un abrigo de la Wehrmacht teñido de otro color que tiene la manga izquierda recosida por delante.

Stave pide el plato del día por un marco del Reich: un arenque encurtido, dos rodajas finas de pepino, una cucharada de menestra de verduras de color indefinible y sabor indescriptible. Da buena cuenta de todo ello y luego siente más hambre que antes de empezar. Si por lo menos pudiera tomarse un café... Suspira, paga y se marcha cojeando.

En el despacho ya lo está esperando MacDonald; eso dice él, por lo menos. El inspector jefe tiene la ligera sospecha de que lo que ha llevado al teniente a Karl-Muck-Platz es más la perspectiva de charlar un rato con Erna Berg que las investigaciones del asesinato.

–¿Qué noticias tenemos del ejército? –pregunta.

MacDonald esboza unos gestos de disculpa que, por un momento, hacen que parezca un niño pequeño.

–Todo el mundo abre mucho los ojos cuando saco la fotografía, pero está visto que nadie conocía a la víctima.

–¿Ha venido con su Jeep?

El teniente dice que sí con la cabeza.

–¿Lo necesita para alguna persecución? ¿Como en esas películas americanas? ¿Voy a buscar unas ametralladoras?

Stave, en contra de su voluntad, no puede evitar sonreír.

–Y los fusiles los esconderemos en un ataúd negro. Nos vamos al cementerio.

El inspector jefe respira con alivio al saber que no tiene que recorrer ni en tranvía ni a pie el largo trayecto hasta el este de Hamburgo. MacDonald lo lleva a un Jeep que es como una caja de color barro y que está aparcado frente a la entrada. Cuando arranca, el parabrisas abatible traquetea un poco, el aire se cuela por todas las rendijas de la capota de lona, los amortiguadores son tan duros que cada bache se clava como un puñetazo en las lumbares. Da lo mismo. Stave cierra los ojos un momento y se da un breve masaje, él cree que disimuladamente, en el muslo de su pierna lisiada. Le duelen los músculos porque siempre camina tenso.

–¿Una vieja herida? –MacDonald conduce con atención y mirando hacia delante, pero debe de haber visto su gesto de reojo.

Stave se siente descubierto.

–Me cayó una viga del techo, no fui lo bastante rápido –explica, sucinto.

El teniente se limita a asentir.

–¿Cómo es que habla tan bien el alemán? –se interesa Stave, porque quiere alejar de sí el tema de conversación y no se le ocurre ninguna pregunta mejor. Tiene que alzar la voz para hacerse oír por encima del rugido del motor.

–Lo aprendí en Oxford. En el Oriel College. Allí estudié Historia y me especialicé en Prusia. Luego escribí una tesina acerca de las posiciones de Bismarck frente a Gran Bretaña antes de 1870. Incluso estuve en Berlín consultando documentación.

–¿Y todo eso, antes de la guerra? –pregunta el inspector jefe sin poder contenerse–. ¿Cuántos años tiene usted?

MacDonald se ríe.

–Nací un 24 de diciembre, la Nochebuena de 1920. En Berlín estuve durante el primer año de mis estudios universitarios, a los diecinueve. Aquello fue el verano de 1939. En realidad tenía pensado quedarme varios meses en la ciudad, pero en agosto fue haciéndose cada vez más evidente que amenazaba la guerra, así que levanté el campamento. Hay una habitación amueblada en la que todavía deben de quedar un par de libros míos cubiertos de polvo. Si es que la habitación no ardió en algún incendio.

–¿Y cómo acabó estudiando precisamente la historia de Prusia? Debe de ser una especialidad bastante exótica en Oxford, supongo.

–Oxford consiste exclusivamente en especialidades exóticas. –MacDonald sonríe con nostalgia, después se pone serio de pronto–. ¿Sabe usted cómo es una sociedad de clases, inspector jefe? Condes y duques, internados para la élite, clubes londinenses, mucha flema, antepasados que llegaron a la isla en el barco de Guillermo el Conquistador.

Stave niega con la cabeza, pero luego asiente, sorprendido él mismo.

–Aquí decían: «El que no es compatriota ni del Partido, no es ario». No era imprescindible tener ancestros caballerescos, pero la verdad es que ayudaba una barbaridad haber participado ya en la marcha golpista de 1923 ante la Feldherrenhalle de

Múnich, o por lo menos haberse afiliado al Partido antes de la victoria electoral de marzo de 1933.

–Usted, sin embargo, no quiso dejarse ayudar.

–Compatriota sí, eso no puede cambiarse. Del Partido, no.

MacDonald guarda silencio y mira al frente. Cascotes de ladrillos y bloques de hormigón a ambos lados de la calle, tubos retorcidos a modo de grotescas esculturas. Un muro solitario de cuatro pisos de alto. Arriba del todo quedan aún jirones de papel pintado que ondean como banderas al viento. Después, un solar despejado y, en él, dos docenas de barracones Nissen: barracas de chapa ondulada que parecen mitades de bidones cortados a lo largo. Alojamientos provisionales que los británicos han construido para los miles de personas desahuciadas por las bombas.

–Yo no nací con esa flema aristocrática –prosigue el teniente al cabo de un rato–. Mis padres regentan una tiendecita en Lockerbie, un pueblo del sur de Escocia. Yo, sin embargo, no quería pasarme la vida en mitad de ninguna parte. Estudié para conseguir una beca con la que ir a Oxford. Allí me matriculé en Historia de Alemania porque estaba seguro de que algún día entraríamos en guerra con ustedes. Tenía muy claro que después de la I Guerra Mundial les había quedado una cuenta pendiente con los británicos. De modo que me dije, conoce bien al futuro enemigo y así le serás de provecho a tu país.

–Parece que ha funcionado –murmura Stave.

MacDonald sonríe.

–Al principio, de vez en cuando me preguntaba si no habría hecho mejor quedándome en Berlín ese verano de 1939. Lo cierto es que Hitler parecía el seguro vencedor, pero al final la cosa acabó de otra forma... Y ahora estoy aquí, en Hamburgo. No me creerá usted, inspector jefe, pero aun en su estado actual, esta ciudad me gusta más que el pueblucho del que provengo.

–Tiene razón, no lo creo –contesta Stave con cansancio–. Ahí delante, a la derecha. Enseguida habremos llegado. Nuestro cementerio, en todo caso, seguro que es más grande que el de Lockerbie.

Se detienen frente a la amplia y humilde entrada. El cementerio que hay detrás era un parque grande y bonito antes de la guerra, tan grande que incluso lo cruzaban calles con paradas de autobús. Ahora, la mayoría de los arbustos y los árboles han sido talados por quienes buscan leña, y muchas tumbas están cubiertas de malas hierbas porque nadie tiene ya fuerzas para cuidarlas o porque no queda nadie para hacerlo.

Stave y MacDonald pasean por un sendero recto que conduce al centro del cementerio de Öjendorf. Cuántas tumbas recientes, piensa el inspector jefe. Su mirada recae entonces por casualidad en un bosquecillo de urnas, una especie de jardín en mitad del cementerio donde hay vasijas funerarias enterradas entre arriates de flores. Allí no se ven nuevos enterramientos porque nadie incinera ya los cadáveres; el preciado material combustible no puede malgastarse con los muertos. En el centro del bosquecillo de urnas se alza la escultura de bronce de una mujer sentada llorando. Es un milagro que haya escapado del pillaje hasta ahora.

A Stave, la imagen de la mujer le recuerda de pronto a Margarethe, aunque la figura no guarda ningún parecido con su esposa. Se vuelve para que MacDonald no vea cómo intenta dominarse. También Margarethe yace en el cementerio de Öjendorf, pero Stave prefiere no visitar su tumba con el teniente. No dice nada y sigue andando, más deprisa que antes.

Llegan puntuales: un párroco cansado, dos empleados para portar el féretro, una fosa abierta. El suelo está helado, congelado hasta más de un metro de profundidad; Stave se pregunta cómo habrán cavado la tumba. Seguramente no lo habrán hecho a pala, sino que la habrán abierto con un pico.

El párroco murmura una oración, una Biblia negra en sus gélidas manos azuladas. Tiene prisa, Stave no es capaz de entender ni una palabra. El teniente y él se quedan en un discreto segundo plano y miran disimuladamente alrededor. No hay nadie por allí cerca. Los portadores del féretro lo arrastran hasta la fosa, lo colocan sobre dos listones dispuestos en sentido transversal y abren el fondo del ataúd con una palanca. El cadáver, envuelto en un paño grisáceo, cae como por una trampilla y se precipita sobre la tierra endurecida con un golpe sordo. El ruido que produce suena a un volumen aterrador en el silencio. Los dos hombres cierran otra vez el ataúd provisional y se lo llevan a rastras. Tendrán que utilizarlo muchas veces más; también así se ahorra madera. El párroco saluda a Stave y MacDonald con la cabeza, después se aleja.

–Podríamos habernos ahorrado el viaje –murmura el teniente, y da una palmada con las manos.

–Valía la pena intentarlo –repone Stave. Su voz suena indiferente.

Un viejo

Sábado, 25 de enero de 1947

Stave está sentado en la penumbra de su apartamento y se calienta las manos en la humeante taza de sucedáneo de café. Va sorbiendo poco a poco la amarga bebida. En realidad hace ya un buen rato que debería haber salido, tendría que estar patrullando los andenes de la estación central desde el amanecer, tendría que estar preguntando por su chico.

Karl es su único hijo. A Margarethe y a él les habría gustado tener más, pero no llegaron: los médicos nunca descubrieron el porqué. Karl tiene ahora diecinueve años, piensa Stave. Si es que sigue vivo.

Desearía no haber discutido con él en aquel entonces, cuando Karl se presentó voluntario para ir al frente. ¿Idealismo juvenil, valor guerrero, desprecio por su padre? Debería salir a buscarlo.

Por otra parte, está cansado. Es cierto que se ha levantado pronto por costumbre, pero después se ha puesto a mover de aquí para allá los pocos muebles del apartamento, ha masticado infinitamente el pan medio reseco con requesón magro, desayuno y comida a la vez. Ahora ya son más de las dos de la tarde y todavía no ha salido de casa. Tiene miedo de pasar el fin de semana entero esperando en vano algún indicio de su hijo, hablar en vano con una figura demacrada tras otra, tiene miedo de las miradas vacías, de los gestos indiferentes.

Además, no consigue quitarse de la cabeza la última semana de trabajo. Nada, absolutamente nada. Nadie ha respondido al cartel de búsqueda, ni siquiera los locos de siempre, que nunca desaprovechan una oportunidad para hacerse notar. Por lo visto, hasta los lunáticos tienen demasiado frío para acercarse a una comisaría. Pero, entonces, ¿es posible que una joven desaparezca y muera en pleno Hamburgo sin que nadie la eche de menos? Si no tenía familia ni amigos, por lo menos algún vecino sí debía de conocerla. Stave sabe muy bien lo que sucede en búnkeres y demás alojamientos provisionales: cuando alguien desaparece, su hueco vuelve a ocuparse enseguida y es como si nunca hubiese vivido allí. Sin embargo, esa fotografía de la mujer asesinada tendría que haber llevado al ocupante de búnker más insensible hasta la Policía.

Breuer y Ehrlich lo han dejado tranquilo, pero el inspector jefe sospecha que quieren ver resultados. ¿Qué resultados va a darles? No sabe por dónde tirar. Está exhausto y helado de frío, y preferiría esconderse bajo la manta.

Por eso casi se siente aliviado cuando alguien llama a la puerta. Ahora tendrá que levantarse, sea lo que sea.

Cuando ve a Ruge ante sí, sabe que se le ha acabado jugar al escondite con la realidad. El joven municipal se pone firme y toma aire, pero el inspector jefe se le adelanta.

–Si me trae otro cadáver, será mejor que pase dentro –dice en voz baja–. Su mensaje no tiene por qué oírse por toda la escalera.

El interpelado sonríe con inseguridad, da un paso al frente y se quita el chacó de la cabeza en el estrecho vestíbulo.

–Lo siento, inspector jefe. Por lo visto siempre sucede cuando estoy yo de servicio. Espero que eso no me convierta en sospechoso.

–No se alegre tan deprisa –rezonga Stave. Alcanza pistola, abrigo y bufanda, y consigue incluso ofrecerle un cigarrillo a Ruge en un mismo gesto.

Esta vez el joven no duda; asiente dándole las gracias.

–¿Dónde? –pregunta Stave.

–En Lappenbergsallee, barrio de Eimsbüttel.

–Eso queda muy al oeste. ¿Por qué ha venido a buscarme a mí?

–El cadáver está desnudo, inspector jefe, y todo apunta a que lo han estrangulado. Esta vez es un anciano.

–Un cambio –murmura Stave, y abre la puerta del apartamento–. ¿Ya han informado a Maschke y a MacDonald?

–Dos agentes van de camino. Debemos llevarlos a todos ustedes al lugar del hallazgo. Eso ha ordenado el señor Breuer. También él estará allí.

Esto puede ponerse divertido, piensa Stave. Antes de que lleguen al lugar del hallazgo, en la otra orilla del Alster, ya casi será de noche. No es que sea lo ideal para investigar, sobre todo si va a tener al jefe haciendo de atento espectador.

Un minuto después, el motor del viejo Mercedes arranca con estertores. Stave mira por la ventanilla e intenta encontrar un patrón común en ambos crímenes: víctimas desnudas, estranguladas. Pero ¿por qué primero una mujer joven y ahora un viejo? Por un momento siente náuseas. No es más que el hambre y el aire viciado del coche, se dice, pero sospecha que también le sucede algo muy distinto: tiene miedo.

Desde Wandsbek hasta Eimsbüttel hay más de once kilómetros. Aunque Ruge aprieta al Mercedes para hacerlo saltar por encima de baches y esquivar grandes cráteres abiertos por las bombas, tardan casi media hora en llegar al lugar del hallazgo. Cuando por fin se detienen, Stave se alegra de abrir la puerta y bajar del coche. Respira hondo hasta que esa sensación de mareo desaparece de su estómago y luego mira alrededor: de nuevo un barrio de gente humilde que fue bombardeado durante la guerra. Los árboles de Lappenbergsallee están quemados o esquilmados para aprovechar la leña. Tras ellos se levantan antiguos bloques de viviendas de cuatro pisos, de ladrillo, pero están todos destruidos. El verano pasado, los grupos de trabajo acabaron de derribar las fachadas y las paredes que aún quedaban en pie porque amenazaban con venirse abajo. Ahora el terreno es un extraño desierto de montañas de cascotes y ladrillos que alcanzan tres, cinco o diez metros de alto, y de las que sobresalen tuberías y canalones, ovillos de cable y vigas partidas; varios senderos abiertos a base de pisadas cruzan los escombros sin orden aparente. Las casas más o menos intactas más cercanas, calcula Stave, se encuentran por lo menos a ciento cincuenta metros.

Un Jeep frena haciendo chirriar los neumáticos y se detiene justo detrás del Mercedes, tan cerca que Stave teme por un momento que vayan a chocar. MacDonald baja y saluda con un ademán de la cabeza y no llevándose la mano a la gorra al estilo militar, lo cual el inspector jefe observa con agrado.

–¿Alguna vez había estado en el lugar del hallazgo de un cadáver, teniente? –pregunta. Prefiere tener la prudencia de preparar al británico para la visión de una víctima de asesinato. Así no se caerá redondo al verlo.

Sin embargo, MacDonald no pierde la calma.

–Según se mire: sí, porque en la guerra estuve recuperando cadáveres; y no, porque seguramente los soldados actuábamos de forma muy diferente a como lo hace la Policía.

Stave sonríe apenas y señala hacia una burbuja de luz que reluce entre los montones de escombros: dos focos portátiles, alimentados por un generador diésel cuyo zumbido resuena hasta donde están ellos.

–Será allí, supongo.

Siguen un sendero que nace en Lappenbergsallee y rodea una alta montaña de cascotes. Nada más recorridos diez pasos, desde el camino se pierde de vista la calle principal. Un par de montones de escombros más. Después, un cráter de bomba lleno de hielo, puede que de un metro y medio de profundidad. Dentro, un bidón de gasolina abollado.

Y a su lado, el cadáver.

Dos municipales aguardan en la trémula luz de los focos, un tercero está inclinado sobre el generador. El fotógrafo está colocando su equipo. Maschke deambula de aquí para allá a un par de pasos de él, fumando. El doctor Czrisini se quita los guantes de ante y, en su lugar, se cubre los dedos con otros de plástico.

–Me parece que no ha sido un crimen pasional –dice el forense a modo de saludo, y señala el cadáver.

–Cuando ya no me apetezca seguir, lo propondré a usted para mi puesto –gruñe Stave.

–Podríamos intercambiarnos –contesta Czrisini de buen humor.

Se inclinan sobre el cuerpo: un hombre desnudo de entre sesenta y cinco y setenta años, calcula Stave. No es muy alto, puede que un metro sesenta. Delgado pero no desnutrido. No tiene manos de trabajador. La víctima está boca arriba, el cuerpo relajado, los pies muy juntos, la mano izquierda junto al tronco, medio abierta, la derecha oculta bajo la nalga. El cadáver está congelado y cubierto por una fina capa de nieve, como si lo hubieran espolvoreado con azúcar de repostería; debajo se ven varias manchas de lividez cadavérica en la piel blanca.

El forense señala la cabeza sin decir nada: barba gris y poblada, nariz torcida, bastante grande. Los ojos, cerrados. Cuando Stave se agacha más sobre la víctima, ve que los párpados están cerrados a causa de la hinchazón, como si le hubieran pegado puñetazos.

–Hemorragia en ambos oídos –dice el doctor Czrisini con sobriedad–, pequeñas heridas en el lado izquierdo de la barbilla. Frente y ojos hinchados por contusiones. A este hombre le han dado una paliza, a puñetazos o con un objeto romo.

–¿Son heridas mortales?

El forense sacude la cabeza.

–Evidentemente, no podré estar seguro hasta después de la autopsia, pero me parece que los golpes solo lo debilitaron. Quizá cayó al suelo, es probable que perdiera la consciencia. –Señala la mano izquierda del muerto–. Arañazos. Parece que se defendió, por lo menos al principio. Después ya no tuvo más ocasión. ¿Ve las finas marcas de estrangulamiento del cuello? Probablemente lo hicieron con un alambre.

Stave cierra los ojos un momento.

–Al hombre lo atacaron desde atrás o desde un lado, lo abatieron con fuertes golpes en la cara y en la cabeza y, luego, cuando ya no se defendía, lo estrangularon. Seguramente para entonces ya estaba inconsciente.

Czrisini señala una barra de hierro de sección cuadrada de unos treinta centímetros de largo que hay junto a la cabeza de la víctima, entre la tierra.

–Esa coloración del hierro, creo yo, es sangre.

–¿El arma con que lo derribaron?

–Puede, pero también es posible que la barra estuviera ya antes ahí y que se haya manchado de sangre al caer el hombre justo al lado.

Stave desearía que aún fuese de día. Los parpadeos de la luz hacen que le duelan los ojos, parece que haya sombras bailando hasta en el último rincón de las ruinas, la cabeza le retumba por el ruido del generador.

Esperan a que el fotógrafo haya tomado las primeras imágenes de la víctima. Entonces Czrisini mueve con cuidado el cadáver del desconocido.

Le separa los párpados.

–Ojos azules. –Con ambas manos tira hacia abajo de la mandíbula inferior–. Sin dientes –informa–. Seguramente llevaba dentadura postiza.

Lo registra, avanza de forma lenta y sistemática desde la cabeza hacia abajo.

–Una verruga del tamaño de una moneda de penique en la cadera izquierda. –Después señala su bajo vientre–. Hernia escrotal, bolsa testicular muy dilatada. Con algo así hay que llevar suspensorio, y de todas formas tendría dificultades para caminar.

Stave señala el borde del cráter sin decir nada. Allí hay tirado un bastón pulido de bambú marrón oscuro y con el puño labrado. Lo cubre una fina capa de nieve más o menos igual de gruesa que la que reposa sobre el cadáver.

–Podría ser el bastón de la víctima –murmura.

En la luz centelleante ven relucir también un botón metálico junto al cuerpo. Cuando por fin han dispuesto a la víctima en el féretro, descubren debajo de él una correa de cuero rota, quizá de una mochila de excursionista.

Y entonces Stave ve algo pequeño y reluciente entre los cascotes, justo donde antes estaban los hombros del cadáver. Se inclina y lo recoge: un medallón de plata, redondo, del tamaño de una moneda de diez peniques, colgado de una cadena fina y rota del mismo metal.

–Al asesino debe de habérsele pasado cuando lo desvalijaba –aventura Czrisini.

Stave mira fijamente el disco diminuto que tiene en su mano enguantada, se acerca al foco y maldice en voz baja por su luz inestable. El reverso del medallón no tiene decoración y está liso y bruñido de haber rozado contra la piel durante tanto tiempo. En el anverso hay una cruz que se encuentra sobre una especie de montículo irregular. Podrían ser peñascos o llamas, piensa el inspector jefe. Por encima de la cruz, a izquierda y derecha, penden dos objetos inclinados que a Stave al principio le parecen otras dos cruces.

El forense, que se ha acercado a él, los señala.

–Eso son dagas –afirma.

–¿Está seguro?

–Más largas que un cuchillo, más cortas que una espada. La forma clásica de la hoja, ligeramente ovalada.

–Eso querría decir que las puntas de ambas dagas señalan justamente a la cruz.

–Extraño, ¿verdad? Nunca lo había visto.

Stave mira el medallón. Czrisini tiene razón, piensa. Dagas y una cruz. ¿Qué simbolizará? Guarda el objeto en el interior de una bolsita de papel. Una prueba, se dice. Tengo la primera prueba. Solo se pregunta adónde conducirá.

–¿Desde cuándo puede que esté aquí? –pregunta Stave.

El forense se encoge de hombros.

–Por lo menos desde hace un día, a juzgar por las manchas cadavéricas, pero también puede que bastante más. Con estas temperaturas siberianas es difícil saberlo.

–¿Tanto como la víctima de Baustrasse?

Czrisini lo mira un momento sin decir nada.

–Es posible que los dos fueran asesinados aproximadamente en el mismo momento.

–¿Qué piensa usted, teniente? –pregunta Stave entonces, mientras Czrisini se quita de las manos los guantes de goma, húmedos y fríos, con una mueca de dolor.

MacDonald los ha observado hasta ahora sin decir nada, manteniéndose en un discreto segundo plano.

–El pobre hombre va por el sendero de los escombros, donde lo acecha su asesino, que lo abate a golpes, lo estrangula y le roba hasta dejarlo desnudo.

Stave se rasca la cabeza.

–¿Se aventuraría un anciano con suspensorio y bastón por un camino tan irregular como este? –pregunta.

El teniente sonríe con aprobación.

–En sus circunstancias, yo seguramente me sentiría más seguro yendo por las calles despejadas. ¿De modo que piensa usted que el hombre estaba en Lappenbergsallee? Su atacante lo abate allí, arrastra a la víctima indefensa hasta aquí, donde nadie lo ve, y termina el trabajo.

–Es posible –replica el inspector jefe, sucinto. Entonces vuelve a pensar en la joven de Baustrasse–. Supongamos por un momento que se trata del mismo asesino que en el caso de principios de semana. Como digo, es solo una hipótesis, puesto que algunos indicios parecen desmentirlo. Primero una mujer joven, ahora un viejo. En el primer caso no hay ninguna señal visible de resistencia, en el segundo tenemos marcas claras de golpes y signos de defensa por parte de la víctima. Solo esas finas señales de estrangulamiento son muy parecidas.

–Y en ambos casos hemos encontrado los cadáveres entre los escombros. Desnudos. En lo que fueron barrios de viviendas sencillas que han quedado destruidos por los bombardeos –añade Maschke, que se ha acercado a ellos con interés–. Quizá el asesino conoce bien estos lugares.

Stave asiente.

–Sí, pero uno está en el este y el otro en el oeste de la ciudad. Entre el lugar de un hallazgo y el del otro hay más de diez kilómetros de distancia. ¿Había vivido el asesino en Eilbek y también en Eimsbüttel? Es posible. Pero también es posible que tan solo busque estas zonas derruidas de la ciudad porque aquí está relativamente a salvo de miradas indiscretas. Es incluso posible que haya matado a sus víctimas en un lugar muy diferente y solo venga a estos solares de escombros a deshacerse de los cadáveres donde nadie lo moleste.

–¿No son el bastón, el botón, el medallón roto y la correa de cuero indicios de que por lo menos el hombre sí fue atracado en este lugar? –pregunta MacDonald.

–Indicios sí –contesta Stave–, pero por desgracia no prueban nada. Puede que hayan quedado junto al cuerpo casualmente. Estos barrios en ruinas están llenos de efectos personales extraviados. Pero tiene usted razón: los objetos podrían ser pistas, quizá alguien pueda identificarlos. Haré que fotografíen el medallón. Si el inspector Müller se pone a ello, tal vez logre descubrir qué significan esa cruz y las dos dagas.

–Y yo –comunica Maschke con expresión sumisa– me presento voluntario para volver a interrogar a decenas de batas blancas. Esta vez, a todos los dentistas que podamos encontrar. Estoy impaciente por sacarles la foto del muerto y preguntarles si alguna vez le proporcionaron una dentadura.

–Buena idea –lo elogia Stave, y sonríe cansado. Después se vuelve hacia uno de los municipales–. Ahora quisiera hablar un momento con el testigo que ha encontrado el cadáver.

–Es una mujer, inspector jefe. Una saqueadora.

El municipal le trae a una figura abrigada que hasta entonces ha esperado oculta tras uno de los montones de cascotes, bajo vigilancia. Detrás de ella va otro agente en el que Stave tampoco se había fijado antes. El inspector jefe mira a la mujer cuando entra en el círculo de luz que rodea el cadáver: esbelta, casi tan alta como él. Se retira la capucha de un abrigo de lana grueso, inglés, que seguramente debió de ser muy caro hace años; ahora, sin embargo, está tan desgastado que podría rasgarse con dos dedos. Stave observa su rostro delgado, ojos oscuros ligeramente almendrados, pelo negro, largo. Treinta y pocos, estima, y antaño acomodada. No tiene manos de trabajadora.

–¿Cómo se llama? –pregunta.

–Anna von Veckinhausen.

Una voz suave, piensa Stave, pero impregnada del aplomo que solo pueden otorgar la riqueza y el estatus disfrutados desde la cuna. Aun así, igual que un violín que desafina en una gran orquesta, en ella se oye una discordante nota de nerviosismo. O de miedo.

–¿Ha encontrado usted el cadáver?

–Sí.

Stave se aclara la garganta. Siente las miradas de Maschke, el médico, MacDonald y los municipales. Puede convertirse en un interrogatorio delicado, piensa.

Decide mostrarse amable. Se presenta, da unos pasos hacia delante como por casualidad y ella lo sigue sin darse cuenta, de modo que se alejan un tanto de los demás.

–Explíqueme lo que ha sucedido –le pide.

Anna von Veckinhausen duda un instante. Está calculando qué va a decirme ahora, piensa el inspector jefe, y espera.

–Yo estaba en Collaustrasse y me metí por el sendero que cruza los escombros porque quería llegar a Lappenbergsallee. Un atajo.

Stave saca minuciosamente su bloc de notas del bolsillo. Con ello gana tiempo: tiempo para la testigo, para que vuelva a pensar bien su historia; tiempo para sí, para reflexionar. Una saqueadora, le ha dicho uno de los municipales. A los policías les resulta difícil calar a los personajes que recorren los escombros. ¿Antiguos residentes que buscan sus pertenencias? ¿Trabajadores de la construcción contratados por el ayuntamiento para derribar los muros que amenazan con venirse abajo, o recoger el valioso metal? ¿Transeúntes que simplemente toman un atajo? ¿O saqueadores que roban madera, metal, muebles, todo lo aprovechable? Casi todos los habitantes de Hamburgo se han «agenciado» en algún momento algo que les puede ser de provecho; Stave solo tiene que pensar en la madera con la que alimenta su cocina económica. Sin embargo, al que descubren haciéndolo lo envían a un tribunal sumario británico: un juez inglés, un intérprete, una taquígrafa, un par de preguntas frías, una sentencia, el siguiente. Cuarenta cigarrillos de las reservas de los Aliados: veintiún días de arresto. Un trabajador que quería sacar de contrabando tres pezuñas de cerdo que iban a ser desechadas de un almacén frigorífico: treinta días. A los saqueadores que rebuscan en las ruinas les echan entre cincuenta y sesenta días.

Stave decide no recriminarle de momento lo del pillaje.

–¿Qué sucedió entonces?

La testigo sonríe con alivio por un instante fugaz. Después se pone seria y se frota las delicadas manos como si se las estuviera lavando con jabón. Igual que una enfermera cuando se desinfecta, se le ocurre a Stave. O una doctora.

–Por casualidad he visto... –dice dubitativa, buscando la palabra correcta–, el cadáver. Después he corrido hacia Lappenbergsallee y he preguntado por la comisaría más cercana.

–¿Ha preguntado?

–Sí. –Anna von Veckinhausen lo mira extrañada–. He parado a un par de transeúntes hasta encontrar a alguien que pudiera decirme cómo llegar allí.

Stave sigue todavía sin acostumbrarse a ese nuevo aplomo de las mujeres. Hace unos años habría sido impensable que una mujer –es más, una dama– descubriera un cadáver y reaccionara como lo ha hecho la testigo. Antes, una mujer habría gritado o habría caído inconsciente. Seguramente es así porque, desde la guerra, son ellas quienes buscan el sustento para sus familias: en el mercado negro, en expediciones de avituallamiento, con trabajo duro... Las mujeres saben procurarse igual que los hombres todo lo necesario para vivir. Por lo menos igual de bien. Por otra parte, pagan por ello un precio muy alto. No solo cansancio y deterioro físico. Muchos matrimonios se rompieron cuando los hombres, después de años en el frente, regresaron y no pudieron soportar que sus mujeres se las arreglaran mejor que ellos en ese nuevo mundo de escombros y mercados ilegales. Stave vuelve a mirar disimuladamente las manos de Anna von Veckinhausen: no lleva alianza.

–Es la Segunda Comisaría –dice Stave–. Puesto que no la conocía, supongo que no vive usted por aquí cerca.

La testigo duda un momento.

–No –confiesa–. Vivo en uno de los barracones Nissen del canal del Eilbek.

Stave se apunta la dirección. Una saqueadora que ha ido a explorar una nueva zona de pillaje, deduce, pero no dice nada. Anna von Veckinhausen le impone, se siente incluso un poco cohibido. Ese aplomo... Esa mujer proviene de otro mundo. Hay un deje dialectal en su voz, pero ¿de dónde? No es de Hamburgo ni del norte. ¿De algún lugar del este, quizá?

–¿De manera que ha visto el cadáver y ha corrido a Lappenbergsallee hasta que ha llegado a la comisaría? ¿Hay testigos de eso?

Ella lo mira desconcertada y no dice nada.

–Las personas a quienes ha preguntado en Lappenbergsallee, ¿sabe quiénes eran? ¿Anotó sus nombres?

–¿A qué viene eso? –pregunta ella con indignación. Su voz sigue siendo queda–. ¿Acaso sospecha de mí?

Stave sonríe, aunque es consciente de lo desacertado de esa mueca en ese preciso momento.

–Pura rutina –explica.

Ella lanza la cabeza hacia atrás y lo mira a los ojos. Desafiante.

–Figuras embozadas. Hombres con sombrero y el cuello del abrigo levantado, mujeres con pañuelos y gorras. Todos con prisa por el frío. No he apuntado ningún nombre, y tampoco podría describirle sus caras.

Stave vuelve a anotar algo.

–¿Y antes? Cuando ha encontrado el cadáver, ¿lo ha tocado?

–Hace usted unas preguntas verdaderamente sorprendentes. He visto a un hombre desnudo y muerto. ¿Para qué iba a tocarlo?

–Pero ¿ha sabido enseguida que estaba muerto?

–Ya había visto un par de muertos en la nieve antes, si es eso lo que quiere decir. Enseguida he sabido cuál era su estado.

Stave renuncia a preguntarle cuándo y dónde ha visto esos otros cadáveres.

–¿Sabe cómo ha fallecido?

Anna von Veckinhausen sacude la cabeza.

–No. ¿Cómo?

El inspector jefe hace caso omiso de la pregunta y vuelve a apuntar algo. Sus dedos se han convertido en carámbanos. Trabajosamente va escribiendo palabras, apenas legibles. Es muy consciente de que sus lentas anotaciones ponen nerviosa a la testigo. Mejor, piensa.

–¿Le ha llamado la atención alguna otra cosa? ¿Algo del cadáver? ¿Había quizá algún objeto junto a él?

La mujer niega con la cabeza. También ella tiene un frío terrible, sospecha Stave.

–¿E inmediatamente antes? Cuando todavía no sabía lo que le esperaba entre las ruinas, ¿vio algo sospechoso por el sendero? ¿Tal vez a otra persona? ¿Oyó algún ruido?

–No, no vi nada.

Una respuesta rápida. Demasiado. De pronto Stave no está seguro de que la mujer no le oculte algo. ¿Debería llevarla a la Central para someterla a un interrogatorio? ¿Amenazarla, quizá, con acusarla de pillaje? Duda. La mayoría de las veces, según su propia experiencia, los testigos hablan sin necesidad de presionarlos. Solo hay que darles algo de tiempo, entonces se presentan en Investigación Criminal y completan sus declaraciones. Además, en caso de que Anna von Veckinhausen no sea de esa clase de testigos, siempre podría ir a interrogarla otra vez. Verla otra vez.

Lo que te faltaba ahora, enamorarte, piensa Stave, y de inmediato zanja esa reflexión.

–Puede marcharse –dice. Le da a Anna von Veckinhausen una nota en la que ha escrito su número de teléfono–. Si recordara algo más, llámeme, por favor.

–Gracias –contesta ella, y dobla el papel con cuidado antes de guardárselo en el bolsillo del abrigo. De pronto parece exhausta.

Antes, Stave habría solicitado un coche patrulla para llevar a la testigo a su casa, pero ahora, con los pocos vehículos que quedan y la gasolina racionada, ya no.

–Adiós –se limita a decir. Debería mostrarse amable, pero, no sabe por qué, lo dice de tal forma que suena a amenaza.

–¿Por qué deja que se vaya la mujer? –pregunta Maschke cuando Anna von Veckinhausen desaparece detrás de una montaña de cascotes. MacDonald y él se han acercado de nuevo a Stave, que los informa brevemente de la declaración de la testigo.

–Lo cierto es que no tenemos ningún indicio –se justifica el inspector jefe.

–Estaba en las inmediaciones del segundo asesinato –dice Maschke– y vive en las barracas del canal del Eilbek. Eso no queda muy lejos de donde encontramos el primer cadáver.

Stave suspira. También a él le ha llamado la atención, pero prefería no mencionarlo.

–En el caso del primer asesinato, no es más que una de las miles de personas que viven por allí cerca. Hoy ha sido ella quien ha avisado a la Policía.

–Y, además, no me la imagino echándole a nadie un alambre al cuello –tercia MacDonald.

–Yo sí –murmura Maschke.

–Dejemos que los compañeros se ocupen de despejar todo esto –ordena Stave, cansado–. Czrisini querrá el cadáver.

Volvamos a la Central y consideremos qué es lo que ha cambiado para nosotros.

–No tan deprisa, caballeros. Concédanme cinco minutos.

Cuddel Breuer, una enorme figura de largo abrigo oscuro con sombrero de ala ancha y guantes negros de piel. Stave no lo había oído acercarse.

–Disculpen que no haya podido presentarme antes –sigue diciendo el director de Investigación Criminal–, pero tenía una cita con el alcalde. Maldito frío –susurra, aunque no tiene aspecto de estar precisamente helado.

–Pondré vigilancia en el lugar del hallazgo –explica Stave después de haberle presentado un sucinto informe–. Un municipal se quedará aquí. Espero que no se muera de frío. Mañana vendremos a registrar esto otra vez, en cuanto sea de día.

Su jefe asiente con la cabeza y luego observa a los tres investigadores.

–¿Qué creen ustedes? ¿Lo ha hecho el mismo?

Stave se temía esa pregunta y sopesa su respuesta con cautela.

–Seguiremos indagando en todas direcciones –empieza a decir–. Algunos indicios señalan al mismo autor o autores, puesto que tampoco eso podemos descartarlo. Hay algunas pruebas que no terminan de encajar con el primer asesinato.

–¿Qué piensa hacer?

–Descubrir la identidad de la víctima. Repasar todos los partes de desaparición, preparar otro cartel si es preciso. Esta vez, por lo menos, además de la foto de la víctima tenemos también el bastón. Tenemos el medallón. Y preguntaremos a los dentistas: el hombre llevaba dentadura.

Breuer se lo queda mirando sin decir nada.

–No puede ser que en una ciudad como Hamburgo hayan asesinado a dos personas y que nadie las eche en falta –se defiende Stave–. Si existe alguna relación entre el autor de los hechos y sus víctimas, eso nos ayudará bastante.

–¿Y en caso de que no sea así?

–Entonces será complicado –reconoce el inspector jefe–. Si de verdad nos enfrentamos a un asesino que escoge arbitrariamente a sus víctimas, me parece que su comportamiento será imprevisible. Un día mata a una joven, otro día a un viejo. Un día ataca en el este, otro día en el oeste, un día no tiene que superar ninguna clase de resistencia por parte de su víctima, otro día se enfrenta a esa defensa con violencia.

–¿Y qué le digo mañana al alcalde? –El tono de Cuddel Breuer es tan alegre como si se tratara de que Stave aceptase una invitación para ir de picnic.

–Pídale que no saque conclusiones precipitadas. El caso es complicado. Solo necesitamos un poco de tiempo.

Breuer se rasca la cabeza y suspira.

–Ya lo sé. Pero Hamburgo está cercado por el hielo. Las reservas de carbón de las centrales eléctricas solo alcanzarán para unos días más. Apenas tenemos alimentos. Cada día mueren personas por congelación. Al alcalde no le resulta fácil mantener la ciudad controlada. Tiempo es, precisamente, algo que no tiene.

–Entonces, él será el primer interesado en que no cunda la alarma –dice Stave sin pensar.

Breuer sonríe.

–Bien. Nadie tiene ningún interés en echar las campanas al vuelo por esto. Le aconsejaré al alcalde que simplemente haga como si nada hubiera sucedido. De momento.

Inclina el sombrero, luego da media vuelta y se marcha.

–Mierda –murmura Maschke cuando el jefe ya no puede oírlo.

Sin embargo, a Stave no puede engañarlo. En la voz de su compañero empieza a asomar con timidez algo que no le gusta nada: malicia.

Regresan a la Central de Investigación Criminal traqueteando en el Jeep de MacDonald sin decir palabra. En la turbia luz amarillenta de los faros, las montañas de cascotes y las paredes de las casas relucen como el escenario de una película expresionista muda. A Stave no le extrañaría ver de reojo la silueta de murciélago de Nosferatu en cualquier ruina apartada, las garras de sus dedos alargándose hacia él. Serénate, se dice. No es un vampiro lo que busca, sino a una persona normal y corriente que oculta un alambre o un cable en el bolsillo. Que no tiene miedo de abalanzarse sobre una muchacha ni sobre un viejo.

Al final de Karolinenstrasse, un municipal aterido dirige el tráfico con movimientos bruscos y furiosos: Jeeps, camiones británicos, dos valientes que van en bicicleta haciendo frente al gélido viento que silba por toda la calle. MacDonald conduce a bandazos. El tubo de escape, debajo de ellos, suelta unas falsas explosiones y el municipal se sobresalta. El teniente, que lo ve por el retrovisor, sonríe satisfecho. Tres minutos después ya han llegado.

Cuando entran en su despacho, Stave ve con sorpresa que Erna Berg ya los está esperando y ha preparado algo parecido a un té. Agradecido, acepta la taza caliente e inspira el aroma. Ortiga, supone. Lo importante es que está caliente.

–¿Qué está haciendo aquí? –le pregunta a su secretaria.

–El señor Breuer me ha hecho llegar el recado de que hoy habría trabajo que hacer –responde ella–. Ya me tomaré otro día libre. Cuando todo esté un poco más tranquilo.

Mucho tendrás que esperar para ver llegar ese día tranquilo, piensa Stave con ánimo lúgubre.

–Muy bien –dice cuando todos se han acomodado en su estrecho despacho–, entonces, ¿a quién estamos buscando?

–No es un asesino pasional –comenta MacDonald.

–Entonces ya solo nos quedan en Hamburgo unos novecientos mil posibles criminales.

El inspector jefe mira al techo, como si allí fuese a materializarse un cartel de búsqueda y captura.

–Repasémoslo todo otra vez desde el principio. –Lo dice casi como si hablara más para sí que con los demás–. No tenemos ni una pista clara. ¿Qué relación podría haber entre la joven de Eilbek y el viejo de Eimsbüttel? ¿Una golondrina de la calle y su cliente? Nuestros amigos de Reeperbahn no conocían a la chica, así que no hay nada que apunte a ello. Pero, en tal caso, ¿qué los vincula? ¿El lugar en que se encontraban? ¿Un destino común?

Nadie dice nada, pues todos saben que él mismo dará una respuesta.

–El mercado negro, evidentemente –prosigue Stave.

Es ilegal pero está por todas partes. Hombres y mujeres que rondan las calles y las plazas paseándose despacio de aquí para allá, rostros ocultos por los sombreros y los cuellos subidos de los abrigos. Palabras susurradas, gestos apresurados. Allí se puede conseguir todo lo que no le dan a uno con la cartilla de racionamiento: una radio, un par de zapatos de mujer, medio kilo de mantequilla, aguardiente de destilación casera. A cambio de gruesos fajos de billetes de cien marcos del Reich, o bien de cigarrillos. De vez en cuando se organizan redadas, pero no hay nada que hacer contra el estraperlo. El año pasado, la Policía requisó más de mil toneladas de alimentos, decenas de miles de litros de vino, más de 4.800 ampollas de morfina de las existencias del ejército, penicilina robada, incluso caballos y coches.

Para muchos ciudadanos de Hamburgo, ese mercado clandestino tiene algo de sucio, de profundamente degradante. Tener que quedarse plantado en la acera como una fulana. Unos precios miserables por piezas de herencia que tanto trabajo costó salvar de los bombardeos nocturnos: unos cuantos cigarrillos por antigüedades que antes eran valiosas, pero mil marcos del Reich por un kilo de mantequilla. A los estraperlistas y sus cómplices, los periódicos los llaman «parásitos de la subsistencia», muy al viejo estilo elocutivo, como si los nazis todavía estuvieran en el poder. Pero no hay más remedio: cuando a uno ya se le caen de los pies los únicos zapatos que tiene y con la cartilla de racionamiento no consigue comprar unos de repuesto en toda la ciudad, ¿qué le queda, más que recurrir a esas figuras susurrantes?

En el mercado negro se dan cita todos los ciudadanos de Hamburgo: ricos y pobres, viejos y jóvenes. Todo el mundo puede intercambiar artículos con todo el mundo, allí puede producirse un encuentro entre las dos personas aparentemente más impensables. Además se manejan grandes sumas, se comercia con viejos tesoros o productos sin los cuales es imposible sobrevivir. Motivos suficientes para incurrir incluso en un asesinato. Sobre todo porque a ningún estraperlista se le ocurriría ir a denunciarlo a la Policía.

–Podría tener algo que ver con el mercado negro –conviene MacDonald.

–Todos los condenados delitos de Hamburgo podrían tener algo que ver con el mercado negro –objeta Maschke–, pero no lo sabemos con seguridad. No hay indicios. También es posible que las víctimas fueran saqueadores y que un competidor se cruzara en su camino. Una lucha territorial por conseguir la mejor montaña de escombros... Tal vez hayamos llegado incluso a eso.

Stave asiente con la cabeza.

–También es una posibilidad. Y aún se me ocurren un par más: los desaparecidos, por ejemplo. Tenemos cientos de casos de desapariciones en la ciudad. Aparentemente, ninguno de ellos coincide con la joven, y en cuanto al viejo no sabremos nada hasta mañana por la mañana. Sin embargo, sí sería posible que detectásemos una especie de patrón entre los casos de desapariciones.

MacDonald levanta una ceja. Por lo visto, no sigue las reflexiones de Stave.

–¿Qué patrón? –pregunta.

El inspector jefe se encoge de hombros.

–Pues no sé. Quizá comprobemos que en los últimos tiempos ha desaparecido un número sorprendentemente alto de muchachas. O de ancianos. O que hay un desaparecido emparentado con una muchacha y un anciano. Qué sé yo.

–A mí me parece una pista bastante débil –comenta el teniente.

Stave no hace caso de ese reparo, porque el británico tiene buena parte de razón.

–Aún nos quedan los desplazados –prosigue–. Personas que no tienen raíces aquí. Personas que no tienen nada que perder. Personas cuya identidad a veces ni siquiera las autoridades aliadas conocen, cuyos movimientos apenas están controlados y cuyos asuntos no interesan a nadie. Tal vez no sea tan extraño que ningún habitante de Hamburgo haya venido a interesarse por ese cartel.

–Pero también hemos hecho colgar carteles en los campamentos de desplazados –dice Maschke–. Allí la gente vive apiñada. Alguien habría reconocido a la víctima y, aunque los desplazados no quieran decir nada, quizá por miedo o porque no confían en las autoridades alemanas, algún guardia británico podría haberla reconocido.

Maschke se levanta de la silla y se pone a caminar por el despacho. Parece inquieto, piensa Stave. Seguramente porque poco a poco se va dando cuenta de que no tenemos ni una sola pista sólida y de que solo hay una cosa que podamos suponer con cierta seguridad: que no se trata de un delito sexual. Lo que supone que la investigación ya no requiere a ningún agente de Orden Público. Tiene miedo de que vuelva a enviarlo con sus chicas y sus clientes, supone Stave, y de repente siente algo así como compasión por Maschke.

–Está bien –dice, pues, en voz alta–, reconozcamos que no tenemos ninguna teoría concluyente. Por el momento. Así que nos tomaremos en serio todas esas pistas, por débiles que sean. Organizaré una gran redada en el mercado negro. Para este mismo lunes. Nos llevaremos detenidos a unos cuantos estraperlistas y a ver qué descubrimos... Quizá una mochila a la que le falta una correa. Puede que otro medallón con una cruz y dos dagas grabadas. O un suspensorio.

Los otros dos se echan a reír por un momento.

–Usted, teniente, repase los partes de desapariciones. Quizá encuentre algún patrón, y no dude en comunicarme hasta las especulaciones más disparatadas. Nunca se sabe. Y usted, Maschke, visite uno por uno a todos los dentistas y pásese también por la Oficina de Desescombro de Heiligengeistfeld. Los funcionarios allí están al cargo de todo lo que tiene que ver con la reconstrucción y la recogida de cascotes. Si alguien ha oído hablar de luchas territoriales entre los saqueadores, tienen que ser los chicos de las ruinas.

La verdad es que no me caes bien, pero te quedas a bordo, piensa Stave. Maschke sonríe con alivio.

–Buena idea –dice el hombre de Orden Público.

Maschke y MacDonald salen del despacho. Stave le hace una señal a su secretaria antes de que se cierre la puerta.

–La necesitaré un momento más –dice en tono de disculpa.

Se retira a su escritorio. Papeleo. Stave prepara un nuevo expediente de asesinato, escribe a mano el informe sobre el hallazgo del cadáver, después el texto del nuevo cartel de búsqueda y finalmente la solicitud de la autopsia.

Cuando el inspector jefe, papeles en mano, sale por fin, se queda atónito sin pasar de la puerta: MacDonald sigue allí, charlando con Erna Berg. Los dos se quedan callados a media frase, abochornados como dos tortolitos sorprendidos. Esto puede ponerse divertido, piensa Stave, pero al mismo tiempo siente algo parecido a los celos. Apenas una fina aguja que se le clava en algún lugar, no es ni mucho menos como una puñalada en el corazón, pero aun así... Qué absurdo.

Stave le entrega a su secretaria las anotaciones para que las mecanografíe. Descuelga abrigo y sombrero, masculla un par de frases intrascendentes y sale de allí. En cuanto la puerta se ha cerrado tras él, la conversación se reanuda como si alguien hubiese colocado de nuevo la aguja de un tocadiscos sobre el surco del vinilo.

Sábado por la noche. Antes, Stave habría regresado a casa con Margarethe y el niño, agotados y sonrientes después de una salida en barca por el Alster o un largo paseo junto al Elba. Habrían acostado a Karl sabiendo muy bien que, en cuanto sus padres desaparecieran, el niño encendería la luz para leer novelas policíacas. Después, Margarethe y él habrían salido, puede que a un restaurante o al cine. Y más tarde...

Tonterías y sentimentalismos, piensa Stave, es posible que me esté haciendo viejo. O puede que últimamente esté viendo demasiados cadáveres, eso siempre toca la fibra sensible. Pasea sin rumbo por Rotherbaum, después por Harvestehude. Barrios sin apenas cicatrices, villas preciosas, apacibles; en algunas calles parece que la guerra no haya existido, si no hace uno caso de los Jeeps británicos aparcados en las entradas, claro. Villas confiscadas.

Los ricos se lo tienen merecido, piensa Stave de pronto. Después se reprende, no puede dejar que sus pensamientos sigan saltando de tontería en tontería.

Al final debe de haber deambulado durante al menos media hora y vuelve a encontrarse en Hoheluftchaussee, de espaldas a la estación medio derruida del tren elevado, en la que hace ya meses que no para ningún tren.

Está helado de frío. Se trata de una avenida de cuatro carriles, pero los edificios que la flanquean no son especialmente imponentes. Stave camina por la acera, más rápido ahora que tiene una meta: el Capitol. Un cine al que Margarethe y él habían ido alguna vez. Ha quedado intacto y ha vuelto a abrir sus puertas. No hay electricidad para el tren elevado, pero sí para ver películas, piensa. Hay que establecer prioridades.

Recorre los trescientos metros que debe de haber desde la estación hasta el Capitol casi a paso ligero. No hay anuncios luminosos, solo un cartel que apenas se distingue en la oscuridad, pero la taquilla está iluminada. Compra una entrada y pasa sin saber cuál es la película que proyectan. Qué más da, lo principal es que dentro de la sala podrá entrar en calor. Y matar el tiempo.

Welt im Film, «el mundo en imágenes»: el noticiario de esta semana muestra escenas de Londres, después de Moscú. Stave deja que desfilen ante él. Un acorazado inglés en algún puerto, puede que en la India, Stalin de uniforme. El inspector jefe va quitándose de encima el frío. Hacia el final, de pronto, las fotografías de cuatro chiquillos: niños refugiados que han sido capturados en Hamburgo, sin nombre, aún por identificar. Así buscan las autoridades a sus padres o sus familias: cuatro nuevos niños sin nombre cada día. ¿Cómo debe de sentirse uno, sentado en algún cine, cuando de pronto aparece en la pantalla la fotografía de su hijo, al que quizá creía muerto desde hace tiempo? Stave se estremece y al mismo tiempo se sorprende cayendo en el absurdo deseo de ver aparecer la fotografía de Karl.

La película que proyectan después es *Gran Libertad Núm. 7.* Con Hans Albers e Ilse Werner. De las de antes. Stave se queda dormido.

Ya es tarde cuando se encienden las luces de la sala, titilantes. La mayoría tiene prisa por salir del cine. Stave mira su reloj: son casi las once. A medianoche empieza el toque de queda. Hasta las 4.30 de la madrugada nadie podrá salir de casa. *Curfew,* el término inglés, es muy corriente entre los alemanes.

Se palpa los bolsillos de la chaqueta como de costumbre en busca de sus papeles: lleva encima la identificación de policía, que le permite estar en la calle después de la hora de encierro. Como siempre. O sea que no tiene que darse prisa. Se pone el abrigo con parsimonia, se envuelve en la bufanda, se levanta el cuello, se cala el sombrero sobre la frente, se pone los estrechos guantes de piel. Tiene por delante una buena caminata hasta bastante más allá de la otra orilla del Alster. Pero le sobra el tiempo.

Se pregunta si el teniente estará pasando una agradable noche de sábado. ¿Con Erna Berg? Le cae bien MacDonald. En Hamburgo hay tipos jóvenes, algunos de ellos recién salidos de campos de prisioneros de guerra, que asaltan a los soldados británicos en callejones oscuros por motivos de «orgullo nacional», según dicen ellos. A más, sin embargo, no se atreven.

Stave no les guarda ningún odio a los invasores, aunque evidentemente fue una bomba inglesa la que le arrebató a Margarethe. De un modo difuso, se siente avergonzado por la época nazi y, por eso mismo, aliviado de un modo perverso ante la devastación de la ciudad y de su vida. La pérdida como justo castigo. Ahora habrá un nuevo comienzo. Tal vez.

Mientras acelera el paso para entrar en calor, sus pensamientos dejan a MacDonald para detenerse en Maschke. De él sabe tan poco como del teniente británico, y está claro que le cae bastante peor. Pero ¿por qué? A Stave no le gusta la forma de hablar del agente de Orden Público, su cinismo, sus burlas, la acritud, el desprecio por los demás. Seguramente se vuelve uno así cuando trata a diario con muchachas que están a la venta, con sus sultanes y con clientes pillados in fraganti. Sobre todo si, además, sigue uno viviendo con su madre.

Aunque quién sabe adónde me trasladarán a mí si este caso sigue así, se le ocurre a Stave, y sus arrogantes mofas del compañero de Orden Público se apagan como una bombilla en un corte eléctrico. Dos muertos, ni una sola pista. Todo el mundo espera que obtenga resultados: Ehrlich, Breuer, incluso el alcalde. Maldita sea, también él mismo espera obtener resultados. Que ya no soy un principiante, se dice.

Aun así, algo lo reconcome por dentro: ¿y si esto no es más que el principio? ¿Y si se convierte en una serie de asesinatos? ¿Y si encuentran cada vez más y más cadáveres sin nombre, desnudos, estrangulados entre los escombros? ¿Qué hará entonces? ¿Dejarle al asesino plena libertad, incapaz de hacer nada, hasta el día en que por fin cometa un error que les permita atraparlo? ¿Y si no comete ninguno? ¿Qué haré entonces?, se pregunta Stave.

Sus pensamientos se vuelven hacia Anna von Veckinhausen. ¿Qué le oculta, si es que le oculta algo? ¿Tiene alguna relación con los asesinatos? ¿Ha visto algo? Tendré que hablar cuatro cosas con ella, decide Stave, y pronto. Y no tiene nada que ver con que sea guapa y misteriosa, ni con que sea sábado por la noche y él vuelva solo a casa del cine.

Solo.

Mira a su alrededor con sorpresa. En la calle no hay nadie. Claro, falta poco para la medianoche. Siente un escalofrío: por lo menos veinte grados bajo cero, ráfagas que le abofetean la cara como si le golpearan con un rallador. Media luna amarillenta en el cielo estrellado. No hay farolas. Calles que son lúgubres desfiladeros. Las montañas de escombros en la oscuridad total. La luz de la luna que se cuela en las casas abandonadas por los huecos vacíos de las ventanas. Sombras extrañas. Travesías cerradas con tapias provisionales porque es demasiado peligroso recorrerlas: en cualquier momento podría derrumbarse un edificio alcanzado por las bombas. No hay olores. No hay sonidos. Ni el ruido del motor de un coche a lo lejos, ni voces de personas, ni la cháchara de una radio, ni un pájaro trasnochador que pía. Nada, punto.

Stave se detiene y escucha: un tenue crujido en algún lugar entre las ruinas. Un suspiro. Una piedra que cae rodando y golpeteando. El chasquido rítmico y palpitante de una puerta que el viento bate en el vacío, abierta, cerrada, abierta, cerrada. Los raudos pasos de las ratas que corren por las vigas, agudos gimoteos.

Me voy a volver paranoico, piensa. Entonces acelera el paso, por el centro de la calle esta vez. Lejos de las ruinas, de la oscuridad. Busca a tientas su FN 22: el metal frío y grasiento de la pistola le resulta de pronto tranquilizador.

Cuando por fin llega a su casa, se desploma sobre la cama. Está demasiado agotado para desvestirse, demasiado agotado para tener hambre siquiera. Demasiado agotado para volver a pensar en Margarethe y en su hijo.

El mercado negro

Lunes, 27 de enero de 1947

Veintiséis grados bajo cero. Cuando Stave sale por la puerta del edificio a primera hora de la mañana, el viento lo alcanza como si fuera un puñetazo. Se sube la bufanda de lana para cubrirse el rostro y con la mano izquierda bien enguantada se frota la nariz para que no se le congele. El aire es tan seco que cada vez que inspira, le duele.

Antes de entrar de servicio, Stave se apresura al centro de distribución de raciones. Un nombre humillante. Tiene que recoger sus cupones del mes y luego correr a las tiendas a ver qué puede conseguir. Jabón, por ejemplo, no estaría mal. A cada adulto le asignan únicamente 250 gramos, para cuatro semanas. Como además hace demasiado frío y el combustible resulta demasiado caro para gastarlo en bañarse o ducharse, muchos ciudadanos de Hamburgo huelen igual que soldados recién llegados del campo de batalla: a sudor, mugre, ropa sucia, sarna. Stave no soporta la falta de higiene. Se lava con jabón, se ducha incluso siempre que puede..., aunque tirite de frío. Jabón, pues. Tampoco le haría ascos a un poco de café, pero seguro que de eso no habrá.

Se pone en la cola del centro de distribución. Figuras cansadas, nadie habla. Avanzan deprisa. Desde 1939, la mayoría de los alimentos y prendas de vestir solo se consiguen mediante cartilla de racionamiento. Los británicos le cambiaron el nombre al Ministerio de Alimentación del Reich y mantuvieron a los funcionarios que trabajaban allí; y, como todos los funcionarios, también estos llevan la burocracia al extremo. Ahora circulan ya 67 cartillas diferentes: 21 para consumidores de clases diferentes, 22 cartillas de suplementos, 14 autorizaciones especiales, dos tarjetas para una comida, dos cupones para leche, dos certificados de adquisición de patatas, tres cartillas de un día y una para huevos. Además de las de asignación especial. Cuando alguien tiene que ir al zapatero para hacerse un tacón nuevo, necesita una cartilla para suelas de zapatos.

Si me pudiera comer las cartillas, por lo menos estaría lleno, piensa Stave cuando, poco después, tiene en la mano su cartulina troquelada de color gris. Él es un consumidor normal sin suplementos. Con su cartilla, a la semana solo puede comprar 1,7 kilos de pan moreno adulterado con serrín, siete octavos de litro de leche (un brebaje de un blanco azulado), 2,5 kilos de nabos (porque ya no quedan patatas), 150 gramos de lonchas entre amarillentas y blancuzcas que quieren ser queso, 150 gramos de una masa flácida que se hace llamar carne, 100 gramos de sebo, 200 gramos de azúcar, 100 gramos de pegajoso sucedáneo de mermelada, 125 gramos de copos de soja. Fin de la ración.

En realidad, es un milagro que a nadie más se le haya ocurrido estrangular al primer conciudadano que encuentre y robarle hasta la ropa interior.

Una segunda cola: Stave espera frente a una casa medio destruida por las bombas en cuya planta baja hay un almacén que alguien ha rotulado con tiza como «Lechería» en el muro agrietado. Cuando por fin le llega el turno, la tendera, que aun en los tiempos que corren sigue estando sorprendentemente gorda, le pasa las miserables lonchas de queso envueltas en un trozo de periódico mugriento.

–La leche se nos ha acabado –informa con malos modos.

–¿Cuándo volverán a traer? –pregunta Stave, cansado.

–Tal vez mañana. O pasado.

Se marcha de la tienda sin despedirse. Ya me puedo meter la cartilla donde me quepa, piensa. Por lo menos no tengo ningún niño en casa. Entonces se espanta de lo que acaba de pensar y aprieta el paso para alejarse de allí, como si alguien pudiera haberlo oído.

Una vez que se ha ocupado de sus recados y ha guardado la escasa compra en el apartamento, Stave se va al despacho. No tiene prisa: el último lunes del mes todo el mundo está ocupado con sus cartillas y sus raciones. En la Central saluda a Erna Berg, que es la única que ha llegado antes que él en toda la planta. Stave se pregunta si ella habrá podido conseguir leche para su hijo, pero no se atreve a decirle nada.

El inspector Müller ha dejado un mensaje. «Motivo del medallón, desconocido. Sigo investigando.»

¿De verdad lo hará?, se pregunta Stave. ¿O dejará que la fotografía del medallón se pudra en el archivo?

El informe de la autopsia también lo espera ya sobre el escritorio. Casi nada de lo que detalla el doctor Czrisini es nuevo. No obstante, ha encontrado más marcas de presión finas y rojizas, como las del cuello, alrededor de la muñeca izquierda del cadáver. El hombre, además, estaba circuncidado.

Poco después, también Maschke y MacDonald llegan a su despacho. Sobre el abrigo de Maschke se evaporan finas capas de escarcha y nieve, y tiene la cara enrojecida.

–Ayer volví un momento al lugar del hallazgo –informa–. Unos agentes empezaron a registrar los escombros con las primeras luces, pero no encontraron nada que no hubiéramos visto ya por la noche.

Stave señala el informe de la autopsia y comenta con ambos lo de la circuncisión y las marcas de presión de la muñeca.

–¿Un judío? –pregunta MacDonald.

–¿Y el medallón en el cuello con una cruz grabada? –Stave sacude la cabeza–. Eso no encaja.

–Tampoco yo lo creo –coincide con él Maschke–. Cada vez que en Orden Público organizamos una redada en un burdel, siempre pillamos a unos cuantos clientes aún en la cama. No creerían la cantidad de hombres a los que he visto como Dios los trajo al mundo, y cuántos estaban circuncidados. Entre ellos, buenos cristianos, y seguramente también algún que otro miembro del Partido.

–Yo imagino –sigue diciendo Stave– que el viejo iba caminando por Collaustrasse, despacio, ya que estaba impedido. La calle se estrecha a causa de las montañas de escombros, porque los cascotes cubren casi toda la acera. No hay iluminación. El asesino lo espera escondido en el punto en que el sendero que cruza las ruinas desemboca en Collaustrasse. Abate allí a su víctima, le echa al hombre inconsciente el alambre alrededor de la mano y lo arrastra hacia las ruinas para apartarlo de la calle.

–Es lo que hacen algunas arañas –comenta MacDonald.

Maschke le lanza una mirada molesta; Stave no se desvía del tema.

–Emboscada, ataque, traslado..., todo ello no le lleva más que unos segundos. Entre los escombros, donde puede estar bastante seguro de que nadie lo molestará, el asesino tiene más tiempo para sus verdaderas intenciones: estrangula al viejo con el alambre y luego despoja el cadáver hasta dejarlo en cueros. El bastón, la correa de cuero y el medallón se le pasan por alto.

–No hemos encontrado marcas de arrastre en el sendero –objeta Maschke.

–Los guijarros están tan congelados que parecen hechos de hormigón. La capa de nieve es fina como papel de periódico. El cadáver podía llevar allí tirado dos, tres días sin que nadie lo viera. Decenas de personas podrían haber pasado en ese tiempo por el sendero, así que las pocas marcas de la nieve habrían quedado borradas –repone Stave.

–¿Y ninguno de ellos vio a la víctima? –pregunta MacDonald.

–Estaba en un cráter, algo apartado. Desde el camino no se veía nada.

–Si de verdad el viejo iba por Collaustrasse y estaba tan impedido, entonces es que no vivía muy lejos de esa calle. Los chicos del laboratorio han estado ocupados y durante la noche han impreso decenas de copias de las fotografías. Esta mañana hemos interrogado a los vecinos. Ha sido bastante fácil, la mayoría estaba haciendo cola en el centro de distribución de raciones del barrio. Seguramente no hemos preguntado a todo el que vive allí, pero sí a buena parte de ellos y, por desgracia, nadie había visto nunca al viejo. Aunque a más de uno la foto del cadáver le ha quitado el apetito antes de desayunar. –Maschke suelta un suspiro.

–Pero si la víctima no vivía en la zona, ¿cómo es que fue a parar allí? –pregunta Stave.

–Alguien lo depositó en los escombros –presume Maschke–. A saber por qué tendrá esas marcas en la muñeca. Quizá el asesino lo ató primero y lo mató después. Quizá sí que lo arrastró de la muñeca hasta allí, pero ya post mórtem. Porque en algún momento y en algún lugar lo habría estrangulado, desnudado ya, luego lo llevaría furtivamente hasta esa montaña de escombros y... Fin.

–No nos olvidemos del bastón –advierte MacDonald–. Si es que pertenecía a la víctima, en cuyo caso sí sería un indicio de que el viejo llegó cojeando por su propio pie con el bastón hasta el lugar en que lo encontramos. Porque, lo atacaran en Collaustrasse o lo asesinaran en algún otro lugar, ¿para qué iba a llevar el asesino el bastón y dejarlo junto al cadáver, si le robó casi todo lo demás? En mi opinión, lo atacó en el sendero de los escombros, lo estranguló, lo desvalijó, y no vio el bastón. Porque, si no, también se lo habría llevado. Es un indicio de que el ataque tuvo lugar en la oscuridad. Lo cual tampoco es una sorpresa.

Stave observa al teniente durante unos segundos.

–Si alguna vez le interesa prosperar profesionalmente, debería entrar en Investigación Criminal –dice entonces.

–¿Y cómo se explican las marcas de presión en la muñeca? –pregunta Maschke–. Si el asesino acabó con el viejo en ese preciso lugar, entonces no había necesidad de atarlo ni de llevarlo a rastras desde ningún sitio.

MacDonald levanta las manos con una sonrisa.

–No tengo la menor idea.

Para él no es más que una especie de desafío intelectual, piensa Stave, pero no consigue enfurecerse con el joven oficial. Sigue siendo un buen motivo para resolver pronto el caso.

–No avanzamos –advierte–. Hay algo que no encaja. Imprimiremos mil carteles. Recorreremos uno a uno los centros de distribución de raciones, sobre todo en las inmediaciones del lugar del hallazgo. Hoy tenemos que ser especialmente rápidos, averiguar si alguien no ha recogido sus cupones. Visitar uno a uno a los médicos. Tal vez el viejo recibía algún tratamiento a causa de su enfermedad. Mientras tanto, yo redactaré un informe provisional para el expediente y luego nos ocuparemos del mercado negro.

Poco después está solo, tecleando con dos dedos en la máquina de escribir, a ratos más rápido, a ratos más despacio. Suena como una ametralladora encasquillada. Al terminar, le echa un vistazo a lo que ha escrito. «La oscuridad imprime un carácter muy particular a esos solares de escombros.» Stave se sorprende de lo que acaba de redactar. Frases así no suelen colarse en sus informes para los expedientes. Me estoy volviendo un sentimental, piensa, y se pregunta qué tendrían que decir al respecto Cuddel Breuer o el fiscal Ehrlich. ¿Sería mejor cambiar la formulación, volver a escribirlo desde el principio? Qué tontería, ya pueden tomarlo por un romántico enmascarado si quieren. Suspira y guarda el expediente en el archivador.

Poco después, el despacho se queda pequeño. El primero en llegar es MacDonald. Maschke aparece luego y comunica que ha conseguido hablar con un par de rezagados en el centro de distribución de raciones: tampoco ellos habían visto nunca al viejo muerto.

Golpes en la puerta, saludos murmurados, el aire se vicia cada vez más: llegan un compañero del servicio de guardia de Investigación Criminal, otro de la Sección de Búsqueda de Personas Desaparecidas y Objetos Perdidos, del Departamento de

Juventud, de la Sección Femenina de Investigación Criminal, y por supuesto también de la Jefatura S, creada ex profeso para la lucha contra el estraperlo.

Stave informa brevemente sobre los asesinatos, pero enseguida se da cuenta de que el caso ya se ha divulgado por toda la Central. Está bien que los compañeros compartan sus preocupaciones.

–Puede que en la redada demos con algo que perteneciera a una de las víctimas –dice para terminar–. Eso sería una pista.

El de la Sección de Búsqueda, un joven de tez pálida con ojeras de cansancio bajo los ojos, lo mira con escepticismo.

–No sabemos absolutamente nada de la identidad de los cadáveres. No sabemos qué les han robado. Es evidente que en la redada confiscaremos una gran cantidad de objetos, pero ¿cómo vamos a saber si alguno de ellos pertenecía a uno de los desconocidos?

Stave levanta las manos.

–En el mercado negro se vende de todo. Puede que alguien quiera deshacerse de una dentadura postiza. O de un suspensorio. En tal caso, me gustaría tener unas palabras con esa persona. Tal vez pesquemos a unos cuantos traficantes con cigarrillos americanos o aguardiente casero. Puede que no hayan tenido nada que ver con los asesinatos, pero en cuanto los tengamos sentados en la sala de interrogatorios tal vez recuerden algo. Quizá hayan oído a alguien decir que tenía ropa de muchacha para vender a buen precio, y luego también ropa de anciano. O un medallón con una cruz y dos dagas a los lados. No hay que hacerse ilusiones, lo reconozco, pero de alguna forma tenemos que seguir esas pistas.

–Lo mismo da. El mercado negro es el mercado negro y una redada nunca está de más. –El funcionario de la Jefatura S, al que la piel le baila tanto como un traje varias tallas más grande, se frota las manos–. Desde Navidad no hemos organizado ninguna importante. Ya va siendo hora de ver sudar otra vez a los señores del estraperlo. Además, mis chicos no pueden perder la práctica. Propongo que caigamos sobre Hansaplatz. Allí reuniremos a más clientes y mercancía que en ningún otro lugar.

Nadie le lleva la contraria.

Stave asiente. Si hay un sitio que parece hecho adrede para el mercado negro, es Hansaplatz: antaño una apacible explanada del barrio de St. Georg, rodeada de edificios altos, viejos apartamentos de alquiler pequeñoburgueses. Los edificios sobrevivieron casi intactos a la tormenta de bombas como de milagro; la estación central queda a tan solo unos cientos de metros. Correos y contrabandistas hacen llegar allí mercancía ilegal desde todas las zonas de la ocupación, incluso desde el extranjero. Primero a la estación, después los traficantes esconden la penicilina, los cigarrillos, el aguardiente y el café en los hoteles baratos de las inmediaciones de Hansaplatz o en algún apartamento. Los chicos de la Jefatura S han descubierto incluso grandes alijos en pensiones de mala muerte. Desde esos escondites seguros, la mercancía va goteando finalmente hacia la plaza, a la que cada día acuden cientos de ciudadanos de Hamburgo que necesitan cualquier cosa que no pueda conseguirse con la cartilla.

Ningún vecino de St. Georg denunciaría jamás a los estraperlistas ni a sus clientes, porque también para ellos hay algunas migajas: medio kilo de mantequilla como alquiler para el que ofrece una habitación de su casa y no pregunta qué es lo que hay en el interior de las cajas; una cajetilla de Lucky Strike para un par de muchachos que montan guardia; rebajas especiales en licores de destilación casera.

–¿Cuándo? –pregunta Stave.

–Hoy mismo –es la respuesta del hombre de la Jefatura S–. Para que nadie se huela nada. Denme algo de tiempo para convocar a mi gente y a un centenar de agentes uniformados más. Un par de camiones británicos para reunir a los hombres sin llamar la atención y no trasladarlos a St. Georg hasta el último momento. Pongamos las cinco de la tarde. A esa hora la gente sale de las oficinas y las tiendas, aquello está más que abarrotado y los estraperlistas buscan refuerzos. Además, ya estará oscureciendo. Cuando nos vean llegar, será demasiado tarde.

–Bien –dice el inspector jefe–. Yo iré a la plaza a las cuatro y media y me daré una vuelta por allí. A mí no me reconocerá nadie. Puede que alguien me llame incluso la atención. A las cinco, hacemos saltar la trampa y enviamos a toda esa gentuza a comisaría. Quiero interrogar esta misma noche a todos los que atrapemos. Y quiero una relación exacta de toda la mercancía requisada.

Los agentes salen de su despacho. Rostros satisfechos, instrucciones entre susurros. La fiebre del cazador.

Se tarda menos de media hora a pie desde la Central de Investigación Criminal hasta Hansaplatz. Stave echa a andar por el Lombardsbrücke con el cuello del abrigo subido y la cabeza gacha. El lago Alster Exterior, a su izquierda, es una gigantesca superficie de hielo blanco azulado sobre el que el débil sol de la tarde traza dibujos con su luz rosada. Dos niños con patines hacen piruetas, varias parejas pasean por el hielo con paso inseguro. Stave tuerce el gesto. La lisura del suelo es un buen pretexto para fingir que se da un resbalón y agarrarse al acompañante. Muy romántico, incluso a veinte bajo cero.

El camino más corto consistiría en ir hasta la estación y luego torcer a la izquierda en dirección a Hansaplatz, pero Stave decide no ir por ahí. La verdad es que en el mercado negro de St. Georg no lo conoce nadie, pero por la estación central sí que va muy a menudo buscando a su hijo. Así que prefiere cruzar St. Georg por calles secundarias hasta llegar a Brennerstrasse, que lo conduce a la plaza desde el lado contrario al de la estación. Pasa por delante del hotel Würzburger Hof; allí, los agentes de la Jefatura S requisaron el otoño pasado varios barriles de alcohol etílico robados del Instituto Estatal de Zoología, donde lo usaban para las disecciones. Los ladrones habían birlado incluso tarros llenos de tenias, serpientes y lagartos. La banda vendía el alcohol de disección en el mercado negro como si fuera «cúmel doble» de destilación casera. Y a buen precio, quinientos marcos del Reich la botella. Cuando los agentes por fin recibieron el soplo y destaparon el asunto, la mitad del botín había desaparecido ya por los gaznates de inocentes bebedores: diez mil litros de felicidad a cuenta de las tenias.

Al final de Brennerstrasse hay dos adolescentes haraganeando: montan guardia. A Stave solo le dedican una mirada aburrida. No es el único que se acerca a Hansaplatz. Hombres con abrigos largos y gorras de visera. Ancianas con bolsas de la compra de rafia. Un veterano de guerra con una sola pierna que rebusca en el suelo y recoge colillas tiradas; cada vez que se agacha, amenaza con caerse hacia delante. Trabajadores de los astilleros. Hombres con raídas carteras llenas hasta los topes. Dos chinos a la entrada de la fonda Lenz.

Stave se funde con el ir y venir de la gente. Poco a poco va descubriendo patrones como las olas de un mar, como corrientes desviadas por una piedra: palabras susurradas, abrigos que se abren de pronto, maletas que alguien cierra, cigarrillos y billetes de marcos del Reich que pasan de mano en mano, grupos que se dispersan rápidamente.

En las sombras de un portal hay una muchacha con un pañuelo en la cabeza que ofrece un par de zapatos gastados de caballero. «Cuatrocientos marcos», murmura, un movimiento raudo y le pasa los zapatos a un hombre mayor con una cartera, que a su vez le da algo a ella. Los dos se apresuran entonces a alejarse de allí en direcciones contrarias. Un viejo que ofrece vales para pan. A su alrededor, tres amas de casa visiblemente indignadas por el precio. El viejo mira nervioso en varias direcciones. Un antiguo soldado –botas demasiado grandes, el abrigo de la Wehrmacht teñido y zurcido a base de imperdibles– deja asomar una lata de su bolsillo. Mantequilla. «Dos noventa», murmura. Medio kilo por doscientos noventa marcos del Reich. Los contrabandistas deben de haber conseguido pasar por los controles un cargamento grande, supone Stave, porque si no no sería tan barata. O está adulterada. En una puerta cochera hay cuatro hombres cuchicheando, entre ellos huele de pronto a café, unos billetes cambian rápidamente de manos, muchos billetes. Una mujer ya mayor, apesadumbrada, desaparece en el interior de la fonda con uno de los chinos. «¡Pedernales!», exclama sin reparos un chico de no más de catorce años. «¡Piedras para prender cualquier fuego! Dieciocho marcos.» Otro adolescente esconde Lucky Strike a siete marcos del Reich el cigarrillo. Poco a poco, Stave empieza a captar los precios susurrados: «Cubiertos de la Wehrmacht, sin oxidar, cuatro piezas, ideales para refugiados: veintitrés marcos. Un carrete de hilo: dieciocho marcos. Medio kilo de azúcar: ochenta marcos. Una cartilla de racionamiento completa: mil marcos.»

Al de la cartilla hay que darle un buen repaso, se dice Stave.

La mayoría de los obreros y empleados reciben apenas cincuenta marcos del Reich como paga semanal. Cuando hay que partirse la espalda durante seis semanas para poder comprar medio kilo de mantequilla, es que uno es pobre de verdad..., y entonces está uno dispuesto hasta a meterse en el estraperlo y sus negocios sucios. O por lo menos muy arriesgados.

Relojes, monedas de oro, billetes de dólares en latas de betún. Dos metros de canalón para la lluvia de zinc. Tres truchas frescas. Una radio. Falsos certificados «Persil» para demostrar que se está limpio en los procedimientos de desnazificación. Pases en blanco. Una pequeña alfombra persa. Penicilina de las reservas aliadas. Una maleta de piel. Una blusa de señora.

Ni dentaduras, ni suspensorios, ni medallones.

Maldita sea, piensa Stave. El agente de la Sección de Búsqueda tenía razón: ¿cómo saber si alguno de los artículos a la venta pertenecía a las víctimas? ¿Sería esa blusa de la mujer? ¿Habría sacado el viejo un canalón de los escombros y por eso lo mataron?

–¡Policía!

El grito resuena por toda la plaza con el mismo pánico que el alarido de un hombre de las cavernas.

Chacós, abrigos verdes, porras en las calles adyacentes. Mujeres que chillan. Muchachos que sueltan obscenidades. Empujones, golpes y centenares de ruidos: latas, los cubiertos de la Wehrmacht, una montura de gafas, anillos de mujer, llaves inglesas tiradas sobre los adoquines a todo correr. También cigarrillos, certificados «Persil» y muchos, muchos billetes del Reich.

Los vendedores con experiencia en el estraperlo se dan cuenta de que han caído en una trampa en menos de un segundo y se deshacen de sus delatores artículos ilegales. De todas formas es mercancía perdida, pero, si no les encuentran nada encima, la multa no será tan abultada.

Sus clientes, sin embargo, y también los principiantes, se aferran a sus botines y echan a correr a ciegas hacia el portal, el callejón o el bar más cercano. No obstante, por todas partes aparecen ya municipales, algunos con mirada furiosa, otros con sonrisas perversas; algunos levantan las pesadas porras como amenaza aunque no les hace falta asestar ningún golpe. Indicaciones bruscas. Los agentes avanzan, hacen que la gente se apiñe cada vez más.

Stave reniega, se mueve entre la muchedumbre, da patadas y codazos, lucha por abrirse paso. Busca al de la cartilla de racionamiento. El hombre se deja arrastrar, su mercancía probablemente esté ya pisoteada en el pavimento. Deja que lo empujen de aquí para allá con toda tranquilidad. Es joven, de tez pálida, pelo oscuro casi rapado, con una fea cicatriz en la mejilla izquierda, como si lo hubiese alcanzado un rayo.

Ha sido soldado, piensa Stave. Tengo que ir con cuidado.

El inspector jefe aparta a una mujer mayor a un lado, por fin consigue llegar junto al estraperlista moreno. Saca su identificación del bolsillo del abrigo y se la pone delante de las narices.

–¡Investigación Criminal! –grita.

Quiere seguir vociferando las frases habituales de toda detención, pero entonces encaja un puñetazo en toda la cara. Un dolor negro y el sabor salado de la sangre. Malditos sean sus modales, piensa Stave cuando los zumbidos que siente en la cabeza empiezan a remitir.

El joven da media vuelta para alejarse corriendo, pero una barrera de cuerpos le cierra el paso por todas partes. Tira al suelo a la anciana a quien Stave había apartado, pero se le queda enganchado un pie en la bolsa de redecilla de la señora. Se tambalea un momento, da un salto, tira violentamente de la red mientras maldice.

Stave ya está sobre él, le tuerce el brazo a la espalda, lo empuja con tal fuerza contra el pavimento helado que el chico suelta un grito. Stave oye el crujido de dos costillas al romperse y, todavía con sabor a sangre en la boca, salta con las rodillas por delante sobre el torso del delincuente derribado. De nuevo un crujido, pero el joven moreno ya no grita, solo puede emitir unos borboteos.

–¡Buena llave! –exclama alguien.

Stave vuelve la cabeza y reconoce al de la Sección de Búsqueda, que de alguna forma se ha abierto paso hasta él.

–Judo –dice, jadeando. Se levanta y se alisa el abrigo. Eugen Hölzel, un hombre de altura media con lentes de concha amarillos, se había presentado hacía un año en la Brigada de Investigación Criminal de Hamburgo. Había sido varias veces campeón de Alemania de judo, según explicó. Los británicos le habían prohibido practicar su deporte, excepto para formar a la Policía. Stave, con bastante ingenuidad, había creído que quizá ese entrenamiento le ayudaría a disimular su cojera. Por fin la tortura de Hölzel me ha servido de algo, piensa ahora con satisfacción al ver cómo dos municipales se llevan al joven, que todavía tiene que andar encorvado.

–Ese es el primero al que quiero interrogar –les grita a los agentes.

Hombres, mujeres, unos cuantos niños, todos dispuestos a lo largo de la pared de un edificio de apartamentos alto, sucio. Una fina capa de nieve pisoteada cubre Hansaplatz, repleta de latas, cajas, extraños objetos vistos desde lejos, papeles que revolotean en el viento helado. Un par de municipales corren persiguiendo billetes.

Quién sabe si después los entregarán todos, se dice Stave, cansado. El labio abierto ya ha dejado de sangrar, pero se le ha hinchado. A ver si durante el interrogatorio no balbuceo como un borracho. Al joven moreno le esperan por lo menos seis meses entre rejas. Aunque también podrían hacerle cargar con las dos muertes. Entonces lo que le espera es el patíbulo.

Los municipales empujan a los detenidos de dos en dos hacia las plataformas de los camiones que, entretanto, han llegado por Brennerstrasse. Una, dos mujeres lloran, algunos hombres insultan a los agentes, pero la mayoría no dicen nada. Están abatidos. Rendidos a su destino.

Stave no puede evitar recordar de pronto a aquellos otros detenidos que la Policía se llevaba en camiones a plena luz del día, en mitad de la ciudad, hace pocos años. ¿Es que esto no tiene fin? ¿Quién dice que esta vez lo hacemos con más justificación que aquella? Se obliga a pensar en las dos víctimas estranguladas, cuyo asesino quizá se encuentre entre esas personas que acaba de ver desfilar de dos en dos.

–Volvamos a la Central –le dice al compañero de la Sección de Búsqueda–. Va a ser una noche larga. Ojalá alguien recogiera medio kilo del café que ha quedado por ahí tirado para prepararnos una buena taza a todos. –Pero, evidentemente, nadie se adjudicará la mercancía requisada, porque todos ellos son rectos agentes alemanes. Faltaría más. Además, todavía hay por ahí algunos soldados de la ocupación británica.

En la Central, Stave, Maschke y algunos agentes más de Investigación Criminal ocupan las salas de interrogatorios. Los municipales tienen que llevarles a los detenidos tal como los vayan sacando de las abarrotadas celdas de registro.

–Pero tráiganme primero al moreno –insiste Stave.

Cinco minutos después, el inspector jefe se siente como un jugador de *skat* que ha apostado por su mano más de lo que debía. Muchísimo más.

El sospechoso, frente a él en la silla, pálido y encorvado, tiene una coartada perfecta. Había conseguido «agenciarse» cartillas de racionamiento en otras ciudades de la zona británica para venderlas en Hamburgo, donde se pagan mejores precios, pero la Policía lo sorprendió y lo detuvo. Los agentes solo encontraron parte de su mercancía, por lo que únicamente le cayeron catorce días de arresto. Una llamada a los compañeros de la comisaría de Lüneburg y Stave corrobora que el joven, el 20 de enero, supuesto día de los hechos, ocupaba una aseada celda a sesenta kilómetros de los escombros de Hamburgo. Ordena que se lo lleven detenido y redacta un informe para el juez británico que mañana se hará cargo de los casos.

–¡El siguiente! –le grita, resignado, al municipal que espera fuera.

Un estudiante pálido: el padre, caído en Stalingrado; la madre, fallecida en un bombardeo; lo han pillado con ochenta cigarrillos y 17,40 marcos del Reich. El siguiente. Un traficante con antecedentes por proxenetismo: tres mil marcos en los bolsillos pero ni un solo artículo ilegal de contrabando. El siguiente. Un ama de casa con un cuarto de kilo de mantequilla. El siguiente. Un chico sin mercancía, sin cigarrillos, sin dinero. Stave lo envía directo a casa. El siguiente. Un viejo que pretendía malvender dos relojes.

Son las dos de la madrugada y Stave se siente como si le hubiera pasado por encima un tanque Sherman. Erna Berg le lleva una taza de té y él ve las estrellas cuando el líquido caliente le humedece el labio abierto.

Con la entrada de cada nuevo detenido, le lloran los ojos al revisar el álbum de sospechosos de Investigación Criminal en el que está registrado todo el que tiene antecedentes: descripción física, huellas dactilares, características exteriores inmutables y distintivas, última dirección conocida, fotografía de frente y de perfil.

Tiene hambre. Tiene frío. Siente la imperiosa necesidad de partirle el cráneo al siguiente que entre en la sala.

Es Anna von Veckinhausen.

Con una mirada de los ojos oscuros de la mujer le basta para intuir que está tan furiosa como él. Pues aún puede ponerse peor, piensa el inspector jefe.

Se muestra cortés, le ofrece asiento, procura no dar muestra alguna de que ya la ha interrogado antes. ¿Esperará ella que la reconozca entre las decenas de detenidos? En todo caso, tampoco la mujer deja entrever que se han encontrado ya en otra ocasión. Un gran dominio de sí misma, se dice Stave, indicio de cierta sangre fría.

Desliza la mano sobre el álbum de sospechosos. No encuentra ninguna entrada. Después consulta la hoja de datos personales que le ha entregado un municipal, como ha hecho con todos los detenidos: nacida el 1 de marzo de 1915 en Königsberg. Ninguna otra indicación acerca de su familia o sus circunstancias, ni cuándo ni cómo ha llegado a Hamburgo. Por lo menos ahora ya sabe dónde situar su acento.

–¿Qué mercancía la traía a usted al mercado negro? –pregunta al fin.

–No estaba en el mercado negro –responde ella con rabia en la voz–. Iba de camino a la estación central y estaba cruzando Hansaplatz cuando se ha producido su...

–Redada –propone Stave en tono afable.

–Operación –termina diciendo ella–. Ya le he dicho al agente que me ha detenido que se trata de una equivocación, pero no ha querido hacerme caso. Métodos como los de la Gestapo.

El inspector jefe no se deja provocar, sobre todo porque Anna von Veckinhausen no está tan equivocada. Vuelve a revisar sus documentos.

–Le hemos requisado quinientos treinta y siete marcos del Reich –dice con calma–. ¿Podría explicarme qué iba a buscar al mercado negro con semejante fortuna encima?

–Yo no tengo que explicarle nada. Ese dinero es mío.

–Me pregunto si no habría vendido algo justo antes de la redada. ¿Quizá algún objeto que hace un par de días pertenecía a un anciano de setenta años?

Parece que Anna von Veckinhausen esté a punto de saltar de la silla. Entonces cierra un momento los ojos y respira hondo.

–Pensaba que ya no se acordaba usted de mí –murmura.

–Si así fuera, no me dedicaría a esta profesión. –Stave se permite una leve sonrisa.

–No he vendido nada en el mercado negro –insiste Anna von Veckinhausen–. ¿No han detenido a todas las personas que había en la plaza? Pregúnteles a todos ellos por mí. Iba de camino a la estación.

–¿Con quinientos treinta y siete marcos?

–Con quinientos treinta y siete marcos.

–¿Y no quiere decirme de dónde ha sacado tanto dinero, ni qué tenía pensado hacer con él?

–Ni una cosa ni otra son asunto suyo.

Stave vuelve a consultar sus documentos. Esa historia es difícil de rebatir. Por otro lado, un juez británico podría echarle varios días de prisión en un juicio sumario a causa de las circunstancias de la detención, pero ¿qué ganarían con eso?

–No hemos organizado esta redada para detener a amas de casa que compraban unas cuantas cerillas, sino para confiscar en el mercado negro objetos que pudieron pertenecer al fallecido, el cadáver que encontró usted.

–¿Y lo han conseguido?

Stave no hace caso de su pregunta, a pesar de que no se le escapa que Anna von Veckinhausen no lo ha dicho por burlarse, sino que es auténtico interés lo que alimenta su curiosidad. O preocupación.

–Antes volvamos un momento a aquella tarde en que encontró usted el cuerpo: iba caminando por Lappenbergsallee. Desde allí tuerce por el sendero que cruza las ruinas con la intención de llegar a Collaustrasse. Se encuentra con el cadáver entre los escombros.

–Sí –confirma ella, cansada.

Stave hace una anotación.

–¿Cuánto tiempo estuvo junto al cuerpo? –sigue preguntando.

La mujer lo mira con sorpresa.

–¿Cree usted que me detuve a decir una oración por el difunto?

–¿Simplemente se lo quedó mirando un segundo, comprendió lo que veía y enseguida echó a correr? ¿O se detuvo a observarlo todo con más atención?

Anna von Veckinhausen se lleva la mano derecha al hombro izquierdo, de manera que el brazo le cruza el pecho en diagonal. Un gesto de timidez, piensa Stave, o de necesidad inconsciente de protección.

–No lo sé –confiesa, vacilante–. Tal vez un par de segundos. Miré el cadáver y tardé un rato en comprender lo que estaba viendo. Después me alejé, andando, no corriendo. Ya no era necesario darse prisa.

–De manera que sí observó a la víctima un rato y, aun así, ¿de verdad no se fijó en ningún detalle del lugar del hallazgo? –pregunta Stave sin darle tregua.

–Supongo que podría decirse así.

Stave mira fijamente la mesa. Debe tomar ahora una decisión inteligente, pero están en plena noche, hace frío, tiene hambre y se siente como si le hubieran dado una paliza. Le duele la cabeza. ¿Debe retener a Anna von Veckinhausen? Motivos tendría: los quinientos treinta y siete marcos del Reich. ¿O debe dejarla marchar? ¿Mostrar indulgencia por el momento y esperar, observar?

–Puede irse –dice entonces, y con ello casi se sorprende a sí mismo–. Disculpe las molestias.

Ella lo mira desconcertada unos segundos, luego sonríe con cierta vacilación.

–Gracias –dice, y se levanta. En la puerta se vuelve otra vez hacia él–. ¿Qué le ha pasado en el labio? –pregunta.

–Me he resbalado en una placa de hielo –responde Stave.

Cuando la puerta se ha cerrado, se queda mirando su cuaderno de notas. La noche en que encontraron el cadáver, Anna von Veckinhausen dijo que había tomado el sendero desde Collaustrasse en dirección a Lappenbergsallee. Hace un momento, mientras recapitulaba los hechos, por lo visto Stave ha confundido los nombres de las calles y la interrogada le ha confirmado que iba de Lappenbergsallee hacia Collaustrasse.

Un viejo truco de la Gestapo. Tal vez solo estaba cansada. O tan alterada por la detención que no se ha dado cuenta de lo que le estaban diciendo. Sin embargo, también es posible que la primera vez le hubiera contado una patraña, y que ahora ya no recordara exactamente la versión de su falso testimonio.

Me gustaría saber qué estaba haciendo en realidad entre los escombros, piensa Stave.

–¡El siguiente! –exclama para que lo oiga el municipal de fuera.

Dos horas después, por fin ha terminado todo. El inspector jefe se levanta de la silla con la espalda dolorida y da un par de vueltas por su despacho hasta que por su pierna tullida y fría circula tanta sangre que apenas cojea ya. Entonces convoca a los demás agentes. El hombre de la Jefatura S está tan fresco como si se hubiera pasado las últimas diez horas durmiendo. De hacerle caso, habría que creer que con esta redada Investigación Criminal ha confiscado todo un camión cisterna lleno de aguardiente y por lo menos media tonelada de penicilina. También el agente de la Sección de Búsqueda está satisfecho, ha pescado a un pez gordo del contrabando.

A Maschke y los demás, por el contrario, se los ve cansados y descontentos. El único que parece ilusionado es MacDonald. El teniente no ha participado en la redada ni ha interrogado a los detenidos.

Me pregunto por qué no se ha ido a casa hace rato, piensa Stave.

–Gracias, caballeros –dice en voz alta, y se despide de ellos con un gesto de la cabeza.

No han conseguido ni mercancías confiscadas ni declaraciones que los ayuden con los dos casos de asesinato. Nada, nada,

nada. Pero ¿qué es lo que estamos pasando por alto?, se pregunta el inspector jefe. Espera a que todos se hayan marchado, y después vuelve a su escritorio para seguir repasando sus notas y las actas de los interrogatorios, hoja por hoja, durante casi una hora. Si por lo menos fuese verano, ya estaría amaneciendo, piensa. Le duelen los ojos. Nada..., salvo esa contradicción en la declaración de la testigo Anna von Veckinhausen que podría ser significativa, pero que quizá sea simplemente ridícula.

Stave piensa por un momento echarse una cabezada de una o dos horas en el despacho. Sin embargo, la idea de quedarse profundamente dormido y que los compañeros lo encuentren hecho un ovillo en el suelo al llegar frescos por la mañana lo disuade de hacerlo. Cruza a paso lento la puerta de la Central, pero entonces se sobresalta.

Una sombra.

Stave contiene la respiración y observa uno de los gruesos pilares del pórtico. Junto a él, algo apartado de la entrada, hay un hombre agachado. Al principio solo le ve un hombro, una pierna. No se mueve. El desconocido se incorpora poco a poco; por lo visto no se ha dado cuenta de su presencia. ¿Será un borracho que justamente se ha echado a dormir la mona frente a la sede de la Brigada de Investigación Criminal? El hombre se tambalea al dar un paso desde el pilar, sale hacia la plaza, la amarillenta luz de la luna le cae en la cara.

Stave reconoce a un joven al que han detenido hace pocas horas. Se pregunta quién lo habrá interrogado y lo habrá dejado libre. Después se percata de algo más: no está borracho, sino que le han dado una paliza. Tiene un ojo hinchado, el labio abierto, el andar encorvado del que ha recibido golpes y patadas en el estómago y el bajo vientre. Enseguida le cruza por la mente una horrible sospecha: la Gestapo. A ese hombre lo han apaleado durante el interrogatorio y luego lo han dejado marchar para que ningún otro agente, y menos aún un juez británico, vea las contusiones. Sin embargo, ha quedado tan afectado que casi no ha podido ni salir de la Central. Justo ahora parece haber recuperado la fuerza suficiente para alejarse dando tumbos.

Stave lo sigue sin que lo vea.

El desconocido se arrastra por Holstenwall, tuerce a la derecha en Millerntor, finalmente llega al laberinto de callejuelas que hay al norte de Reeperbahn. Un edificio de pisos de alquiler medio derruido; en los timbres, carteles de cartón con los nombres y las fechas de nacimiento de varias personas acogidas allí tras ser desalojadas por las bombas. El joven se detiene algo encorvado y luego se inclina, recoge un poco de nieve, se limpia la cara con ella. Quiere estar presentable antes de que lo vea su madre, piensa Stave. Lo ve rebuscar algo en el bolsillo derecho de su abrigo, que le queda grande, con las manos entumecidas por el frío y puede que también por los golpes. Cuando al fin consigue sacar la llave y volverse hacia la puerta, Stave se abalanza sobre él.

–Investigación Criminal –susurra. Tampoco hay por qué despertar a los vecinos.

El joven se vuelve con una expresión de horror.

–¿Qué más quieren de mí? –balbucea.

Stave calcula que no tiene ni veinte años. Malnutrido. Es posible que esta noche le hayan pegado una buena paliza por primera vez en su vida. Por otro lado: ¿quién sabe qué habrá hecho en la guerra?

–¿Quién le ha hecho eso? –pregunta Stave, y señala su ojo hinchado. Está demasiado cansado para andarse con rodeos. Además, espera que el miedo del desconocido lo ayude: preguntas claras, respuestas claras.

–Un policía –dice el chico–. En el interrogatorio.

Stave cierra un momento los ojos y se traga un reniego.

–¿Quién?

–El inspector Maschke.

¿Por qué no me sorprende?, piensa Stave, furioso.

–¿Por qué le ha hecho eso?

El joven se lo queda mirando como si le hubiese preguntado una estupidez.

–Seguramente porque lo aprendió en la Gestapo –contesta al fin.

Stave le ofrece un cigarrillo. Un par de preguntas más, después ya podrá reconstruir él solo toda la historia: Karl Trotzauer, diecinueve años, residente en St. Pauli, sin empleo, detenido en el mercado negro con una botella de cúmel y una vieja pintura al óleo con marco dorado en la que se ve una granja rodeada de montañas. Sin embargo, a nadie le dan una paliza por estar en posesión de aguardiente y arte *kitsch*. Por lo visto, Maschke ha preguntado también a todos los detenidos dónde estaban el 20 de enero. Y Trotzauer, sin sospechar nada, ha respondido que ese día fue a visitar a su tía a Eimsbüttel y que más tarde regresó a casa por Lappenbergsallee.

–Entonces ha empezado a darme –sigue explicando, y se señala el ojo hinchado–. Sin previo aviso, sin ningún grito, porque sí. Patadas y puñetazos. Pensaba que me moría.

–¿Y luego?

–Cuando me he recuperado un poco, me ha preguntado cómo me había cargado al viejo.

–¿Al viejo?

–No tenía ni idea de lo que me estaba diciendo. Solo después de unos cuantos golpes más he comprendido que Maschke se refería a un hombre muerto, y en algún momento me he dado cuenta de que lo que quería era sacarme la confesión de que había matado a no sé qué anciano.

–¿Y ha confesado?

Trotzauer le lanza una mirada sombría.

–Me ha hecho un daño de mil demonios, pero no soy idiota. Claro que no he confesado, porque no tengo nada que confesar. Yo no he matado a ningún viejo. Eso es lo que le he dicho a Maschke una y otra vez. Entre puñetazo y puñetazo. En algún momento me ha dejado marchar y me ha prometido que no dejaría que me saliera con la mía.

–Váyase –zanja Stave.

Durante el largo camino de vuelta, el inspector jefe dispone de mucho tiempo para reflexionar. Tiene que enseñarle una vez su identificación de Investigación Criminal a una patrulla británica. Por lo demás, no ve a nadie. Es como si Hamburgo se hubiese quedado vacío: ruinas y calles abiertas, tiendas destripadas y estaciones bombardeadas, abandonadas por los ciudadanos, que se han trasladado para construir una ciudad mejor en algún otro sitio.

¿Maschke estuvo en la Gestapo? Supuestamente hace poco que ha salido de la Escuela de Policía, de manera que no pudo haber servido antes de 1945. Además, Stave no quiere imaginarse a ese compañero suyo alto, desgarbado, fumador compulsivo, que sigue viviendo con su madre, como a un hombre que echa abajo las puertas de las casas a las cinco de la mañana en busca de judíos.

Pero aunque Maschke hubiese pertenecido a la Gestapo, ¿por qué iba a darle una paliza a un estraperlista de poca monta? ¿Exceso de celo en el trabajo? Que alguien estuviera en las inmediaciones del segundo asesinato en el supuesto momento de los hechos no es motivo para molerlo a palos. ¿Por qué quiere convertir Maschke en sospechoso a un chico de diecinueve años al cual prácticamente no hay nada que acuse? ¿Por qué quería sacarle a puñetazos una confesión que, con toda probabilidad, no les hubiera conducido hasta el verdadero asesino?

Lo cierto es que no sé nada de Maschke, piensa Stave cuando por fin se encuentra frente a la puerta de su casa. Ya va siendo hora de indagar un poco en ese sentido, pero con cautela. Mañana, después de unas horas de sueño.

Al día siguiente, por la tarde, Stave tiene por primera vez ocasión de conseguir un par de informaciones y casi lo echa todo a perder.

Están reunidos en su despacho. El inspector jefe mira fijamente las flores de escarcha que relucen en la ventana como estrellas frías mientras MacDonald le informa de varios fracasos. El teniente mueve un poco las hojas amarillentas en las que se han mecanografiado nombres, fechas de nacimiento y descripciones. Cientos de nombres, por lo que puede ver Stave.

–Una copia de la lista de desaparecidos de Hamburgo –explica el británico–. He repasado todos los nombres: no hay nadie que encaje con ninguno de nuestros cadáveres. Es cierto que hay varias mujeres jóvenes y varios ancianos, pero sus descripciones físicas no se corresponden con lo que hemos visto. Por lo demás, tampoco he encontrado ningún patrón en las listas: han desaparecido hombres, mujeres, niños. Se les perdió la pista cuando venían huyendo del este, en bombardeos nocturnos o simplemente en la posguerra. A veces la desaparición la denuncian el cónyuge o los padres; en otras ocasiones, vecinos y amigos, alguna que otra empresa o la administración para la que trabajaba el interfecto. Si a alguno de ellos lo encontráramos con marcas de estrangulamiento en el cuello entre los escombros de algún edificio, no sé cómo podríamos relacionarlo con este listado. –MacDonald dobla los papeles y se los guarda en el bolsillo del uniforme. Después levanta las manos a modo de disculpa.

–Yo estoy igual –dice Maschke, y por su tono parece que le enfurezca no haber podido vencer al británico–. Ningún dentista le había visto las encías al viejo, y ningún otro médico le había revisado los bajos.

Cuando MacDonald lo mira con un interrogante, ríe sarcásticamente.

–Por lo de la hernia inguinal no estuvo en ningún hospital ni fue a ver a ningún doctor de Hamburgo, de eso no hay mucha duda.

–A no ser que fuera a ver a un médico que no haya sobrevivido a la guerra –arguye Stave.

–También he estado en la Oficina de Desescombro –sigue explicando Maschke, imperturbable, al tiempo que saca un cuaderno de notas mugriento–. ¿Sabían que en Hamburgo las bombas han destruido más de 250.000 apartamentos y casas?

3.500 edificios empresariales, 277 escuelas, 24 hospitales, 58 iglesias. Metros cúbicos de escombros: 43 millones. Casi diría uno que los chicos de Desescombro están orgullosos de sus cifras.

–Eso les garantiza el trabajo durante veinte años –repone Stave de mal humor–, pero ¿qué tiene que ver con los saqueadores?

–Solo demuestra que hay mucho donde saquear. Los funcionarios de Desescombro dicen, no obstante, que no hay luchas territoriales entre bandas por los tesoros enterrados bajo las ruinas. Al menos ahora ya no. Desde que hace tanto frío, las piedras, los bloques de hormigón y toda esa porquería está congelada y no se puede mover, así que a los profesionales no les sale a cuenta organizar pillajes. Esperan al deshielo. Ahora mismo, en las ruinas solo hay aficionados que buscan un metro de tubo de estufa, una placa eléctrica o madera para quemar. Son muy pocos para estorbarse unos a otros. En fin, que no hay tanto saqueo como hace unos meses; y prácticamente no se da ningún delito violento relacionado con él. Sea lo que sea lo que les sucedió a la chica y al viejo, nada parece indicar que tuviera algo que ver con el pillaje.

–Perfecto. –Stave lo dice de forma automática, antes de darse cuenta de lo poco afortunado que ha sonado su comentario en ese contexto. Suspira y se frota la frente. No le iría nada mal una aspirina, pero también se consiguen únicamente en el mercado negro.

MacDonald se despide hasta el día siguiente. Stave retiene al compañero de Orden Público con el pretexto de repasar una vez más los resultados de la Oficina de Desescombro.

–¿Qué hay que merezca la pena repasar? –refunfuña Maschke cuando el británico ya se ha ido.

–Pura rutina –responde Stave: dos palabras que alarman a todo criminal con experiencia. Y también a todo investigador.

–¿He hecho algo mal?

Stave querría darse una bofetada. Se obliga a mostrar una sonrisa y a pensar a toda velocidad.

–Solo quiero comprobar esas cantidades. Este tipo de investigaciones no son su especialidad, Maschke, y además, tampoco hace mucho que pertenece usted a este club.

El agente asiente con la cabeza, apaciguado solo a medias.

Stave finge hojear las anotaciones de Maschke. Evidentemente, no encuentra nada interesante.

–Salió usted de la Escuela de Policía en 1946, ¿verdad? –pregunta, y se esfuerza por imprimir un deje de cotidianeidad en su voz–. ¿Tuvo que realizar prácticas en todos los cuerpos administrativos de la ciudad? En mis tiempos había que hacerlo, aunque en aquel momento no existía la Oficina de Desescombro, claro.

Maschke intenta asentir con la cabeza y encogerse de hombros a la vez, pero luego se rinde.

–Sí –dice–, soy de la promoción del 46. Pero no, en la mayoría de los cuerpos administrativos no he estado todavía. Tampoco creo que me haya perdido mucho.

–¿Y a qué se dedicaba antes de entrar en la Escuela de Policía? –pregunta Stave, y le devuelve su cuaderno de notas.

Una pregunta bastante inofensiva, le parece a él. Maschke, sin embargo, se estremece como si le hubiera hecho una proposición indecente. Un tic nervioso en el ojo izquierdo, rubor en las mejillas.

Stave contiene la respiración. Ha sido demasiado directo.

Un momento después, no obstante, el agente recobra la compostura, sonríe algo forzado y agita una mano en el aire.

–¿A qué cree usted? –murmura–. Fui soldado. Marino de guerra, tripulante de submarino. En Francia. En 1940 me enviaron allí, a las bases de submarinos del Atlántico. En 1944 me sacaron de Francia. Entre lo uno y lo otro, misiones en submarino desde Brest y varios meses de permiso en tierra. *Un temps pas mal, même pour un boche comme moi*. Por lo menos perfeccioné el francés que había aprendido en el colegio, y llegué a conocer bastante bien los diferentes tintos... Aunque no es que ahora mismo me sirva de mucho. –Ríe.

Stave también se arranca una sonrisa.

–Buen trabajo –susurra, y señala el cuaderno de notas–. Hasta mañana.

Ya había oído alguna otra historia de tripulantes de submarinos: humedad y falta de espacio en el interior de la nave de acero. Guardias interminables en el gélido Atlántico. Cargas de profundidad que sacuden amenazadoramente la nave. Ataúdes hundidos en el fondo del mar, con la mayoría de sus tripulantes dentro. De repente ve a Maschke con otros ojos: la adicción nerviosa al tabaco. La barba del marinero que pasa semanas sin poderse afeitar allí dentro. La cruel impaciencia en el interrogatorio de la noche anterior. El cinismo fingido. Vivir con una madre da seguridad, claro.

Sin embargo, cuando Maschke se va, el inspector jefe llama a un viejo amigo del Departamento de Personal que todavía le debe un favor. Ahora ya tiene datos concretos de Maschke que pueden someterse a comprobación.

Cinco minutos después cuelga el auricular de golpe. Una cosa está clara: Maschke, en efecto, no estuvo empleado en ningún cuerpo de la Policía de Hamburgo antes de 1945, tampoco en la Gestapo. Después de la guerra se presentó para un puesto en Investigación Criminal y pasó por la escuela, tal como ha detallado él mismo. Y sí, entre los papeles de su admisión figuran varios documentos y un currículo que confirman esa historia del servicio en un submarino en Francia. Ni un pasado en la Gestapo, ni servicio en grupos de intervención del este, ni años oscuros como guardián en un campo de concentración. Maschke está limpio.

El viernes, el fiscal Ehrlich lo hace llamar.

–Pescamos unas cuantas piezas en la redada –empieza a decir el fiscal con amabilidad, se sienta en su silla y cruza las manos sobre el estómago.

–Por desgracia, no picaron el anzuelo los peces que queríamos –repone el inspector jefe. No es una metáfora adecuada, pero le da lo mismo. Mejor ir directos al grano.

–Reconozco que estoy confuso –dice Ehrlich–. Si yo estuviera en su lugar, Stave, habría obrado exactamente igual y ahora ya no sabría qué más hacer.

Eso es justo lo que me apetece oír, piensa el inspector jefe.

–Aún estamos siguiendo un par de pistas –contesta.

–Me alegra oír eso. Pensaba que estaría usted esperando el siguiente asesinato a ver si descubrían algo nuevo.

–Ni siquiera sabemos si las dos muertes son obra del mismo asesino.

–Pero ¿lo sospecha usted?

Stave guarda silencio.

Ehrlich señala hacia la ventana con un gesto cansado. Manos largas y dedos finos, piensa Stave, manos de pianista.

–Yo sospecho que el asesino que busca tiene treinta años o menos –dice el fiscal.

–Entonces ya sabe más que yo.

Ehrlich se quita los lentes de concha, los limpia con meticulosidad. Seguramente ahora no me distingue, piensa Stave.

–Un hombre de treinta años –explica el fiscal– habría nacido en el que dio en llamarse «invierno de los nabos», entre 1916 y 1917, durante la gran hambruna de la guerra anterior. Después vinieron la revolución y la contrarrevolución. El fallido golpe de Estado de Kapp. La hiperinflación con sus miles de millones de billetes de marcos del Reich en cestos para la ropa. El desempleo a partir de 1929. Las peleas y los asesinatos entre las Secciones de Asalto y los comunistas del Frente Rojo a partir de 1930. Los nazis y el terror. La guerra. Los bombardeos. Los campos de concentración. La ocupación. Y ahora este invierno. Eso a lo que usted y yo llamamos «normalidad» hace ya treinta años que no existe. Lo normal es más bien la violencia. El sufrimiento. La muerte. Por eso pienso que alguien que estrangula y desvalija con una indiferencia manifiestamente metódica a una muchacha y también a un anciano, tiene que ser alguien que en toda su vida no ha conocido nada que no sea esa violencia. De manera que tiene treinta años o menos.

–No puedo detener a todos los jóvenes de Hamburgo –masculla Stave–. Y no todos los jóvenes de treinta años son asesinos.

–Si entre ellos cuenta a soldados, agentes de la Gestapo, funcionarios del Partido, vigilantes de campos de concentración y cargos importantes del antiguo régimen, debo llevarle la contraria: la mayoría de los jóvenes sí son culpables.

–Y también muchos hombres mayores que ellos. No me ayuda mucho.

–¿Sabe usted cuál es el juramento que acompaña a mi cargo?

Stave niega con la cabeza, desconcertado.

–Juré por Dios todopoderoso que no interpretaría ni aplicaría las leyes para ventaja ni en perjuicio de nadie, sino con justicia y equidad hacia toda persona, sea cual sea su religión, raza, ascendencia o convicción política; que cumpliría la ley alemana y todas las disposiciones legales del gobierno militar, tanto en la forma como en el fondo; y que siempre haría cuanto estuviera en mi mano por garantizar la igualdad de toda persona ante la ley. ¡Con la ayuda de Dios!

»La igualdad de toda persona ante la ley, Stave. ¿Sabe usted a cuántos funcionarios ha inspeccionado la comisión de expertos constituida por los británicos para la eliminación de nacionalsocialistas solo en Hamburgo? A más de sesenta y seis mil. ¿Y a cuántos funcionarios han despedido por considerarlos nazis? A ocho mil ochocientos. ¿Sabe usted a quiénes tienen que dirigirse los judíos supervivientes de los campos de concentración si, debilitados como están, quieren solicitar una ración mayor de alimentos?

–A nosotros.

–En efecto: a la Brigada de Investigación Criminal. A veces en los mismos edificios, a veces exactamente en los mismos despachos en los que hace tan solo dos años estaba aún la Gestapo. ¿Y a quiénes cree usted que se encuentran a veces en esos mismos despachos?

El fiscal hace una pausa, luego prosigue en voz más baja:

–Investigación Criminal divide a los supervivientes de campos de concentración en tres grupos: IA, delincuentes de conciencia, que es como denominan a comunistas o socialdemócratas. Es interesante que Investigación Criminal siga hablando de «delincuentes», ¿verdad? Después está el grupo IB: otros delincuentes políticos. IC: criminales y agentes antisociales. ¿En qué grupo, cree usted, entra un judío?

»Y si uno está dispuesto a soportar todas esas humillaciones, recibe una ración especial de la Cruz Roja: una hogaza de pan, una lata de carne, cinco marcos para almorzar en comedores públicos, ocho semanas de ración de alimentos aumentada en la cartilla. Y ya está. Porque los facultativos del Colegio de Médicos de Hamburgo han considerado, literalmente, que "en general, el estado de salud y nutrición de los presos de campos de concentración es más que satisfactorio".

Ehrlich tiene el rostro congestionado, su mano no señala ya la ventana, sino que aferra una taza de té. Se le marcan los nudillos, blancos. Stave teme que la porcelana pueda hacerse añicos en cualquier momento.

–Y sí –prosigue entonces el fiscal–, haré cuanto esté en mi mano por garantizar «la igualdad de toda persona ante la ley». ¿Sabe usted por qué? Porque no deseo venganza, sino justicia. Porque solo con justicia se podrá construir un Estado mejor. Porque solo con justicia venceremos el miedo. Porque solo con justicia crecerá algún día una generación que por «normalidad» entienda otra vez lo que verdaderamente es normal.

–Dos víctimas de estrangulamiento no son algo normal –murmura Stave.

–Dos víctimas de estrangulamiento no son algo normal, son una tragedia, aunque todavía no una amenaza. Pero ¿y si fueran tres los estrangulados? ¿O cuatro? La gente tendrá miedo. Y la gente con miedo desea un hombre fuerte. Alguien que imponga orden sin tener en cuenta las consecuencias. Eso, Stave, es más o menos lo último que necesito yo aquí. Eso sabotearía todo aquello por lo que lucho cada día.

–También yo lucho por ello –dice el inspector jefe, cansado.

Ehrlich sonríe por primera vez.

–Lo sé. Por eso le hablo con tanta franqueza. No quiero presionarlo.

–Pero lo hace.

–Lo hago, sí. Las circunstancias lo hacen. Debemos detener esta serie de asesinatos cuanto antes. ¡Si al menos fuese verano! Si la gente que se ha quedado sin hogar padeciera hambre, pero no tuviera que soportar este frío tan tremendo ni agazaparse en sus agujeros, asesinatos como estos nos mostrarían qué es el horror, pero quizá nada más. Así, sin embargo, con este invierno terrible, largo, devastador, la ciudad está al borde del colapso. Ya no hay nada que funcione bien, nada. Usted mismo lo vive todos los días. Por expresarlo de alguna forma, no falta más que una gota para que el vaso se colme.

–Y los estrangulamientos podrían ser esa gota.

–Podría verse así. De manera que, por mí, puede usted interrogar personalmente a todos y cada uno de los ciudadanos de Hamburgo. ¡Incluso al alcalde, si le apetece! ¡Levante hasta el último cascote para encontrar pistas, maldita sea! ¡Persiga hasta la sospecha más absurda y el indicio más ridículo! Cuenta usted con mi apoyo. ¡Pero tráigame al asesino!

Stave medita sobre esas palabras mientras recorre deprisa los pocos pasos que lo separan de la Central de Investigación Criminal. El apoyo de Ehrlich: de un fiscal que tiene excelentes contactos con los británicos, de un fiscal que persigue implacablemente a antiguos vigilantes de campos de concentración, que casi siempre aboga por el patíbulo. Y al que los jueces casi siempre se lo conceden. Podría tener aliados peores, piensa.

El inspector jefe recorre el pasillo ávido de acción, casi ni nota su pierna tullida. Abre la puerta de la antesala sin llamar.

–Señora Berg, hágame el favor de llamar al inspector Maschke y al teniente MacDonald –dice, y espera que su voz haya sonado igual que siempre.

Unos momentos después, los dos hombres están ya en su despacho. Stave les ofrece un breve resumen de su reunión con el fiscal Ehrlich.

–Tenemos completa libertad de acción y todo su apoyo –termina.

–¿Apoyo para qué? –pregunta Maschke.

Stave no ha dejado de pensar en ello estos últimos días, desde la redada de Hansaplatz. Las dos diligencias que quiere llevar a cabo son complicadas. En un caso se trata incluso de un trabajo políticamente delicado. En el otro, importunarán a bastante gente, a gente poderosa, porque tendrán que husmear hasta el fondo en sus vidas privadas.

–Vamos a citar a los desplazados, a todos y cada uno de ellos –dice, dirigiéndose a MacDonald–. Para eso, evidentemente, necesitaremos el consentimiento de las autoridades británicas. –Parte uno, complicaciones políticas, piensa–. Y vamos a ocuparnos también de todos los casos de desaparecidos de esta ciudad –añade, esta vez volviéndose hacia Maschke–. No vamos a repasar simplemente la lista, comparando nombres y edades. Esta vez nos meteremos en todos los casos, hasta en el último de ellos. –Parte dos, vidas privadas al descubierto, reflexiona–. O bien las víctimas eran desplazados, y entonces encontraremos su pista en los campos, o eran de Hamburgo, y entonces alguien tendría que echarlos en falta... Y quizá ese «alguien» tenga sus propios motivos para no acudir a nosotros. De una forma u otra, algo descubriremos.

MacDonald parece un poco desconcertado. A Maschke se le ha quedado el mismo tono de tez grisáceo que tenían los reclutas de la Wehrmacht de hace unos años cuando recibían la orden de marchar hacia el Frente Oriental.

La niña sin nombre

Domingo, 2 de febrero de 1947

La pierna izquierda le duele. Stave patrulla desde muy temprano por los andenes de la estación central como un pastor alemán nervioso. Ahora ya es casi mediodía. Más o menos cada media hora llega traqueteando un tren tirado por una abollada locomotora de vapor cuyas chimeneas expelen un humo negro como el hollín. Silbatos. Chirridos de ruedas férreas.

Son sobre todo trenes «patateros» que se detienen en su viaje de regreso: vagones de mercancías abiertos y con compartimentos para llevar pasajeros de pie (antiguos vagones de tercera clase a los que han arrancado los asientos para conseguir amontonar a más personas en su interior). De ellos bajan tropezando hombres con traje o con mono de trabajo, muchachas tan débiles que se tambalean. Pañuelos, bufandas, viejas cortinas echadas alrededor de la cabeza y el cuello para protegerse del terrible viento que se cuela en los vagones abiertos; solo los ojos quedan al descubierto. Algunos portan cajas de cartón en las manos o bolsas de redecilla; otros, mochilas desgastadas o bolsas recosidas con pedazos de lona. Compradores de patatas que han ido a proveerse hasta Lüneburg o Holstein, donde los campesinos se hacen ricos. Los compradores de patatas les ofrecen hasta el último objeto de valor que les queda; la plata de la familia, monedas de oro, colecciones de sellos, viejos cuadros, armas de la Wehrmacht conseguidas de contrabando... Muchos mendigan.

La mayoría regresa con un kilo de patatas; otros lo hacen con las manos vacías. Algunos tienen heridas que aún sangran bajo la ropa rasgada, en el brazo, el muslo o las nalgas. Hay campesinos que, cansados de tanto pordiosero, azuzan a los perros contra los compradores de patatas.

«Expediciones de avituallamiento», las llama la gente, pero en Investigación Criminal se denomina «comercio directo entre productor y consumidor» y es ilegal. Una violación de las reglas de la economía dirigida, un sabotaje al racionamiento. La Policía Militar británica y los de Investigación Criminal supervisan las estaciones de los alrededores de la ciudad, y también acordonan la estación central de vez en cuando para llevar a cabo alguna redada. Hay quien, en un desmoralizador viaje de mendicidad de dos días por el campo, ha acabado cambiando su reloj de oro por dos kilos de patatas y luego, en Hamburgo, se ha visto despojado de su botín y además ha acabado en la cárcel.

Stave apenas presta atención a los compradores de patatas; no ha venido en misión oficial. Busca entre la muchedumbre figuras demacradas con abrigos de la Wehrmacht. ¿Se habrá convertido su hijo en uno de esos espectros? ¿Sería todavía capaz de reconocerlo? El inspector jefe contempla a los soldados que regresan a casa. Espera hasta que, tras unos segundos en el andén, se sitúan y se orientan entre el gentío. Entonces se les acerca, les habla, les ofrece cigarrillos. Siempre el mismo ritual, la misma breve esperanza, como un trago de aguardiente directo a la sangre. Después las miradas vacías, disculpas susurradas, a veces un tartamudeo confuso, quizá demente. ¿Karl Stave? Nunca he oído hablar de él.

–¿Te apetece entrar un poco en calor?

Stave da media vuelta, sobresaltado. Se trata de una chiquilla, calcula que de unos doce años, aunque el cuerpo demacrado puede engañarle y acaso tenga ya catorce. Acento de Berlín. Una puta de estación. Sacude la cabeza y está a punto de volverse de nuevo, pero entonces duda, se mete la mano en el bolsillo y le da dos cigarrillos a la niña.

–Te los puedes quedar –masculla–. Ahórrate un cliente.

La chica se guarda los cigarrillos.

–No sea tan sentimental –exclama, y desaparece.

Vía 4, el siguiente tren. Procedente de la cuenca del Ruhr, no del este, pero Stave no quiere saltarse ninguno. Contempla a dos antiguos soldados en la escalerilla de madera que baja al andén; frente a ellos hay dos policías militares británicos. Los prisioneros de guerra sacan con manos temblorosas los papeles de su liberación. Stave espera a que el control haya terminado.

Una mano se posa en su manga.

El inspector jefe se vuelve enfadado, esperando ver otra vez a la niña. En lugar de eso, se encuentra con Maschke.

–¡Por fin! –jadea el agente de Orden Público, y entonces sucumbe a una tos cargada de nicotina–. Hace ya una hora que lo busco –consigue decir.

Stave cierra los ojos un momento.

–¿Un nuevo asesinato? –pregunta, cansado.

–Podría ser.

–¿Qué quiere decir eso? ¿Hay víctima o no hay víctima?

–Hay víctima, pero no es seguro que sea el mismo asesino al que buscamos.

–¿Por qué no? –pregunta Stave, y lanza una última mirada en dirección a los dos prisioneros de guerra liberados antes de seguir a Maschke, que se encamina a grandes pasos hacia la salida.

–La víctima también ha sido estrangulada con un alambre, pero... –el agente duda–, esta vez es una niña.

El coche patrulla con radio está aparcado delante del Teatro Alemán, que ahora se llama Garrison Theatre y está reservado a los británicos. Maschke se acomoda con cuidado en el asiento del conductor, mira por el retrovisor, se vuelve, va separando el viejo Mercedes de la acera centímetro a centímetro. Al darse cuenta de que Stave se está poniendo nervioso, sonríe a modo de disculpa.

–Aprendí a conducir en la Wehrmacht. Con un todoterreno Kübelwagen, por las avenidas de Francia. Era más fácil de manejar que este barco. No quiero hacerle ninguna abolladura.

–Tampoco tenemos prisa –repone Stave.

Maschke tose.

–Vamos al barrio de Hammerbrook –explica–. No está muy lejos: Billstrasse.

Stave cierra los ojos. De modo que esta vez de nuevo al este. De nuevo en un antiguo barrio de gente humilde, de nuevo bombardeado, más devastado que ningún otro barrio de la ciudad.

–Allí ya no vive nadie –masculla.

–La víctima está en el hueco del elevador de una antigua fábrica de colchones, en Billstrasse 103. Justo donde el Bille desemboca en el Elba Norte, al final del puerto.

–¿Quién la ha encontrado?

–El guarda de un barco que está en el canal del Bille. Seguramente había bajado a buscar carbón, allí a menudo se encuentran restos de cargamentos. Afirma, sin embargo, que solo había salido a pasear. Nos ha llegado el aviso a eso de las diez y media.

–¿Han contrastado la declaración del guarda?

Maschke se encoge de hombros.

–Dice que hasta ayer estuvo en Lübeck con su madre. Lo comprobaremos. Si es cierto, no será sospechoso. Si no lo es, tiene un problema.

Maschke conduce el pesado coche con cuidado por las calles casi vacías, rodea trazando amplias curvas las montañas de escombros, se retira hasta el bordillo para dejar pasar a los Jeeps británicos que vienen en sentido contrario como si fueran tanques. Desde la estación central hasta el lugar del hallazgo, en Hammerbrook, debe de haber unos cinco kilómetros, calcula Stave. A pie habría llegado antes que yendo en coche con Maschke. Aunque así, por lo menos, el viento gélido no lo tortura.

Pasan por delante de interminables filas de fachadas ennegrecidas y sin ventanas, como los decorados de un gigantesco teatro incendiado. El acueducto de acero del tren elevado, vías y puentes despedazados una y otra vez por las bombas, caídos, convertidos en grotescas esculturas, reducidos a pequeños y brillantes terrones al rojo vivo entre mares de llamas.

El Mercedes traquetea durante poco más de un kilómetro a lo largo de Billstrasse, y después el camino queda bloqueado por la fachada de una casa que se ha derrumbado hacia delante. Maschke aparca trabajosamente junto a los escombros, detrás de un Jeep británico y del vehículo del experto en pruebas.

Cuando Stave baja, casi pisa una cruz torcida hecha con maderos claveteados al pie de la montaña de ruinas.

«Nuestra madre, Meta Krüger. 27-28/7/1943», se lee en ella. Seguramente estará todavía bajo los escombros, piensa el inspector jefe. Enseguida le da la espalda.

A unos doscientos metros, al otro lado de las ruinas y hacia la derecha, se ve centellear la capa de hielo de un metro de grosor que cubre el canal del Bille. En algún lugar, un tubo de estufa partido atrapa el viento y resuena como un órgano tenebroso entre las ráfagas. No hay ni rastro de vida; ni siquiera se ve una rata o una corneja. Con todo, después de trepar por un muro deshecho en grietas, Stave capta un movimiento: agentes, figuras de abrigos largos y sombreros bien calados, uniformes británicos.

–Allí es –dice Maschke, aunque no hacía falta.

Stave saluda con un movimiento de cabeza. MacDonald ya está allí; el doctor Czrisini, el fotógrafo y experto en pruebas, también a la mayoría de municipales y policías militares británicos los conoce de vista. Stave se inclina hacia delante y contempla el hueco de un elevador, de unos cuatro metros por tres y con paredes de mampostería. El suelo queda a un metro y medio por debajo del nivel de los escombros, negro oleaginoso a causa de la vieja grasa lubricante. Hay una niña tendida con la espalda contra el suelo sucio, desnuda. Pelo castaño claro cortado a lo *garçon,* ojos marrones grisáceos que miran al vacío.

–Marcas finas de estrangulamiento en el cuello –murmura el doctor Czrisini–. En el antebrazo derecho, una cicatriz de unos dos centímetros de largo curada hace tiempo. Dentadura completa, estado de nutrición satisfactorio. Aproximadamente un metro diez de estatura. Entre seis y ocho años, estimo.

–¿Cuándo murió? –murmura Stave, intentando no perder la calma.

–Después de la autopsia podré saberlo con más exactitud, pero por lo menos hace doce horas que está muerta. Tal vez incluso más, con este frío.

–Con este frío, sí –susurra el inspector jefe–. ¿Señales de forcejeo? ¿De algún tipo de violencia?

–Por lo que se aprecia a simple vista, no; pero también eso lo sabremos pronto con mayor certeza.

–Y por lo demás, ¿como siempre? ¿Ninguna peculiaridad?

El fotógrafo y experto en pruebas se acerca a ellos sosteniendo algo en un pañuelo.

–Lo hemos encontrado junto a la víctima. Puede que le perteneciera, aunque también es posible que estuviera ahí por casualidad.

El inspector jefe niega con la cabeza. Un cordel rojo de más o menos medio dedo de largo.

–¿Qué es?

–No tiene usted hijas –comenta el fotógrafo, que se permite una pequeña sonrisa–. Este cordel podría ser de un *spencer,* una especie de chaqueta regional corta. La llevaría una niña de esa edad.

Stave le indica por señas a un municipal que se acerque.

–Vaya a la comisaría más cercana y póngase en contacto con el director de la Jefatura S. Que envíe investigadores de paisano a todos los puntos de estraperlo de la ciudad, enseguida. Y que detengan a todo el que quiera vender una chaqueta regional de niña con cordones rojos.

El agente se despide con un saludo militar y se aleja tropezando por los escombros.

Stave mira alrededor.

–La niña no podía vivir aquí. Las casas habitadas más próximas están a varios cientos de metros.

–O sea que el asesino la ha traído a este solar –añade Maschke.

–O la pequeña había venido a buscar carbón y se ha encontrado con su asesino –tercia MacDonald–. Parece que no era la única niña que se paseaba por la zona.

Cuando los otros dos le dirigen sendas miradas interrogantes, aclara:

–Al llegar los primeros policías después del aviso del guarda del barco, han encontrado a un muchacho que afirmaba estar buscando carbón. Desconozco si ha visto a la víctima.

Stave asiente.

–Bien. Entonces le haremos al guarda las preguntas habituales. Después hablaremos con ese chico.

El guarda del barco se llama Walter Dreimann, tiene cincuenta y tres años, es delgado y, por la expresión de su cara, parece que tenga una úlcera. O quizá sea que todavía no ha digerido la visión de la niña muerta, piensa Stave.

–¿Estaba recogiendo carbón? –pregunta el inspector jefe.

–Estaba paseando –contesta Dreimann, medio lloroso y medio ofendido.

–¿Lo hace a menudo?

–Todos los días. Menos las últimas dos semanas, que he estado visitando a mi madre, en Lübeck. Ya se lo he explicado a su compañero.

–Pero, antes de la visita a su madre, ¿paseaba usted todos los días por la zona? –insiste Stave mientras pasa hojas de su cuaderno.

Dreimann asiente con la cabeza.

–¿Y también venía aquí, a este solar en ruinas?

El guarda contesta sin tener que pensarlo mucho.

–Es mi camino de siempre.

–¿Cuándo fue la última vez que estuvo aquí..., antes de ir a Lübeck?

–Debió de ser el 18 o el 19 de enero.

–Y ese día, ¿no había nada aún en el hueco del elevador?

–¡Pues claro que no! –Dreimann lo mira indignado–. ¿Acaso cree usted que no habría dicho nada si ya hubiese visto entonces a una niña muerta?

–¿La conocía usted?

–No.

–¿Está completamente seguro? ¿Quiere ver a la víctima una vez más?

La tez de Dreimann se pone de color verde.

–Ya la he visto bastante.

Stave se arranca una sonrisa amable.

–Puede usted irse.

El inspector jefe echa una mirada a ese paisaje desolado. El fotógrafo está recogiendo su equipo. Dos empleados con abrigos oscuros sacan del hueco el cadáver rígido, congelado, y lo meten en un féretro. Como durante la guerra, piensa Stave, cuando durante las semanas posteriores a cada ataque aéreo recuperaban pequeños cadáveres entre las ruinas. Pero ahora tenemos paz, maldita sea.

De pronto se queda de piedra. Algo destella en el grasiento suelo del hueco del elevador, algo que los zapatos de los empleados de la funeraria deben de haber despegado del lodo. Algo plateado.

–¡Recoja eso! –le dice al experto en pruebas señalando el objeto.

Un minuto después, el inspector jefe tiene en las manos un medallón recubierto de grasa. Del tamaño de una moneda de diez peniques. Le falta la cadena. El reverso está liso y sin decorar. En el anverso saltan a la vista una cruz y dos dagas.

–Nuestro asesino comete errores –dice Stave.

–Los medallones se llevan al cuello –murmura MacDonald–. Seguramente en los últimos dos ataques se rompería la cadena mientras el asesino todavía tiraba del alambre. Ha desvalijado a sus víctimas, pero ese pequeño disco de plata se le ha pasado por alto.

–O lo ha colocado él ahí –plantea Maschke–. Como una especie de tarjeta de visita.

–¿Un loco que nos propone adivinanzas? –Stave se frota la cara con la mano derecha. Está cansado. No quiere creer en esa teoría, aunque solo sea porque no es capaz de imaginarse teniendo que entrar en los procesos mentales de un desequilibrado para predecir sus siguientes pasos. No seas tan poco profesional, se advierte–. ¿Por qué no hemos encontrado entonces ningún medallón junto a la muchacha?

–Quizá el asesino va desarrollando su estilo sobre la marcha –responde Maschke–. O puede que sí dejara un medallón junto a la primera víctima, y simplemente fuimos demasiado torpes como para encontrarlo.

Otra vez un reproche, piensa Stave. Como sigas así, hago que te trasladen otra vez a patrullar las calles. Aunque sea lo último de lo que me encargue.

–De todas formas, la hipótesis de MacDonald me parece más probable –comenta–. Así pues, por lo menos el viejo y la niña están relacionados. Llevaban el mismo medallón. ¿Es posible que sean familia?

–¿Y la muchacha? –pregunta Czrisini.

–Quizá también ella llevaba un medallón. Solo que en ese caso el asesino lo encontró y lo robó... O es cierto que fuimos demasiado torpes y no lo hallamos. Volveré a enviar a alguien a Baustrasse para que busque entre los escombros.

–Si los medallones cayeron durante el ataque –dice MacDonald, insistiendo en su idea–, su hallazgo implica que las víctimas fueron asesinadas donde las hemos encontrado. Si no, esos colgantes no estarían aquí.

–Pero si se trata de una señal del asesino, entonces no implica nada de nada –objeta Maschke–. Podría haber estrangulado a sus víctimas en cualquier otro lugar. Después del crimen, simplemente busca un escondite apropiado entre las ruinas y deja los cadáveres con su especial nota de despedida personal.

–No deja a ninguna víctima en el mismo lugar que las otras, sino que busca cada vez un nuevo solar en ruinas –añade Stave con un suspiro–. Ya ha estado usted en la Oficina de Descombro: ¿cuántos edificios en ruinas hay que nuestro asesino pudiera contemplar como posibles lugares de depósito?

El agente de Orden Público se encoge de hombros.

–¿Cientos? ¿Miles? Podemos descartar unos cuantos barrios acomodados como Blankenese: allí hay poca destrucción. También un par de zonas como el puerto: muchas ruinas, pero de entrada exclusiva para los británicos. Allí nadie puede entrar sin llamar la atención. Por lo demás, ¡hay donde escoger en el mayor solar de escombros de Europa!

–Tal vez el asesino quiera que encontremos a sus víctimas –propone MacDonald–. Quizá es algo así como un desafío para nosotros. ¿Una provocación?

Stave levanta la mano.

–No saquemos conclusiones precipitadas. El asesino solo puede esconder los cadáveres, que tarde o temprano serán descubiertos. ¿Cómo va a hacer desaparecer los cuerpos? ¿Tirándolos al agua lastrados con un par de bloques de hormigón? Hasta el Elba está cubierto por un metro de hielo, el Alster y el Fleete están congelados hasta el fondo. ¿Enterrándolos? El suelo está duro como una piedra con este frío. ¿Incinerándolos? En Hamburgo ya casi no queda gasolina ni carbón, y apenas algo de madera. En ese sentido, el invierno es un aliado de la Policía: ningún asesino puede deshacerse de sus víctimas. –Stave se yergue–. ¿No teníamos otro testigo?

El teniente sonríe con acritud.

–Tal vez. He enviado al chaval a un camión con un policía militar. Allí no hace tanto frío, y el chico no tiene por qué ver todo esto. –Señala a los operarios del ataúd, que justo entonces desaparecen entre dos muros con su liviana carga.

–Quizá sí –rezonga Stave, y les hace una señal a los hombres oscuros para que dejen el féretro.

MacDonald levanta la voz para dar una orden en inglés. Un policía militar les trae entonces a un chico flaco que casi se pierde dentro de un abrigo de hombre que le queda demasiado grande; pelo castaño e hirsuto, puede que con piojos, una erupción con postillas en el cuello. Le falta un incisivo.

–¿Cómo te llamas? –pregunta Stave, y le hace una señal al británico para que no le acerque demasiado al chaval.

–Jim Mainke.

–¿Jim?

–Wilhelm.

–¿Edad?

–Dieciséis años.

–Buen intento. ¿Edad?

–Catorce. En verano cumplo los catorce.

–¿Dónde vives?

Wilhelm Mainke señala vagamente hacia el paisaje en ruinas.

–¿Con tus padres?

–Por suerte no –contesta el chico, sonriendo–, porque entonces estaría en el cementerio de Öjendorf.

Al inspector jefe le molesta esa respuesta tan descarada, pero no pierde los nervios.

–¿Tengo que sacarte las palabras con sacacorchos? ¿O eres capaz de decir más de dos frases seguidas?

Mainke pone ojos de exasperación.

–Mi padre trabajaba en los astilleros de Blohm und Voss, mi madre era ama de casa. Los dos cayeron en 1943 durante un bombardeo. Yo estaba en el campo con mi abuela, evacuado. Pero mi abuela murió el año pasado, así que he vuelto a Hamburgo. Vivo en un sótano de Rothenburgsort, con unos amigos.

Eso es lo que más o menos había supuesto Stave. Más de un millar de niños sin padres vagabundean por Hamburgo, huérfanos de las bombas, hijos de refugiados que se han perdido, desplazados que se han escapado. Algunos forman bandas y luchan literalmente por seguir con vida, otros reúnen carbón, se dedican al pillaje en los solares en ruinas, trabajan como recaderos para los estraperlistas o se ofrecen en las estaciones.

–¿Vienes mucho por aquí? –le pregunta.

–Claro. Me conozco bien el puerto. Antes, alguna vez me dejaban venir a ver a mi padre a los astilleros. Ahora recojo carbón.

–¿Cuántos niños más suelen venir?

Mainke se encoge de hombros.

–Por aquí se pasean unos cuantos. Treinta, cuarenta, creo. Ahora algo menos, hace mucho frío.

–¿Y esta mañana habías vuelto a las andadas?

–Sí, hasta que me ha detenido la patrulla.

–¿Has visto a la niña muerta?

Mainke niega enseguida con la cabeza.

–Cuando he aparecido por aquí, los municipales ya habían llegado. No me han dejado acercarme.

–Pero ¿sabes por qué está aquí la Policía?

El chico asiente.

–Uno de los policías militares me lo ha dicho.

–¿Viniste también ayer?

–No, primero tenía que conseguir algo que echarme al buche. Hace lo menos dos o tres días desde que estuve aquí por última vez.

–¿Puede ser que la niña ya estuviera dentro del hueco del elevador y que tú no te fijaras?

El chico sacude la cabeza con indiferencia.

–Podría hacer años que estaba ahí y yo no la habría visto. Siempre voy cerca de la orilla, allí se encuentran carbones si tienes suerte. En cuanto he recogido unos cuantos, me largo. No merece la pena entretenerse más. No merece la pena rebuscar entre las ruinas. Aquí ya no se encuentra nada.

–Salvo una niña muerta.

Jim Mainke se queda callado.

Stave suspira.

–Siento tener que hacerte esto, pero vas a tener que acompañarme.

–¿Me va a detener?

–Algo parecido, pero ahora no me refiero a eso.

El inspector jefe lleva al chico hasta el féretro, donde los dos operarios esperan fumando, helados de frío. El policía militar observa a Stave con desconfianza, le dirige una mirada a MacDonald y no se relaja hasta que el teniente asiente casi imperceptiblemente.

Stave levanta la tapa del ataúd por la parte de la cabeza.

–¿Conoces a esta niña?

Mainke no vomita, ni siquiera palidece, sino que mira el cadáver con detenimiento. Tanto tarda, que al final el inspector jefe se cansa y vuelve a dejar caer la tapa sobre los ojos vacíos de la víctima.

–No la había visto nunca –dice el chico.

Stave les hace una señal a los operarios para que vuelvan a levantar su carga y desaparezcan de allí.

–¿Qué piensa hacer conmigo? –pregunta Mainke–. ¿Puedo seguir buscando carbón?

–Eres demasiado joven. Ni siquiera puedo dejarte marchar solo. Dos municipales te llevarán a Rauhes Haus. –Un barracón provisional en Harburg donde acaban todos los niños sin padres que encuentra la Policía. Un antiguo cerrajero hace las veces de director y se ocupa del orden; algunos voluntarios, cristianos idealistas, se ocupan de las niñas y los niños, los despiojan y los bañan, les curan los arañazos y demás enfermedades, les dan una sopa caliente y una cama limpia. A pesar de eso, la mayoría de los chavales vuelven a escaparse al cabo de pocos días.

Mainke da media vuelta y echa a correr tras el policía militar.

–¿Cómo es que te haces llamar Jim? –pregunta Stave alzando la voz.

El chico se vuelve para mirar atrás, y esta vez hay una auténtica sonrisa infantil en su rostro.

–Tengo un tío en América. De verdad. En Nueva York. Me iré allí en cuanto vuelva a haber barcos grandes en el puerto.

–Mucha suerte –susurra Stave, pero Mainke ya no lo oye.

–¿Un testigo?

Stave gira sobre sus talones al oír la voz de su superior: se encuentra a Cuddel Breuer justo enfrente.

–Parece ser que no. El chico ha aparecido por aquí cuando ya había varios agentes en el lugar del hallazgo.

–¿Y por lo demás?

«Lo de siempre», está a punto de responder el inspector jefe, pero en el último momento cambia de opinión. Refiere sucintamente lo que han descubierto.

–¿Cree que ha vuelto a ser el mismo asesino? –le pregunta Breuer.

Stave duda, inspira hondo y luego asiente con la cabeza.

–Sí. Parece que hay un vínculo entre las víctimas números dos y tres. Miembros de la misma familia, supongo yo, aunque todavía no podemos demostrarlo. Las circunstancias de los ataques son significativamente similares: los estrangularon con un lazo fino, los desvalijaron hasta dejarlos desnudos, los depositaron en un solar de escombros. Además, también es posible que la pequeña fuese asesinada el mismo día que las otras dos víctimas.

–¿Un asesino que liquida a una familia entera? –Breuer mira alrededor–. ¿Queda algo por hacer aquí?

–El experto en pruebas lo repasará todo una vez más, pero el resto no tenemos por qué quedarnos.

–Bien. Pues volvamos a la Central. Yo lo llevo.

Stave sigue al jefe hasta su viejo Mercedes. Conduce el propio Breuer. Lo hace deprisa, impasible, con seguridad: enseguida deja atrás a Maschke en su coche patrulla con radio.

–Ahora ya son asesinatos en serie –dice Breuer sin apartar la vista del parabrisas.

–Eso parece, por desgracia.

–No podremos seguir manteniéndolo en secreto. Las características de los asesinatos, los carteles solicitando la identificación de las víctimas: tarde o temprano un periodista atará cabos y sacará de aquí una historia.

–Eso no se puede controlar.

–Ya no, por suerte. Es el precio de la democracia *made in Britain*. En general hemos salido ganando, también usted y yo personalmente, Stave. Y aun así, en este caso en concreto casi desearía que regresaran los viejos tiempos, cuando podíamos ordenarles a esos gacetilleros lo que tenían que publicar y lo que no.

–Ni siquiera eso nos serviría de nada. La gente hablará. Circularán rumores. Creo que prefiero un artículo en el periódico, así por lo menos sé a qué atenerme.

–¿Y a qué se atiene?

Stave se encoge de hombros.

–No podrán publicar más de lo que sabemos, y es bastante poco.

Breuer lo mira por primera vez, aunque en ese momento está torciendo para entrar ya en la plaza de la Central.

–Tenemos a un asesino en serie que probablemente ataca en solares de escombros, o por lo menos así lo entenderá la mayoría. Todo Hamburgo es un enorme solar de escombros. Peor aún: las víctimas son una mujer, un anciano y una niña. ¿Qué interpretará la gente? ¿Que todos ellos pertenecían a una familia respetable? ¿Que han sido víctimas de un drama privado? No. Interpretará que puede tocarle a cualquiera. Que corren peligro mujeres y hombres y, lo más espantoso, también los niños. Que se trata de alguien que puede abalanzarse en casi cualquier rincón de esta ciudad sobre casi cualquiera de sus habitantes. Eso, eso es lo que interpretarán.

–Y puede que tengan razón –masculla Stave.

–Todo ello hace que el trabajo no sea precisamente sencillo. Su trabajo. Que acabe de pasar un buen domingo, inspector jefe.

Stave baja del coche, se despide con un gesto de la cabeza, cierra la pesada puerta del Mercedes, que enseguida se aleja a toda velocidad.

–Que pase un buen domingo –susurra Stave, y luego entra en el edificio. No parece que vaya a tener tiempo de regresar a la estación central a preguntar por su hijo.

Ni siquiera consigue llegar sin interrupciones a su despacho. Entre los pilares aparece una sombra que se le acerca: un hombre joven, recién afeitado, vivaracho, con un bloc de notas y un lapicero en las manos teñidas de azul a causa del frío.

–Ludwig Kleensch, de *Die Zeit* –se presenta–. ¿Podría hablar un momento con usted?

Stave tiene que decidirse deprisa. ¿Deja plantado al periodista? ¿Habla con él? Los británicos han vuelto a permitir la publicación de diarios y semanarios. La mayoría pertenecen a partidos políticos y se restringen al ámbito de Hamburgo. *Die Welt* es suprapartidista y se distribuye en toda la zona de la ocupación, igual que *Die Zeit,* la primera hoja semanal en conseguir licencia de las autoridades británicas. Incluso los diarios salen este invierno con tan solo cuatro o seis páginas, y únicamente dos veces por semana. El papel amarillento, en el que se nota la pasta de madera –como el de esos baratos cuadernillos de colorear para los niños de antaño–, es demasiado escaso.

El inspector jefe hace sus cálculos: hoy es domingo, tendrá tranquilidad hasta el jueves, cuando salga *Die Zeit,* siempre que ese tal Kleensch sea el único periodista que se haya puesto ya a seguir el asunto.

–Bien –dice. Intenta ofrecer una sonrisa sin conseguirlo, pero le sujeta la puerta abierta al reportero–. Por lo menos en mi despacho no se le congelarán las manos.

Kleensch asiente con gratitud, sorprendido también por tanta deferencia.

–Quisiera hablar con usted sobre el asesino de los escombros –dice cuando ya están arriba.

–¿El asesino de los escombros?

–Así voy a llamarlo. Tiene bastante gancho. ¿O preferiría quizá «el estrangulador»?

Stave prefiere no contestar, también prefiere no preguntar cómo se ha enterado ya el periodista de todo eso: por ejemplo, de que es Stave quien lleva el caso. Piensa en esas páginas de letra apretada en las que se apiñan notificaciones, anuncios de bodas, esquelas y todas las noticias del mundo. Kleensch no dispondrá de demasiado espacio. ¿Podría su artículo pasar desapercibido a los lectores? De todos modos, después de doce años de censura nazi no queda ya nadie que crea en lo que dicen los periódicos.

Como si le hubiera leído el pensamiento, Kleensch se inclina hacia delante y murmura en un tono algo amenazador:

–Ya he comunicado a mi redacción que se trata de un asunto gordo.

El inspector jefe asiente con resignación. Después informa sucintamente de los casos, le proporciona al periodista copias de los carteles de búsqueda, le explica también cómo ha actuado Investigación Criminal hasta el momento. Solo se calla lo que tiene pensado hacer a continuación. Eso, presiente, parecería bastante triste.

–¿Habrá más crímenes? –quiere saber Kleensch. No deja de hacer diligentes anotaciones sin apartar ni una vez la mirada de su bloc.

Condenada pregunta, piensa Stave, pero entonces se da cuenta de que es una trampa. Si dice: «No puede descartarse», el periodista citará sus palabras. Mal asunto.

–Esperamos atrapar al asesino en el transcurso de los próximos días –responde, por tanto.

Kleensch le ofrece una sonrisa a medio camino entre la aprobación y la decepción. Le deja una tarjeta de visita impresa en el mismo papel deslucido que el periódico.

–Si hubiese alguna novedad, le estaría muy agradecido de que me llamase. No quisiera publicar nada que no deba.

El periodista le da la mano, abre la puerta y prácticamente tropieza con el doctor Czrisini. Lo mira con curiosidad, pensando sin duda en una pregunta, pero luego decide no hacerla y se va.

El forense entra en el despacho. Unos instantes después lo sigue también Maschke; Stave presume que se ha escondido en algún sitio hasta que ha visto desaparecer al periodista por el pasillo. Al final se presenta también MacDonald y, tras él, Erna Berg. ¿Quién la ha avisado?, se pregunta Stave, pero no dice nada.

–Prepararé un té –exclama ella sonriendo.

El inspector jefe revuelve en su escritorio hasta que encuentra un plano grande de la ciudad, que empieza a desdoblar con cierto trabajo. Está impreso en la posguerra: sombreadas en gris sobre rojo, las zonas que han sido bombardeadas. Son bastantes. Stave cuelga el plano con chinchetas en una pared del despacho, después clava tres alfileres de cabeza roja en tres superficies sombreadas: los lugares donde se han encontrado los cadáveres.

Los demás lo observan en silencio. Maschke fuma, Czrisini parece estar contemplando una operación interesante, MacDonald tiene la mirada del militar que planifica la campaña, Erna Berg –con una tetera humeante en las manos– se ha quedado en el umbral y mira el plano con espanto.

–Ataca por todas partes –susurra.

–Tres veces no es por todas partes –objeta Stave con algo más de severidad de lo que pretendía–. ¿Cómo podrían estar relacionadas las víctimas? –pregunta, y mira a Czrisini.

El forense asiente con cautela.

–¿Un abuelo, su hija y la nieta? Es posible. Por edad podría encajar: siempre que a la primera víctima, la muchacha, le calculáramos el límite superior de la franja de estimación de años. Le calculo un máximo de veintidós. Si a la niña le calculamos el límite inferior, seis años, tendríamos entonces a una madre muy joven. Y al padre de esta, muy mayor, puesto que tenía alrededor de setenta años. También es posible que la primera víctima y la última fueran hermanas, con unos diez años de diferencia entre las dos. El anciano sería entonces su abuelo. Personalmente me parece más plausible, aunque no muy probable. Además, ¿cómo puede demostrarse eso? De momento no he encontrado ninguna característica claramente hereditaria, como lunares.

–Pero ¿tampoco tenemos nada que excluya un parentesco entre las víctimas?

–No.

–Aparte de haberlas encontrado en lugares diferentes –añade Maschke, y señala el plano con su cigarrillo encendido–. Las víctimas estaban alejadísimas entre sí. Si eran una familia, debían de vivir todos juntos. Por lo menos la niña y la madre vivirían juntas, o las dos hermanas, si es que de verdad eran hermanas.

–O vivirían con el abuelo –propone MacDonald–. Igual que ese niño, Mainke, que fue acogido por su abuela.

–No podemos descartar nada –dice Stave, y se pasa una mano por la cabeza–. Supongamos que eran familia. Supongamos que los asesinaron a todos en el mismo sitio. Recordemos: el lugar del hallazgo no tiene por qué ser el lugar de los hechos. ¿No sería incluso posible que los mataran a los tres en el mismo momento? ¿Y que luego el asesino los depositara en lugares diferentes de la ciudad? ¿Para borrar su rastro?

Czrisini duda.

–Tanta frialdad resulta difícil de creer –murmura, pensativo–, apenas contamos con antecedentes comparables. Pero sí sería posible: el mismo momento de la muerte, somos nosotros quienes los hemos encontrado en días diferentes. Con la muchacha y el viejo estoy bastante seguro, de la niña pronto sabré algo más.

Stave se imagina el cuerpecillo sobre la mesa de acero del forense, y enseguida aparta la vista hacia la ventana. Hay ciertas cosas sobre las que es mejor no pensar en detalle.

MacDonald suspira.

–Eso podría querer decir que hay más cuerpos repartidos por ahí y que todavía no los hemos encontrado: el padre, la abuela, más hermanos de la niña...

–Sin embargo, a mí me parece más probable que las víctimas no tengan nada que ver entre sí –dice Maschke, y gesticula de tal manera con su cigarrillo que la brasa se acerca peligrosamente al plano–. Estaban todos en solares de escombros, puede que estuvieran buscando algo, puede que solo quisieran tomar un atajo. Allí los espera escondido el asesino. El lugar del hallazgo es el lugar de los hechos. El medallón es la firma de un desequilibrado.

–Eso querría decir que las víctimas pertenecían a tres familias diferentes, que vivieron en tres lugares distintos. Pero entonces se habría presentado por lo menos una persona para identificar a alguien –murmura Stave–. Lo que no puede ser es que en mitad de Hamburgo mueran tantas personas asesinadas y que nadie las eche de menos.

–Con la niña todavía no lo sabemos –le recuerda el doctor Czrisini.

–Sí –reconoce el inspector asintiendo con la cabeza–. Imprimiremos un nuevo cartel. Maschke, ocúpese usted: la mayor tirada que le permitan. Incluya también la foto del medallón. Póngase en contacto con los departamentos de todas las grandes ciudades, también en el este. ¡Quiero que esta vez nuestros carteles cuelguen hasta en la zona soviética!

Todos se sobresaltan cuando suena el teléfono en la antesala. Erna Berg sale a toda prisa, dice unas palabras y vuelve a colgar.

–Los agentes de Lübeck –exclama dirigiéndose al inspector jefe–. La madre del guarda del barco confirma que su hijo fue a visitarla estas dos últimas semanas. Un vecino de la madre también lo vio.

–Habría sido demasiado fácil –comenta Stave, y hace una anotación en su cuaderno.

–¿Y ahora? –pregunta MacDonald.

–Seguiremos trabajando con tres hipótesis –contesta Stave–. Si nos las estamos viendo con un asesino que ataca entre los escombros para desvalijar a sus víctimas, tarde o temprano aparecerá en el mercado negro algún objeto que podamos relacionar con alguna de ellas. Puede que por fin alguien vea a algún sospechoso en algún edificio en ruinas. O que algún traficante o un chulo oiga algún rumor. Es posible que durante los próximos días logremos identificar por lo menos a una de las víctimas. Por último, tampoco es impensable que atrapemos a ese tipo con las manos en la masa. En algún momento daremos con él.

»Hipótesis número dos: un desequilibrado ataca y firma sus asesinatos con ese extraño medallón. ¿Alguna idea sobre cómo podríamos seguirle la pista?

–Tenemos que descubrir sin falta qué significa esa cruz con las dos dagas –responde el doctor Czrisini.

–Si se trata de un desequilibrado, entonces no parará de matar. Tardaremos más o menos, pero lo atraparemos –dice Maschke, esperanzado.

–Alguien lo atrapará, sí –repone Stave–. La pregunta es si seremos nosotros o nuestros sucesores en el puesto. –Enseguida ahuyenta ese asomo de pesimismo, no obstante, y se yergue–. Hipótesis número tres: alguien ha liquidado a toda una familia. En ese caso, puede que no haya más víctimas, ni más objetos ni testigos. O puede que sigamos encontrando cadáveres, pero todos asesinados en el mismo momento. Entonces no estaríamos buscando a una persona que ha desaparecido sin dejar rastro, sino a una familia entera, a la que por lo visto nadie da por desaparecida.

–Refugiados del este. O desplazados –murmura MacDonald.

–Ocupémonos primero de la niña –ordena Stave–. Tal vez con ella tengamos más suerte que con los otros dos. Quizá haya cuidadoras que la reconozcan, compañeras de juegos, maestros. La pequeña debía de ir a algún colegio. Recorreremos uno por uno los colegios y los hospicios que acogen principalmente a hijos de refugiados y desplazados.

De nuevo suena el teléfono. Stave, que a veces pasa días sin recibir ninguna llamada, mira molesto hacia el aparato negro. Su secretaria asiente con la cabeza, habla con educación, suspira, cuelga.

–De la Jefatura S –anuncia–. Han enviado a investigadores de paisano a todos los mercados negros. Por el momento nadie ha encontrado todavía un *spencer,* pero prometen que seguirán teniendo los ojos bien abiertos.

–Bien –contesta Stave, aunque en ese instante siente de repente la extraña certeza de que en el mercado negro nunca aparecerá una prenda de ropa llamativa. Porque alguien está destruyendo sistemáticamente todas las pruebas, se dice.

–Entonces, yo me ocupo de los carteles –confirma Maschke entre dientes, y desaparece.

–Yo tengo una cita en el Departamento de Patología –informa el doctor Czrisini–, el cadáver ya debe de haberse descongelado un poco. Aunque no creo que el examen de la niña me desvele nada que no sepamos ya. –Se despide esbozando una reverencia.

–Váyanse tranquilos a casa –les dice Stave a MacDonald y a Erna Berg–. Hoy ya no ocurrirá mucho más por aquí. –Los sigue a ambos con la mirada hasta que la puerta de la antesala se cierra tras ellos.

Stave se sienta a su escritorio y saca de un cajón una carpeta vacía de un verde sucio. Lentamente pasa a máquina el primer informe provisional, consigna la hora, el lugar del hallazgo, los nombres de los testigos, incluye todos los pequeños detalles de la víctima que le han llamado la atención. Después archiva el informe. Dos hojas de papel amarillento escritas a máquina. ¿Qué vendrá después? Una fotografía policial de la víctima. El informe de la autopsia del doctor Czrisini. ¿Y luego? ¿Es eso todo lo que queda de una vida? ¿Un par de hojas de papel mecanografiadas entre dos tapas de cartón? Y ni siquiera un nombre.

El inspector jefe cierra los ojos. Poco sirve de consuelo que en la última guerra murieran millones de personas que dejaron aún menos rastro que las tres víctimas de asesinato cuyos expedientes tiene expuestos ante sí en forma de abanico. Una mujer. Un anciano. Una niña. ¿Qué tienen los tres en común, además de su terrible final?

Evoca en su imaginación la imagen de la niña muerta, luego mira las fotografías en blanco y negro de los otros dos rostros, despiadadas en sus detalles. ¿Un parecido familiar? Es ilusorio: todos los muertos se parecen, en cierta forma. La misma mirada vacía, los rasgos faciales congelados para siempre.

El estrépito del teléfono lo sobresalta y lo saca de sus cavilaciones. Otra vez. ¿Quién sabe que aún sigue ahí? Descuelga el auricular con brusquedad, casi esperando que le anuncien la siguiente víctima.

Es Ehrlich.

–¿Cree que podría pasarse cinco minutos por mi despacho? –pregunta educadamente el fiscal.

–Desde luego –responde Stave.

La única respuesta posible para evitar aún mayores molestias.

El fiscal se está rascando la calva cuando entra Stave. En su despacho casi hace calor; el inspector jefe aspira con gratitud el aroma de un té recién hecho. La oficina tiene un aire de apartamento, piensa Stave, y se pregunta si Ehrlich no pasará allí todos los domingos.

–Es una auténtica lástima que tuviéramos que interrumpirlo en la estación –masculla Ehrlich, y señala la silla de las visitas–. ¿Había ido a preguntar por su hijo?

El inspector jefe se queda mirando al fiscal sin salir de su asombro. Siente que lo han descubierto haciendo algo bochornoso.

Ehrlich levanta las manos, conciliador.

–Es solo una suposición. Tengo entendido que su hijo está en paradero desconocido.

–Esa expresión tiene un sonido extraño –repone Stave.

–Y, sin embargo, en ella resuena algo más de esperanza que en «desaparecido», o que en un sencillo «se fue», ¿no le parece?

–Usted también tiene hijos –afirma Stave. El fiscal debe constatar que también él está informado de la vida privada de los demás.

Ehrlich asiente con aparente indiferencia.

–Dos. Están allí, en el internado.

Stave tarda unos segundos en comprender que Ehrlich se está refiriendo a Inglaterra.

–Son adolescentes. Una edad difícil. Y los últimos años no han sido sencillos: mi exilio, las humillaciones en casa, el fallecimiento de mi mujer.

«En paradero desconocido» por «desaparecido», «fallecimiento» en lugar de «suicidio»: a estas alturas, Stave ya ha leído algunos sumarios de Ehrlich y lo admira por la precisión y la economía de su lenguaje. Sin embargo, es algo que reserva para los acusados, como un arma que uno prefiere tener bien guardada cuando hay amigos delante. Cambia de tema, no quiere conocer detalles de las desgracias personales de Ehrlich y menos aún exponer las suyas. Le informa de manera concisa de lo que sabe sobre el nuevo asesinato.

–¿Le confiere eso una nueva dimensión al caso? –pregunta Ehrlich.

Stave guarda silencio y mira algo desconcertado al fiscal. Este limpia meticulosamente sus lentes antes de explicar:

–Mujeres y ancianos mueren asesinados. Es una lástima, pero sucede todos los días. ¿Una niña, sin embargo? ¿No es una barrera psicológica más alta? ¿No cae con ello la última frontera moral?

–Si lo que quiere decir es que nos enfrentamos a un criminal al que debemos considerar capaz de cualquier cosa, entonces: sí, también yo lo creo –afirma Stave–. No tiene escrúpulos.

–A la mayoría de los asesinos que se atreven con niños los empujan sentimientos que no pueden contener, matan siguiendo instintos básicos. Madres desesperadas con un gran desequilibrio mental. Hombres que atacan movidos por atroces arrebatos de ira o por sed de venganza. Pero en este caso el asesinato ha sido tan...

–... metódico –termina Stave la frase–. Los hechos se han desarrollado a sangre fría, con una técnica a prueba de fallos, y disculpe la expresión, por favor. Después, las pruebas se destruyen sistemáticamente.

–¿No le recuerda a algo? –pregunta Ehrlich con voz suave.

–A los campos de concentración –responde el inspector jefe sin dudarlo–. La Gestapo. Grupos de asalto. Las SS. Hombres que al matar ya no hacen ninguna distinción en cuanto al sexo o la edad de sus víctimas. Asesinatos sistemáticos que siguen siempre una misma técnica. Cadáveres que se entierran o se convierten en humo, expedientes que desaparecen, campamentos que se desmantelan antes de la llegada de los Aliados.

–No llega a ser una pista –dice Ehrlich, ensimismado–, pero considerémoslo el atisbo de una pista.

–Los vigilantes de los campos de concentración ya están en los tribunales –le recuerda Stave innecesariamente.

El fiscal lo mira con unos ojos medio ofendidos y medio compasivos.

–Pocos. Los que hemos podido atrapar. Hasta la mayor parte de los vigilantes de Auschwitz corren libres por ahí. Igual que la mayoría de los matones de la Gestapo. Y ya ni hablemos de todos los miembros de las SS.

–¿Buscamos a un antiguo esbirro nazi que se ha mantenido fiel a su ideología asesina aun después de la caída del régimen y que ahora ha puesto en marcha una especie de campaña privada?

–Es posible. O a alguien que está eliminando sistemáticamente a testigos molestos de antiguos delitos.

Stave reflexiona un momento.

–Pero ¿de qué me sirve a mí eso? No puedo comprobar qué hizo cada uno de los habitantes de Hamburgo antes de 1945, uno por uno. Y aunque pudiera y conociera todos sus crímenes, ¿cómo los relacionaría con los asesinatos actuales? Ni siquiera conocemos la identidad de las víctimas. –Stave sacude la cabeza–. Es a través de las víctimas como llegamos a los asesinos. Si sabemos quiénes son, podemos sacar conclusiones, y es muy posible que estas nos conduzcan entonces a sus verdugos. Mi mayor esperanza en estos momentos es la niña muerta. Tenía que ir a algún colegio. De manera que habrá profesores o compañeras de clase que la podrán identificar. Los dos adultos puede que vivieran apartados del mundo, pero un niño siempre está rodeado de más gente.

–Buena idea –murmura Ehrlich, que saca un pliego de papel de cartas con su nombre impreso, destapa una pesada estilográfica Montblanc y escribe un par de líneas.

Stave lo contempla en silencio hasta que lo ve rubricar su firma con trazos enérgicos.

–Una carta de recomendación –explica Ehrlich al entregársela–. Por si la niña pertenecía a una familia de desplazados o judíos perseguidos, vaya primero a preguntar al Warburg Children's Health Home, en Blankenese. Estas líneas le facilitarán la entrada. De todos modos, además de esto necesitará también una autorización de los británicos.

–¿Un hogar infantil?

–Un hogar infantil especial.

Stave desiste de hacer más preguntas. Asiente con la cabeza, dobla la carta con cuidado, se la guarda en el bolsillo del abrigo y lamenta haber enviado a MacDonald antes a casa.

–Iré a ver al teniente –anuncia–, ahora que todavía es de día. Con un poco de suerte, enseguida obtendré los papeles necesarios. Así, mañana a primera hora iré a preguntar a Warburg.

Se levanta y va hacia la puerta. Cuando ya la ha abierto, el fiscal lo detiene con un gesto.

–Muchas felicidades por su cumpleaños. Me he fijado en la fecha al ver su expediente personal.

–Gracias –murmura Stave, sorprendido. Es el primero que lo felicita en todo el día. Este año cumple cuarenta y tres.

MacDonald vive en una de las villas requisadas de la ciudad, en Innocentiastrasse, barrio de Harvestehude, «Zona A»: calles prácticamente intactas. Los británicos y los americanos quisieron matar con sus ataques aéreos sobre todo a trabajadores; la mayoría de las zonas de villas las dejaron indemnes. Probablemente también, sospecha Stave, porque en aquel entonces ya pensaban que después de la guerra sus oficiales necesitarían alojarse en un sitio adecuado a su rango. De camino a Harvestehude, el inspector jefe pasa por delante del Planten un Blomen, el que una vez fuera el parque más bonito de la ciudad. Todavía en 1944 se plantaron allí rosales nuevos que desde entonces florecen de un rojo radiante todos los veranos. Entre las rosas y los senderos para paseantes, sin embargo, la primavera anterior unos arados con bueyes abrieron surcos para plantar patatales. Ahora, el parque desfigurado yace bajo una capa de nieve vieja, marrón negruzco, blanco sucio y abandono.

En las calles colindantes hay carteles que rezan ¡PROHIBIDA LA ENTRADA A CIVILES ALEMANES! y ¡SOLO FUERZAS ARMADAS BRITÁNICAS! Policías militares británicos muertos de frío que lo miran con indiferencia. Villas prácticamente impecables, salvo por un par de tubos de estufa improvisados que salen de las ventanas de algunas mansiones. Árboles intactos en las aceras. Cubos de basura metálicos junto a las puertas. Todo está en calma entre las villas, donde casas y árboles frenan el ímpetu de las ráfagas glaciares. Solo de vez en cuando se oye el rugido del Jeep de alguna patrulla militar sobre el asfalto. Algunas personas se arrastran de un cubo de basura al siguiente: veteranos con una sola pierna, un hombre con una mochila y una niña de unos diez años de la mano, viejos; mujeres avergonzadas que, con la cabeza envuelta en pañuelos, ocultan su rostro como si fueran mendigas de Oriente Próximo. Levantan las tapas de los cubos, revuelven entre los desperdicios buscando patatas estropeadas, hojas mustias de lechuga, corazones de manzanas comidas. Un joven recolecta en la acera colillas pisadas de cigarrillos ingleses. Nadie habla, nadie levanta la mirada. Los policías militares les dejan hacer.

Señores coloniales, piensa Stave; los ingleses viven aquí como en la India o en África, y nosotros somos los nuevos culis. Solo que ningún indio ni ningún africano había hecho arder antes en llamas la mitad del mundo ni se había ganado con ello su propia humillación.

Innocentiastrasse: ramas peladas de arces jóvenes, Jeeps en las aceras; detrás, hileras de villas blancas de cuatro pisos y cincuenta o sesenta años de antigüedad. Desde alguna habitación sale música de jazz, la BBC tal vez, o un disco en un gramófono requisado.

En el número 28, el inspector jefe le enseña la identificación a un soldado que monta guardia en el portal y pregunta por MacDonald.

–*Third floor, second left* –responde el británico.

Es tan joven como mi hijo, piensa Stave, y en ese momento habría dado media vuelta y habría echado a correr bajo los arces, habría querido ir corriendo hasta la estación central. En lugar de eso, asiente con la cabeza y sube la ostentosa escalera cuidando de disimular su cojera ante la mirada del centinela.

Stave llama a la puerta. Nada. Llama otra vez. ¿Habrá salido el teniente? Ya está a punto de dar media vuelta cuando oye unos ruidos al otro lado, de modo que espera. MacDonald abre por fin. Lleva solo pantalones y camisa y va descalzo. Aunque en la villa hay calefacción, en realidad tampoco hace tanto calor como para eso.

MacDonald jadea al respirar, pero enseguida recupera visiblemente la compostura y se esfuerza por sonreír.

–¿Qué puedo hacer por usted?

Stave, que se ha dado cuenta de que el teniente intenta ocupar todo el umbral, da un paso atrás y tose. A toda prisa le habla de su visita a Ehrlich, del Warburg Children's Health Home y de los pases británicos que se necesitan para entrar en él. Cuando todavía está hablando, percibe un movimiento tras los hombros de MacDonald, una sombra que cruza la habitación.

Erna Berg.

Stave hace como si no se diera cuenta y sigue hablando. El teniente lanza una mirada nerviosa por encima del hombro, mira después al inspector jefe sin saber si debe considerarse descubierto o no. Luego sonríe un momento, con timidez, hace un gesto vago, algo así como una disculpa.

–Me ocuparé de ello –promete–. Iremos juntos mañana, con mi Jeep llegaremos antes. Además, tengo curiosidad por ver si descubre algo. Pasaré a buscarlo por la Central de Investigación Criminal. Si quiere, podemos llevar también a Maschke.

–Gracias –dice Stave–. Que pase un buen domingo.

–Lo mismo le deseo a usted –exclama MacDonald, pero Stave ya ha dado media vuelta y se aleja. Tiene prisa por salir de esa casa.

Supervivientes y desaparecidos

Lunes, 3 de febrero de 1947

Un trayecto silencioso en el Jeep: MacDonald conduce, Stave va en el asiento del acompañante, Maschke ocupa el duro banco posterior. El agente de Orden Público se aferra a la chapa metálica de la carrocería para que las sacudidas del vehículo no lo hagan saltar. Da la sensación de que lo lleven al dentista. El teniente mira al frente mientras recorre Elbuferstrasse a toda velocidad. El inspector jefe lo mira de reojo.

No han malgastado ni una palabra sobre su último encuentro en lo que va de mañana. Erna Berg ha llegado al despacho, alegre como siempre. O bien no sabe que ayer la reconocí, piensa Stave, o está hecha una actriz de aúpa o está tan de vuelta de todo que ya le da lo mismo que la haya descubierto. En realidad, aunque su marido esté en paradero desconocido, su secretaria es una mujer casada. Adulterio. A mí qué me importa, se dice Stave, e intenta concentrarse en el interrogatorio que tiene por delante.

Si es que se le puede llamar interrogatorio. Un hogar infantil. Lleva en el bolsillo del abrigo la fotografía policial de la pequeña asesinada. Pero ¿debería enseñársela a los niños? ¿Niños a cuyos padres gasearon, a cuyos compañeros de juegos apalearon, cuyas casas bombardearon? ¿O solo al director del hospicio? Sin embargo, ¿conocerá tan bien a todos sus pupilos como para identificar a uno de ellos en una foto tomada por la Policía?

Mira por la ventanilla. A su izquierda, la capa de hielo del Elba brilla bajo el sol de la mañana, lisa y áspera como una gigantesca placa de hormigón. Se ven varios barcos pequeños, cargueros y barcas de pescadores, congelados e inmóviles en los muelles devastados. La parte superior de dos vapores hundidos sobresale del hielo. Grúas dobladas, medio derribadas. Dos hombres encorvados contra el viento cruel, envueltos en mantas y abrigos, se alejan de la orilla de Harburg por el hielo.

–¿Por qué necesito una autorización británica para visitar ese hospicio? –pregunta Stave, en parte por curiosidad, pero también por acabar con ese agobiante silencio.

MacDonald responde enseguida, aliviado por tener un tema de conversación.

–El hogar se llama «Warburg Children's Health Home». Fundado por Eric Warburg y ubicado en su villa.

Stave asiente.

–¿El banquero? ¿Emigró, no?

–A Estados Unidos, en 1938. Regresó después de la guerra. La propiedad vuelve a ser suya. La utiliza para ayudar a niños judíos, la mayoría supervivientes de campos de concentración. Todos ellos han perdido más o menos a toda la familia. Proceden de diferentes *lands*. En Blankenese los cuidan y los miman, les dan buena comida y una educación. La institución goza de especial protección por parte de la Administración británica.

–¿Ha hablado ya con la gente de allí?

–Por teléfono, esta mañana. Les he indicado por qué vamos, pero no he desvelado muchos detalles. La profesora con quien he hablado, por cierto, ya tenía noticia de la niña asesinada. Parece que la información se ha extendido deprisa por toda la ciudad. También había visto los carteles de la Policía con las fotos de las otras dos víctimas; están colgados por todas partes. En Blankenese no han echado en falta a ninguna niña de esa edad.

–Entonces, ¿para qué vamos? –tercia Maschke.

–Porque si la niña asesinada era una superviviente de un campo de concentración, allí encontraremos a alguien que la reconocerá –explica Stave.

Tuercen por Kösterbergstrasse, un estrecho camino de adoquines que sube en cuesta flanqueado por setos tras los que relucen tejados de villas cubiertos de escarcha. Arriba del todo se alza un gigantesco palacete pintado de amarillo; torrecillas, altos ventanales, un prado a su alrededor. En realidad no es más que una instalación de abastecimiento de aguas de la ciudad, vestigio de una época de abundancia extinguida hace ya mucho tiempo, en la que hasta las naves para albergar bombas de agua se construían como casas señoriales.

La entrada del número 60 queda justo enfrente. Setos altos, una gran verja de hierro forjado con pilares enlucidos de amarillo. Un joven tira del pesado batiente al ver llegar el Jeep. La entrada está alfombrada con grava rastrillada, y a continuación se ve un imponente roble pelado; detrás, una villa de finales del siglo XIX, los años de la *Gründerzeit,** con casa de huéspedes y ventanas redondas como ojos de buey en la planta baja.

Tras las ventanas se distinguen caras de niños, miradas curiosas. En la puerta, una mujer de unos treinta años, pelo negro y corto, envuelta en un abrigo de lana gris. Mira a Stave y a Maschke como si fueran perros callejeros.

–Le estaría muy agradecida si no sacara su identificación –le dice a Stave como saludo–. Causa recuerdos desagradables.

Una extraña expresión, piensa Stave. Y un acento más extraño aún. Se presenta, decide no tenderle la mano y, en lugar de eso, esboza una reverencia. Maschke no dice nada, MacDonald realiza un desenvuelto saludo militar.

–Soy Thérèse DuBois. Esta mañana ha hablado usted conmigo, teniente. Me han dado instrucciones de que los asista en lo que deseen.

Salida de un campo de concentración, sospecha Stave. Probablemente francesa, quizá de Alsacia. Muchos franceses –judíos o miembros de la Resistencia– fueron a parar a Bergen-Belsen, o

---

* En alemán, «época de los fundadores», un período económico y cultural alemán coincidente con la industrialización de Centroeuropa. *(N. de la T.)*

a Ravensbrück. Piensa en los juicios de Curiohaus; es muy posible que conozca a Ehrlich. Renuncia a preguntarle quién «le ha dado instrucciones».

–Siento mucho venir a visitarlos con un cometido tan desagradable –dice entonces–. Intentaré que nuestra visita sea lo más breve posible.

–Pasen, por favor –dice Thérèse DuBois, y los lleva a una galería acristalada y con calefacción en la que hay sillones de mimbre y ficus en grandes macetas de cerámica. Stave tiene que obligarse a no mirarlo todo con ojos desorbitados: hacía años que no veía plantas de interior.

El inspector jefe explica por qué están allí, y tampoco se calla en cuanto a los otros dos asesinatos. Después carraspea y saca la foto de la Policía.

La profesora la mira. Palidece más aún, pero observa el retrato con atención. Después niega con la cabeza.

–Nunca había visto a esta pobre criatura. Estoy muy segura de que no es una niña de nuestra casa.

Stave guarda silencio unos momentos y tamborilea nervioso con los dedos en el brazo del sillón, se da cuenta de lo que hace y cierra los puños.

–¿Podría ser que alguno de sus niños la conociera? ¿Que fueran tal vez compañeros de clase?

–¿Quiere enseñarles esta fotografía a nuestros niños?

–Si así puedo dar con el asesino de la pequeña, sí.

Thérèse DuBois se inclina hacia atrás y lo piensa.

–Nuestra casa acoge en estos momentos a treinta niños –murmura–. Muchos no tienen más que uno o dos años. Nunca salen de la mansión. Los niños en edad escolar reciben sus clases aquí, no van a colegios alemanes.

Habla como si esos colegios fuesen campos de prisioneros.

–La verdad es que ahora solo tenemos a dos niños que salgan fuera. Hacen recados, juegan o salen a explorar. Aunque para eso ha hecho demasiado frío estos últimos meses. Los llamaré a los dos.

–¿Y podré enseñarles la fotografía?

–Ambos han visto a más niños muertos que usted, inspector jefe.

Sale de la galería y regresa poco después con una niña y un niño. Stave calcula que tienen unos quince años.

–Leonore y Jules –los presenta Thérèse DuBois, y los niños, tímidos, se quedan de pie en el centro de la sala.

Stave sonríe, MacDonald asiente para reconfortarlos, Maschke tose y se levanta.

–Quisiera ir a fumar, si no les parece mal –murmura.

El inspector jefe asiente, y entonces Maschke sale corriendo al jardín, donde el humo de su cigarrillo inglés no tarda en ascender entre las ramas peladas del roble. A Stave le parece bien: cuantos menos adultos tengan delante los niños, mejor. Y los comentarios cínicos de Maschke, de todas formas, serían lo último que necesita en estos momentos.

Les explica con calma a los muchachos por qué está ahí. Thérèse DuBois susurra en francés traduciendo lo que dice; la niña parece entender el alemán.

Entonces Stave les enseña la fotografía.

Leonore y Jules la miran fijamente. Los rasgos de la niña muestran compasión; los del chico, una curiosidad clínica. Antes aun de que digan nada, el inspector jefe sabe cuál es la respuesta.

–Nunca he visto a esta niña –dice Leonore con seguridad. Tiene un fuerte acento. De muy al este, cree Stave, puede que Galitzia.

–*Non, je n'ai jamais vu cette fille* –susurra Jules, y no hace falta que nadie lo traduzca.

Stave guarda enseguida la foto en el bolsillo de su abrigo, por un lado decepcionado por tener que marcharse de allí sin resultados; por otro, aliviado por no tener que enfrentar a más niños con esa fotografía.

–¿Alguno de vosotros ha estado alguna vez en esa parte del puerto? ¿En el canal del Bille? ¿Recogiendo carbón? –pregunta.

–Nuestros niños no tienen por qué recoger carbón –contesta Thérèse DuBois, a media voz pero indignada. Stave no hace caso.

Leonore sonríe con ciertas dudas y, según le parece al inspector jefe, algo ansiosa.

–Nunca he llegado hasta allí. Está demasiado lejos.

La profesora suspira y traduce también la pregunta al francés, tamborileando con impaciencia con los dedos. Jules sonríe con el gesto de un chico que ha salido del hogar más veces de lo que creen los adultos. Sin embargo, también él niega con la cabeza.

Stave se levanta.

–Eso es todo.

–¿Encontrará al que lo ha hecho? –pregunta Leonore.

El inspector jefe se queda desconcertado unos instantes. Después ve los ojos grandes y serios de la chiquilla, la mirada insistente.

–Sí –responde–. Lo encontraré.

–¿Y qué pasará entonces?

–Que el asesino irá a los tribunales y lo juzgarán. El que hace algo así –dice señalando con la mano el bolsillo de su abrigo en el que ha guardado la foto– ya no queda impune.

La niña le tiende la mano.

–Mucha suerte.

Thérèse DuBois sonríe por primera vez desde que están en la villa. Los conduce de nuevo a la entrada.

–¿Qué será de estos niños? –pregunta Stave con el picaporte ya en la mano. MacDonald está detrás de él, Maschke espera fuera caminando de un lado a otro como un animal enjaulado, observado con curiosidad por algunos pequeños que entretanto se han atrevido a salir de la casa de huéspedes y se han quedado debajo del roble.

–Cuando vuelvan a estar sanos y bien alimentados, organizaremos su travesía a Palestina. Su nuevo hogar. Desde la zona de la ocupación británica es más fácil conseguirlo que desde cualquier otro punto, porque aquí la supervisión no es tan estricta. Ironías de la vida, ¿no cree?

Parece que MacDonald acabe de morder una guindilla.

Stave recuerda haber oído en algún lugar que los británicos ocupan Palestina desde la I Guerra Mundial. Ha leído acerca de las luchas entre judíos y árabes, y también que los británicos no quieren dejar viajar a más judíos de Europa a Oriente Próximo. Pero los judíos, los supervivientes del genocidio, quieren marcharse y lo intentan todo para conseguir colarse como sea en barcos con rumbo a Palestina. No me extraña que el teniente ponga esa cara, piensa con cierta malicia.

–En caso de que sepa alguna cosa más, infórmeme, por favor. –Arranca una hoja de su cuaderno y escribe su nombre y número de teléfono.

–Debe de ser difícil conseguir ponerlo todo otra vez en orden –comenta ella, doblando el papel con cuidado.

El inspector jefe no está seguro de haberla entendido y la mira con una expresión interrogante.

–Después de todas estas catástrofes –explica ella–. Hay tanto que arreglar... No me refiero solo a los escombros de las ciudades. Y quedan muy pocos hombres como usted o el señor Ehrlich.

–¿Conoce usted al fiscal?

–He sido testigo en los juicios de Curiohaus.

–Ehrlich trabaja también en este caso.

–¡Como si no tuviera ya suficientes casos! Un hombre con una misión.

La mujer los acompaña hasta el Jeep. Allí se les suma de nuevo Maschke, que huele a humo de tabaco. Justo cuando sube al vehículo, Stave se da cuenta de que una de las niñas de debajo del árbol señala al hombre de Orden Público y les dice algo a sus compañeros de juego. Después se lleva una mano al cuello y hace el gesto del que corta una garganta.

Conoce a Maschke, piensa Stave, perplejo. Y no le gusta nada.

Con un rodeo innecesario, da la vuelta al Jeep y se lleva consigo disimuladamente a Thérèse DuBois unos pasos más allá.

–¿Quién es esa niña? –pregunta, y señala un instante a la pequeña con la mano sin preocuparse de si la profesora desconfía de su pregunta. Tiene solo unos segundos si no quiere que Maschke se entere de nada.

La mujer comprende que es importante.

–Anouk Magaldi. –Sus labios apenas se mueven al hablar–. Ocho años, hace unas semanas que está aquí.

–¿De un campo de concentración?

–No. Vivía en Francia, cerca de Limoges. Allí mataron a sus padres. Los dos eran judíos. Ahora también traemos a huérfanos como ella a Hamburgo. Porque, como le he dicho, desde aquí es más fácil conseguirles billete a Palestina.

–Adiós –dice Stave en voz alta–. Muchas gracias por la información. –Entonces sube al Jeep.

En el trayecto de vuelta mira por la ventanilla sin decir nada; no está seguro de si sabe ahora más que esta mañana o no. No hay duda de que la niña muerta no vivía en ese hogar, seguramente tampoco era una judía de un campo de concentración. O sea que o era de Hamburgo o era una refugiada alemana, o una desplazada. ¿Qué desplazados que no sean judíos siguen viviendo en Alemania un año y medio después del final de la guerra? Sobre todo rusos y polacos que temen a los comunistas y que por eso no quieren regresar. ¿Debería enviar las fotografías de las víctimas a las policías polaca y soviética? Pero ¿cómo? Además, ¿se tomarán los antiguos enemigos la molestia de buscar a unas personas que por lo visto preferían seguir subsistiendo en un imperio destrozado a regresar a su patria?

Todavía no sé nada, piensa, nada de nada.

¿O sí?

Dos cosas que ha visto hoy ocupan de pronto su mente, lo desconciertan, lo alejan de la pista del triple asesinato, que en realidad es la que debería seguir. ¿Por qué esos gestos ante Maschke? ¿De qué conocía la niña del hogar infantil al agente de Orden

Público? ¿De que, escudándose en su puesto, acosa a niñas pequeñas?

Intenta mirar disimuladamente por el retrovisor y observar el rostro de su compañero. Sin embargo, el Jeep da sacudidas sobre el asfalto, el espejo tiembla, la imagen se desfigura unos segundos, luego desaparece.

¿Y Ehrlich? Thérèse DuBois lo ha llamado un «hombre con una misión». ¿Por qué se ha metido el fiscal en esos casos? ¿Es posible que no quiera ni mucho menos construir una democracia, tal como afirma? ¿Sino que a él, cuya mujer acabó sucumbiendo al suicidio, lo mueva algo muy distinto: la venganza? Venganza contra los torturadores del régimen anterior. ¿Serán para él esos tres asesinatos apenas una herramienta más para saldar las cuentas con un antiguo nacionalsocialista? Pero ¿cómo?

–¿Y ahora qué?

La pregunta de MacDonald sobresalta a Stave. No se había dado cuenta de que ya han llegado a la Central.

–Esperad –decide–. Hoy saldrán los carteles con la foto de la niña y del medallón. Veremos si esta vez alguien dice algo. Maschke, usted vaya a investigar algo más al lugar del último hallazgo. Tal vez encuentre otro testigo. Quizá haya algún detalle que le llame la atención y que ayer se nos pasara por alto. También podría ser que los compañeros de la Jefatura S nos llamen hoy diciendo que han encontrado algo en el mercado negro. O que Czrisini haya hecho algún descubrimiento con la autopsia.

Se despide de ambos, sube con cansancio la escalera hasta su despacho, cierra la puerta que lo separa de la antesala. Por alguna razón, le resulta embarazoso ver a Erna Berg: conoce su secreto. Jamás se lo confesaría, pero tampoco le apetece tenerla delante.

Sentado solo frente a su escritorio, reflexiona. Después toma una decisión: seguirá con la investigación como de costumbre, pero mientras tanto hará también averiguaciones sobre Ehrlich y Maschke sin llamar la atención. Nunca se sabe.

A la mañana siguiente, el hombre de la Jefatura S se apresura al despacho de Stave, se detiene en el marco de la puerta y anuncia:

–Sin novedades. Ni chaquetas de niña, ni suspensorios, ni dentaduras postizas. No hemos encontrado nada que podamos vincular con las víctimas. Si quiere, puede echarle un vistazo a varias decenas de abrigos de invierno, medias de señora o zapatos viejos que hemos requisado durante las redadas de las últimas cuarenta y ocho horas. Yo, por lo menos, no he sabido cómo relacionar ninguna de esas cosas con alguno de los cadáveres. Seguimos buscando. Dentro de nada empieza la siguiente operación.

–Gracias –masculla el inspector jefe con cansancio, pero la puerta ya ha vuelto a cerrarse.

No hay noticias de la población en respuesta a los carteles. Parece que nadie conocía a la niña. Nadie había visto antes un medallón así.

Stave le dirige un tímido gesto a Erna Berg, después alcanza su abrigo y el sombrero.

–Me voy al Servicio de Desaparecidos.

Ella lo mira con sorpresa.

–Allí ha estado ya el teniente MacDonald.

–Pero prefiero darme una vuelta yo mismo en persona.

«Servicio de Desaparecidos», otra de esas denominaciones a las que aún tiene que acostumbrarse. La Cruz Roja y las dos Iglesias han reunido su documentación y a sus expertos para formar la que quizá sea la mayor oficina de búsqueda de desaparecidos del mundo. Allí confluyen todos los avisos, las fichas, los comunicados de las autoridades, consultas policiales, viejas órdenes de la Wehrmacht, listas de prisioneros de las fuerzas de la ocupación y miles de otros documentos que ofrecen pistas sobre el paradero de soldados ilocalizables o refugiados desaparecidos. Tres millones y medio de miembros de la Wehrmacht a quienes sus familias buscan, de los que nadie sabe si viven y, en tal caso, dónde. También quince millones de refugiados. Eso hace un total de dieciocho millones y medio de fichas, kilómetros de cajas de cartón que contienen nombres, fechas de nacimiento, últimas direcciones y últimos paraderos conocidos, posibles pistas garabateadas a mano o escritas a máquina.

Una de esas fichas lleva el nombre de su hijo.

Stave conoce bien el camino; ya ha ido allí muchas veces. Primero por Feldstrasse, luego pequeños senderos de escombros que cruzan un barrio prácticamente aniquilado. No hay ni una casa intacta, apenas algún muro que siga en pie. Unos cuantos carteles y notas en una pared: anuncios de búsqueda, un aviso del gobierno militar y el último cartel de búsqueda de Investigación Criminal. Su obra, medio rasgada ya por una ráfaga de viento. En mitad de las ruinas hay un autobús desguazado con un gran cartel clavado en el techo: El Cuervo de Cuero. El inspector jefe se pregunta quién irá allí a comprar nada.

Llega a un paseo: Altonaer Allee, acera derecha, número 91. Los antiguos juzgados municipales, justamente, no han sufrido ningún daño. Un palacio de justicia wilhelminista de piedra clara con columnas, cabezas y figuras en la fachada. Sin duda se trata de representaciones alegóricas, pero Stave ve en ellas quizá reproducciones pétreas de los desaparecidos.

Los jueces tuvieron que marcharse. Ahora, los que administran los dieciocho millones y medio de destinos por descifrar son más de seiscientos hombres y mujeres pálidos, diligentes, discretos, insensibilizados desde hace tiempo ante el sufrimiento ajeno.

Frente al portentoso edificio hay una columna de anuncios con un gran cartel. En blanco y negro, una cruz roja en el centro, numerosas fotografías de niños. El texto reza: ¿CÓMO PUEDO BUSCAR Y ENCONTRAR A LOS MÍOS? En Hamburgo no dejan de colgarse carteles como ese, siempre iguales y, no obstante, diferentes cada semana: las fotos cambian. Cuarenta mil niños sin padres a quienes alguien ha recogido, y eso solo en Hamburgo. La mayoría tan jóvenes que ni siquiera saben su apellido y mucho menos su dirección. Sus rostros, algunos con tímidas sonrisas en el momento de sacar la fotografía, otros indiferentes o insolentes o temerosos, parecen seguir a Stave con la mirada cuando sube los peldaños y abre la pesada puerta.

Los largos y sombríos pasillos están abarrotados de estanterías altas hasta el techo en cuyos anaqueles se alinean cajones de madera abiertos llenos de fichas. En los despachos hay grandes mesas sobre las que se ven libros: listas encuadernadas con datos y fotografías, sobre todo de soldados. Infolios de los desaparecidos.

El inspector jefe resiste la tentación de acercarse a la fila de cajones con la letra S y sacar la ficha de «Stave, Karl». ¿De qué le serviría? Va al despacho del encargado, Andreas Brems, a quien ya conoce de sus visitas anteriores.

Este levanta la mirada y sacude la cabeza con el pesar de siempre. Igual que un empleado de pompas fúnebres, piensa Stave.

–Nada nuevo sobre su hijo, inspector jefe.

–He venido por cuestiones oficiales –repone él, y sus palabras suenan más desagradables de lo que hubiese querido.

Brems asiente, ni ofendido ni con especial curiosidad, y espera la pregunta con resignación.

Stave le explica el caso de los asesinatos en serie. El empleado sonríe a medias.

–Un inglés ya estuvo aquí por eso. Sus agentes también nos han hecho llegar ejemplares de los carteles de búsqueda –explica con paciencia–. Ninguno de nosotros recuerda haber visto a esas personas en una fotografía. Y sin nombres no podemos ofrecer ninguna ayuda.

–¿Y con una fecha?

Brems lo mira con expresión interrogante.

–Ordenamos las fichas por el apellido y el nombre del desaparecido. Si no tenemos nombre, la cosa se complica. Con los niños pequeños que no conocen su verdadero nombre utilizamos otros criterios, naturalmente: sexo, edad estimada, lugar donde fueron encontrados y demás. Uno de mis compañeros ya ha contrastado esa lista de desconocidos con los datos de la niña muerta: nada.

–¿Puede saberse cuándo ha llegado cada caso al Servicio de Desaparecidos?

–En todas las fichas lo pone, así como quién ha dado el aviso. Pero las fichas no están ordenadas por fecha de entrada.

Stave se frota la nuca.

–¿Han entrado muchas en este último mes? Solo me interesan los avisos desde la semana del primer asesinato hasta hoy. Los treinta y cinco días desde principios de enero hasta ahora.

El empleado niega con la cabeza, perplejo.

–Normalmente, las denuncias de desapariciones recientes las tienen ustedes, no llegan al Servicio de Desaparecidos. Hace ya casi dos años que acabó la guerra. El que no ha vuelto a ver a los suyos desde entonces, hace ya tiempo que acudió a nosotros. En realidad solo hay dos clases de personas que todavía vienen a denunciar desapariciones: por un lado están los refugiados que no han llegado hasta ahora a las zonas occidentales. Pero como a causa del frío hace ya semanas que no entra ningún tren de fuera, le garantizo que nadie ha llegado del este desde principios de enero. Por otro lado, de vez en cuando acude a nosotros alguna persona especialmente desesperada o preocupada que no se fía, y disculpe que se lo diga, de la Policía. Recurren a nosotros porque nuestros avisos de búsqueda cruzan más fácilmente las fronteras de las zonas de la ocupación a través de la Cruz Roja y las Iglesias. Esposas, por ejemplo, que creen que sus maridos han podido huir a Suecia o incluso a América.

–De manera que, en la actualidad, cuando alguien acude al Servicio de Desaparecidos y no solo a la Policía lo hace porque la persona desaparecida no ha dejado pistas tras de sí, o solo alguna muy enigmática. Los rastros son tan vagos que los familiares no creen que la Policía consiga dar con ellos. Precisamente por eso, es posible que entre esos desaparecidos encuentre pistas sobre mis víctimas si investigo con la suficiente minuciosidad. O puede que me encuentre, aunque espero que no, con otras víctimas potenciales a las que quizá todavía no hemos hallado entre los escombros. Tal vez descubramos algún tipo de patrón. –Stave sonríe con debilidad.

Brems asiente despacio, se le enciende una luz, de repente está interesado.

–Una compañera mía trabaja con esa clase de entradas nuevas. No pueden haber sido muchas en las últimas semanas. Le preguntaré a ella.

Se apresura a salir del despacho y reaparece diez minutos después con una ficha en las manos.

–El único aviso –informa–. Del 13 de enero.

–Una semana antes de que encontráramos el primer cadáver.

Stave lee la ficha. Doctor Martin Hellinger, nacido el 13 de marzo de 1895 en Barmbek, Hamburgo, industrial, residente en Marienthal, Hamburgo, desaparición denunciada por su mujer, Hertha. Junto a la ficha, una foto, a todas luces de un viejo pasaporte: pelo ralo, seguramente gris, lentes de montura metálica, mejillas abundantes, una papada que sobresale del estrecho cuello de la camisa.

–Es evidente que no era soldado ni refugiado. ¿Por qué han aceptado su ficha aquí?

Brems carraspea.

–Mi compañera estaba aburrida. Y le dio lástima la señora Hellinger. Así que le abrió un expediente y envió una solicitud. A Inglaterra.

–¿Inglaterra? ¿Adónde más las envían?

–A América. Pero por qué la envió solo a Inglaterra, eso no lo sé. La señora Hellinger dijo que seguramente era allí donde estaba su marido. Es posible que secuestrado.

–¿Y no se dirigió a la Policía con esa información?

Brems vuelve a carraspear, pero no dice nada.

Stave se apunta todos los datos que aparecen en la ficha. Marienthal es un barrio que queda cerca de su casa. No estará de más pasarse a llamar a la puerta.

–Gracias –masculla.

–Hasta la próxima, inspector jefe. Le llamaremos si tenemos alguna novedad. De su hijo, quiero decir.

En la Central se encuentra con Maschke y MacDonald. Stave deja que los dos hablen primero. El agente de Orden Público informa de que en ningún centro de distribución de raciones se han encontrado con una cartilla sobrante. Tampoco MacDonald ha tenido mucho éxito. Por lo visto, a la niña asesinada no la conocían en ningún colegio de Hamburgo; al menos ninguno de los profesores interrogados ha reconocido a la pequeña.

–Tendremos que imprimir nuevos carteles –dice Stave con cansancio–. Tenemos que alertar a la población para que desconfíen de todo desconocido. Y para que no compren en el mercado negro ninguna prenda de ropa sospechosa.

–¿Qué prendas de ropa son sospechosas? –pregunta Maschke.

–Tampoco yo lo sé. La primera advertencia va dirigida a la población. La segunda debería inquietar al asesino, o por lo menos estropearle el negocio, en caso de que sea ese el móvil de los crímenes.

–Si es que existe alguno.

Cuando los dos hombres se vuelven hacia la puerta para marcharse, Stave abre su cuaderno de notas. Les habla de su excursión al Servicio de Desaparecidos y después lee los pocos datos que tiene del doctor Martin Hellinger.

–Iré a hablar con su mujer.

Maschke lo mira fijamente con ojos inexpresivos.

–No sé en qué va a ayudarnos eso –murmura.

MacDonald se ha ruborizado. Por unos instantes, el inspector jefe cree que el nombre del desaparecido le ha causado turbación. Después, no obstante, se da cuenta de que el británico ya ha abierto un poco la puerta del despacho y desde allí se ve a Erna Berg, que está archivando expedientes en una estantería de espaldas a ellos. Enamorado y feliz, piensa Stave, y siente el frío pinchazo de los celos en su corazón.

–Mañana a primera hora iré a ver a la señora Hellinger –anuncia.

–¿Necesita que lo acompañe? –pregunta Maschke, y está claro lo que piensa del asunto.

–No –responde el inspector jefe, no especialmente afligido–. ¿Y usted, teniente?

MacDonald todavía sigue colorado.

–Mañana tengo una reunión oficial hasta el mediodía, lo siento.

La «reunión oficial» se llama Erna Berg, está casada y es mi secretaria, piensa Stave, pero se fuerza a sonreír.

–Bien –dice–, entonces iré sin compañía. Solo por asegurarnos.

Un papel y una testigo

Miércoles, 5 de febrero de 1947

Stave mira por los cristales congelados de su apartamento. Es muy temprano. No vale la pena ir a la Central y luego desandar otra vez casi todo el camino hasta Marienthal para hablar con la mujer del desaparecido. Por otro lado, tampoco es que pueda presentarse en su casa a las seis de la mañana y llamar al timbre como hacía antes la Gestapo. Así que se dedica a contar las plaquitas de hielo que se han formado en el borde del témpano que ocupa el centro de la ventana, le echa el aliento e intenta, en vano, olvidar el frío y el dolor de la pierna.

Poco a poco va saliendo el sol. Por fin Stave se levanta. Si va dando un paseo, no llegará antes de las ocho, y a esa hora ya no hay nadie que duerma, con esas temperaturas.

Marienthal es un remanso de paz, un barrio de villas del este de Hamburgo que queda a solo unos cientos de pasos del edificio de apartamentos de Stave. Los Aliados nunca atacaron Marienthal. Como mucho cayó allí alguna bomba perdida.

Stave recorre Ahrensburger Strasse en dirección al centro. La luz es grisácea y los peatones se evitan unos a otros. Nadie mira a los demás; nadie se acerca ya a los edificios en ruinas, a pesar de que los escombros podrían protegerlos del viento helado.

Se detiene junto a una columna de anuncios y estudia la última obra de Investigación Criminal; un cartel de búsqueda, encolado en algún momento de esa misma mañana, en el que se lee: ¡RECOMPENSA DE 5.000 MARCOS DEL REICH! A continuación se muestran las fotografías de las tres víctimas. «Un asesino suelto

–dice debajo–, una bestia con forma humana». Después siguen las descripciones detalladas de las víctimas y los lugares donde se las ha encontrado. «¿Nadie echa en falta a las personas asesinadas? ¿Puede alguien desaparecer en esta ciudad sin que alguno de sus familiares, amigos o conocidos se preocupe por él?» Y eso lo he escrito yo, piensa Stave con asombro. Debía de estar cansado.

Un parque diminuto en el lado izquierdo de la calle, apenas mayor que un solar. Adoquines, árboles y arbustos talados hasta la raíz, los esqueletos de dos bancos cuyos listones de madera ha arrancado alguien.

Stave tuerce por Eichtalstrasse. A ambos lados de la calle hay villas de dos pisos, con tejado y frontones que dan a la calzada. Cada casa es diferente: con ladrillo rojo visto, pintadas de blanco o amarillo, cubiertas de hiedra... Castaños y hayas rojas junto al borde del pavimento, algunos mutilados, otros todavía en pie. Sus pasos resuenan con fuerza sobre los adoquines. Quinientos metros más allá murió quemada Margarethe, y aquí todo sigue igual que siempre, piensa Stave.

Llega a un pequeño jardín delantero descuidado bajo una capa de escarcha sucia. Detrás hay una villa con estrías de suciedad en la pintura blanca y un postigo torcido en una ventana; por lo demás, está bien conservada. Una fina columna de humo gris negruzco sale de la chimenea, y nota el acre y aun así agradable olor de unas brasas de carbón. De pronto Stave tiene prisa por entrar en la casa.

El timbre está mudo, así que llama con unos golpes. Tiene que esperar un poco, pero después la puerta se abre. Del interior escapa una oleada de aire cálido y hace que el inspector jefe tirite sin querer. Una mujer de unos cincuenta años, alguna cana en la larga melena castaño oscuro, un rostro suave, ojos marrones, batín elegante, algo raído.

Stave le enseña su identificación, se presenta.

La señora Hellinger duda un momento, luego sonríe con timidez, lo invita a pasar. Suelos de parqué, cómodas estilo Biedermeier; en el papel pintado de las paredes es posible distinguir rectángulos más claros donde hasta hace poco todavía colgaban cuadros. Stave sospecha con qué pagan los Hellinger el carbón. Su anfitriona lo conduce hasta la parte trasera de la casa, a una especie de saledizo que da al silencioso jardín, en un nivel inferior. Le ofrece asiento en un sillón de mimbre.

–¿Una taza de té? –pregunta, y el inspector jefe asiente con gratitud–. No pensé que recibiría una visita de la Policía –sigue diciendo.

Stave sonríe apenas.

–¿Por qué?

–Denuncié la desaparición de mi marido en la comisaría del barrio. Allí un agente cumplimentó un formulario con mis datos, y tuve la impresión de que eso iba a ser todo.

–¿Por eso acudió al Servicio de Desaparecidos?

La mujer asiente y da unos sorbos de té con cuidado. Le tiemblan un poco las manos.

–Explíqueme algo acerca de su marido. –Stave saca metódicamente su cuaderno de notas.

–Es un manitas que hizo de ello su profesión –le dice la señora Hellinger, y sonríe otra vez con timidez–. Ya de joven fundó su propia empresa. No es muy grande, pero sí sólida. Una compañía que fabrica aparatos especiales.

–¿Qué clase de aparatos?

–Calculadores de desviación de trayectoria, sobre todo para submarinos.

Como Stave la mira sin comprender nada, ella levanta una mano a modo de disculpa.

–Fue un invento suyo. Por lo que tengo entendido, los capitanes de submarino tienen que realizar unos cálculos muy complicados antes de disparar un torpedo. Deben tener en cuenta su curso más el curso de la nave atacada, la velocidad de ambas, la velocidad del torpedo, las corrientes y no sé cuántas cosas más. Mi marido desarrolló unas máquinas calculadoras que los ayudaban a hacerlo. El oficial introduce un par de datos, hace girar unas cuantas ruedecillas y el resultado ya está ahí. Más o menos lo mismo que las calculadoras de oficina, solía decir mi marido, solo que un poco más complicadas. Suministraba sus aparatos a Blohm und Voss, y los armadores los instalaban en todos los submarinos que botaban al mar.

–Un buen negocio, supongo –murmura Stave–. Por lo menos hasta mayo de 1945.

Ella lo mira molesta.

–Después de... –busca una palabra adecuada–, la caída, mi marido siguió sacando adelante su empresa a pesar de las grandes dificultades.

–La mayoría de los barcos que fueron hundidos por submarinos eran ingleses. Imagino que los nuevos amos de nuestra ciudad no tendrían un interés desmesurado en preservar una compañía que contribuyó a enviar al fondo del océano a la mitad de su flota.

La señora Hellinger tose un poco.

–Mi marido, naturalmente, reorganizó la producción. Todos los cacharros son iguales, eso decía él siempre. En realidad le daba lo mismo producir una cosa que otra, solo tenía que ser lo bastante complicado como para despertar su interés.

–¿Qué produce la fábrica en la actualidad?

–Cronómetros especiales: relojes de control para oficinas y fábricas. Relojes que controlan máquinas.

–¿Y eso se sigue comprando hoy en día?

–Desde luego. Muchas empresas, aunque con dificultades, vuelven a sacar adelante su producción. Y además, nuestros relojes cuelgan incluso en los cuarteles y los clubes británicos.

Así son los vencedores, piensa Stave, que de repente se siente como si un abrigo de cuero mojado le tirara de brazos y hombros hacia abajo. No importa quién haya ganado una guerra: los vencedores siempre hacen negocios. No les falta carbón. Viven en villas. Solo una cosa no encaja, y es que normalmente no desaparecen sin dejar rastro.

–¿Qué sucedió el 13 de enero? –pregunta.

–No lo sé muy bien. La noche del día anterior nos habíamos ido tarde a dormir. Mi marido siempre ha sido muy madrugador, no le importa dormir poco. Se levantó temprano, de eso sí que me di cuenta medio dormida. Después volví a dormirme, y cuando por fin me desperté era ya media mañana, puede que las diez, y él había desaparecido.

–¿Desaparecido?

Las mejillas de la señora Hellinger adoptan un tono rojizo.

–Hace treinta años que mi marido y yo estamos casados. Se conoce uno muy bien, créame. Mi esposo se levantaba a menudo antes que yo, pero siempre, ¡siempre!, se despedía antes de salir de casa. Y por las mañanas, cuando no iba a la empresa sino a visitar clientes, entonces me lo decía.

–Esta vez, sin embargo, ¿la casa estaba vacía cuando usted se levantó?

–Sí. Había desaparecido.

–¿Se llevó algo consigo? ¿Dinero?

Sus mejillas están ahora coloradas.

–No, que yo sepa. No tenemos mucho dinero en efectivo en la casa. Y no, no falta ningún objeto de valor. Ninguno que no faltara ya antes, ya me comprende.

Stave mira los rectángulos claros de las paredes y asiente con la cabeza. Consulta las notas que hizo durante su visita al Servicio de Desaparecidos.

–Dijo usted que llevaba su abrigo. De lana, azul marino. También sombrero, bufanda y guantes.

–Por lo menos faltan del armario. Así se viste siempre en invierno.

–Tampoco estaba su cartera.

–Se la llevaba todas las mañanas al trabajo.

–¿Qué había en ella?

La señora Hellinger se encoge de hombros.

–Documentos, supongo. Nunca miré dentro.

–¿Planos? ¿Contratos?

–La verdad es que no lo sé.

Stave se pregunta si alguien que fabrica calculadores de desviación de trayectoria y relojes de precisión utiliza alambre fino para producirlos. Lazos de alambre.

–¿Estaba la puerta de casa cerrada con llave cuando se dio cuenta de la desaparición de su marido aquella mañana?

La señora Hellinger lo mira sorprendida, piensa.

–Cerrada sí, pero no con llave.

–Muchas gracias –masculla Stave, y cierra su cuaderno de notas.

–Hay otra cosa.

Stave levanta la mirada. La mujer duda, toma aire.

–Cuando empecé a buscarlo, encontré un papel arrugado en el suelo del armario, justo donde solía colgar su abrigo. Al principio no le presté ninguna atención, pensé más bien que nuestra mujer de la limpieza había sido algo descuidada. Sin embargo, después, al ver que mi marido no estaba por ninguna parte y empezar a buscar pistas, recuperé el papel.

Del cajón de una cómoda saca una nota no mayor que la palma de la mano. Papel cuadriculado, bordes rasgados: un pedazo arrancado a toda prisa de una libreta, supone Stave. De una libreta como las que utilizan ingenieros y técnicos, que a menudo tienen que hacer cálculos o esbozos.

Observa el papel con detenimiento. Está arrugado: las marcas de infinitas dobleces han formado en él una red. Por un lado no hay nada. En el otro, sin embargo, hay una palabra garabateada a lápiz, como si la hubieran escrito apresuradamente.

–*Bottleneck* –susurra el inspector jefe con asombro.

Ella lo mira, desconcertada.

–Yo, la verdad, no sé inglés –explica la mujer–. Una amiga me lo ha traducido.

–Cuello de botella.

–Está escrito a toda prisa, pero es sin duda la letra de mi marido. ¿Qué puede querer decir?

–Eso –dice Stave, alargando la frase– me pregunto yo también.

El inspector jefe se despide, con prisa pero a la vez con renuencia. Hasta el último centímetro de su cuerpo disfruta del calor de la villa. Qué bien estaría quedarse allí un poco más, quitarse el abrigo, tomar otro té caliente. Cerrar los ojos, dormir. Por otra parte, la novedad que ha descubierto lo empuja a salir. Tiene que hablar con sus compañeros, intercambiar ideas, examinar teorías disparatadas para ver si son plausibles.

Aprieta el paso, cojea incluso, ya que en esos momentos no piensa en disimular nada. *Bottleneck*. Cuello de botella. Cuello. ¿Casualidad? ¿Qué querrá decir? ¿Es Hellinger el asesino? Pero ¿por qué esa nota? ¿Por qué una palabra en inglés? ¿O es que el industrial desaparecido es cómplice del asesino? ¿Acaso un testigo?

Stave se detiene de pronto: si Hellinger pretendía desaparecer esa mañana, ¿perdió quizá la nota sin darse cuenta? No es muy probable. Sin embargo, si efectivamente, como afirma su mujer, escribió esa única palabra a toda prisa, si arrugó el papel y lo tiró en el armario, allí donde tendría que estar su abrigo, ¿no indica eso que tuvo apenas unos instantes? ¿Y que no estaba solo? Pero ¿quién estaba con Hellinger esa mañana en la villa? ¿Se fue el industrial con el desconocido por propia voluntad? ¿O lo secuestraron? Eso es lo que parece sospechar su mujer. ¿Quién querría secuestrarlo?

Stave entra en su despacho todavía dándole vueltas a esas ideas. Sentado a su escritorio contempla el papel que ha recibido de manos de la señora Hellinger: se lo ha entregado con muchas dudas. Tal vez tema que sea la última señal de que su marido sigue con vida, piensa el inspector jefe. Y quizá tenga razón.

–Convoque a Maschke y a MacDonald –grita poco después para que su secretaria lo oiga a través de la puerta cerrada.

Se percibe un soplo frío de tabaco antes aun de que se abra la puerta; a continuación entra Maschke. Solo unos momentos después lo sigue MacDonald.

Escueto, Stave les explica a ambos lo que ha hecho esa mañana. Maschke se queda pensativo y asiente con reconocimiento. MacDonald no hace más que mirarlo fijamente.

Stave le sostiene la mirada.

–*Bottleneck* –anuncia al fin–. Eso es lo que dice la nota. Nada más. –Les enseña el trozo de papel.

El teniente se ha quedado blanco.

–¿Qué querrá decir? –susurra.

El inspector jefe levanta las manos.

–Quiere decir que va a tener usted que volver a preguntar entre sus compañeros sí o sí. Esto podría estar relacionado con nuestro asesino. O quizá no, pero de todas formas la desaparición de Hellinger sigue siendo extraña y esta pista es lo único que tenemos de él. Una pista inglesa.

MacDonald agacha la cabeza y no deja que se le vea bien la cara. Sus gestos son difíciles de interpretar, piensa Stave. ¿Vergüenza, porque el indicio señala a un compatriota suyo? ¿O ira, porque un policía alemán acaba de lanzar un reproche contra los británicos?

El teniente vuelve a levantar la mirada, se esfuerza por mostrarse amable.

–Tiene usted razón, inspector jefe. Una pista inglesa. La seguiré.

Justo cuando el británico va a levantarse, llaman a la puerta. Es Erna Berg, que por un instante le dedica una sonrisa al joven antes de dirigirse a Stave.

–Hay una señora que desea hablar con usted.

–¿Quién es?

–Anna von Veckinhausen. Dice que ya la conoce.

Stave hace caso omiso de las miradas curiosas de MacDonald y Maschke y se despide de ambos con un gesto de la cabeza. El agente de Orden Público se abre paso sin decir palabra junto a la mujer de pelo oscuro. El teniente es más cortés y la deja pasar, la saluda con amabilidad y luego cierra la puerta al salir.

Por fin, piensa Stave. Señala la silla que hay delante de su escritorio. Le mira las manos sin querer. Una franja clara en el anular de la mano derecha. ¿Una alianza que ya no lleva? ¿Separada? ¿Viuda? ¿O no es la marca de un anillo llevado durante años, sino una herida? ¿Quizá la herida medio cicatrizada de un lazo de alambre del que tiró con sus manos? Me estoy volviendo paranoico, se advierte el inspector jefe.

Una mirada escrutadora de los ojos almendrados de la mujer. Tal vez se esté arrepintiendo de haberse presentado, piensa Stave. Le deja tiempo.

Anna von Veckinhausen se sienta frente a él en la silla, cruza el brazo sobre el pecho, su mano derecha reposa en el hombro izquierdo. Otra vez ese gesto de autoprotección. Luego, la mujer sonríe con esfuerzo.

–Supone por qué he venido.

–Tengo mis sospechas.

–No se lo expliqué todo.

–En nuestro primer interrogatorio dijo que había tomado el atajo de los escombros desde Collaustrasse para llegar a Lappenbergsallee. En el segundo interrogatorio explicó que iba usted por Lappenbergsallee y quería cruzar hacia Collaustrasse... O sea, que según esa versión iba en sentido contrario.

–No volveré a subestimarlo –susurra ella.

Stave reprime una sonrisa.

–Así pues, ¿qué estaba haciendo verdaderamente entre los escombros aquella tarde del 25 de enero? Y ¿qué vio?

–El 25 de enero no vi nada, por lo menos no entre los escombros. En realidad no estuve allí.

Stave abre su cuaderno, pasa páginas de anotaciones.

–Pero informó usted del cadáver el 25 de enero. En la comisaría más cercana.

–Pero no lo encontré ese día.

–¿Sino...?

–El 20 de enero. Yo iba por el sendero... Por cierto, venía de Collaustrasse, aunque seguramente eso ahora ya no tiene importancia. Vi el cadáver, pero no acudí a la Policía.

–¿Por qué no?

–Tuve miedo. No quería buscarme problemas. En toda mi vida no había tenido nada que ver con la Policía. No soy de Hamburgo, no conozco a nadie aquí que pueda ayudarme en caso de verme en dificultades. Así que pensé que le dejaría el asunto a alguna otra persona. De todas formas, ya no podía hacerse nada por ese hombre.

–Pero nadie encontró el cadáver.

–No podía creerlo. Leía el periódico, todos los días esperaba encontrar una noticia sobre el hombre desnudo. Nada. En algún momento comprendí que nadie había visto el cuerpo. En realidad tampoco era tan extraño, seguramente no hay muchas personas que se atrevan a tomar ese camino, y yendo por él tampoco se veía. Estaba dentro del cráter de una bomba, algo apartado del sendero. Me sentía culpable. Después de cinco días ya no lo soporté más, informé a la Policía e hice como si acabara de ver al hombre por primera vez. Pero eso tampoco estuvo bien. Desde entonces no hago más que tener que inventar mentiras, y me pregunto si no estaré obstaculizando la búsqueda del asesino. Por eso hoy quería explicárselo todo. Espero que no sea demasiado tarde.

El inspector jefe guarda silencio un buen rato.

–Si el cadáver no se veía desde el sendero, ¿cómo es que lo encontró usted? –pregunta entonces.

–Buscaba cosas de valor –responde ella–. Me había apartado del camino e iba entre los cascotes.

Stave no reacciona. Anna von Veckinhausen sonríe con melancolía.

–No me dedico al tipo de pillaje que piensa usted –sigue explicando–. Soy de Königsberg. Tal como puede suponer por mi apellido: familia noble, la fortuna habitual, la educación habitual. Luego también la huida habitual del país.

–¿Cuándo llegó a Hamburgo?

–Hui en enero de 1945. En el *Wilhelm Gustloff,* que se hundió. Me rescató un cazaminas que me llevó hasta Mecklemburgo. Desde allí fui arreglándomelas como pude hasta que llegué aquí en mayo de 1945.

–¿Sola?

–Sola. –Lo dice con mucha seguridad, muy deprisa.

Stave vuelve a fijarse en la franja clara de su dedo. Me gustaría saber si ya estaba sola cuando embarcó en el *Wilhelm Gustloff,* piensa. Y si llegó a tiempo de partir hacia el oeste para huir del Ejército Rojo.

–¿Desde entonces vive usted en un barracón Nissen en el canal del Eilbek? –pregunta en voz alta.

–Sí.

–Eso queda muy lejos de Lappenbergsallee.

–Me dedico a un tipo especial de pillaje. La mayoría busca madera o cacharros de metal, estufas o piezas eléctricas. Yo busco antigüedades.

El inspector jefe no puede creer lo que oye.

–¿En las ruinas bombardeadas de apartamentos donde vivía gente sencilla?

–Evidentemente, no son villas en cuyas paredes colgaran colecciones de arte, pero en toda vivienda había por lo menos una pieza valiosa de la herencia familiar. No creería usted la cantidad de cosas que se encuentran si se tiene un ojo experto: viejas biblias de familia, tazas de porcelana de Meissen, condecoraciones del antiguo Imperio alemán, cucharitas de plata, el reloj de bolsillo del abuelo...

–Y usted cuenta con ese ojo experto.

–Crecí rodeada de antigüedades valiosas. A lo largo de los últimos años he entrenado mi mirada para encontrar esos tesoros entre ladrillos y cascotes, embarrados, abollados, con aspecto de no valer nada.

–¿Y después?

–Restauro lo que encuentro. Escribo en un papel lo que sé sobre la pieza: antigüedad, procedencia y esa clase de cosas. Luego se las vendo a los oficiales británicos. O a empresarios de Hamburgo que han salido beneficiados con la guerra.

Stave recuerda de pronto la palabra *bottleneck,* cuello de botella.

–¿Vende también botellas valiosas? ¿Cristal antiguo? ¿Perfumeros o algo similar?

Ella lo mira sorprendida, niega moviendo la cabeza.

–No. En los escombros no suelen encontrarse ese tipo de cosas. No intactas, por lo menos.

–¿Conoce a un tal doctor Martin Hellinger? Un industrial de Marienthal, de aquí, de Hamburgo. ¿Es cliente suyo? –Le enseña la fotografía.

–No lo había visto nunca. Tampoco el nombre me resulta familiar. ¿Por qué lo pregunta?

–Solo era una idea. ¿Había vendido usted algo en el mercado negro cuando la detuvimos? Llevaba encima más de quinientos marcos del Reich.

–Acababa de encontrarme con un oficial británico frente al Garrison Theatre, junto a la estación central, y le había vendido un óleo. Un colorido paisaje *kitsch,* abetos alemanes, cumbres alemanas, ya sabe usted. Pero a él le gustó. Volvía a casa cuando me vi sorprendida por su redada. Pura casualidad.

Stave se lo apunta: MacDonald tendrá que comprobar esa historia.

–El día 20 de enero, por tanto, estaba usted buscando cuadros de paisajes y relojes del abuelo entre las ruinas que hay junto a Lappenbergsallee.

–De alguna forma hay que sobrevivir. Era la primera vez que iba allí. Queda bastante lejos del canal del Eilbek, pero esperaba encontrar material que valiera la pena.

–¿Y fue así?

–Ni siquiera tuve tiempo de ponerme a buscar: apenas acababa de llegar cuando vi una sombra entre los restos de dos muros.

–¿Una sombra?

–Una silueta. Ya estaba anocheciendo, se me había hecho tarde. Había calculado mal cuánto tardaría en llegar desde mi casa hasta allí. En realidad, vi más un movimiento que a una persona. ¿Sabe lo que quiero decir? Algo con el rabillo del ojo. Algo amenazador.

–¿Y entonces?

–Me escondí detrás de un montón de cascotes.

–¿Por qué?

–Era nueva en ese sitio. Iba a saquear. Son suficientes motivos, ¿no le parece?

–¿Qué sucedió entonces?

–Esperé un rato, hasta que me pareció que ya no se movía nada. Después me levanté, seguí mi camino y descubrí al hombre desnudo. Lo demás ya lo sabe usted.

–¿Podría decirme algo más sobre esa silueta? ¿Qué llevaba puesto? ¿Era grande, pequeña, gruesa, delgada? ¿Un hombre? ¿Un niño?

–No era un niño, eso seguro. No era demasiado grande ni demasiado pequeña. Quizá más bien alta y delgada. En aquel momento me pareció que era un hombre, pero ahora que lo pienso mejor: no, no le vi la cara. También podría haber sido una mujer. La figura iba bien tapada con un abrigo.

–¿Un abrigo de lana? ¿Un abrigo de caballero? ¿De la Wehrmacht?

–Un abrigo oscuro y largo. Negro o marrón oscuro.

–¿O azul oscuro?

–Podría ser, sí. Llevaba la cabeza cubierta, con un pañuelo o una bufanda. O puede que con una gorra cubierta a su vez con algo más.

–¿Qué más vio? ¿Los zapatos? ¿Las manos? ¿Llevaba tal vez guantes especiales?

–En eso no me fijé.

–¿Oyó algo? ¿Algún ruido?

–¿Ruidos?

–Golpes. Gritos, puede que apagados, ahogados. Gritos de socorro.

Anna von Veckinhausen niega con la cabeza.

–Al contrario. Ahora que lo dice, había muchísimo silencio. Un silencio espectral. Creo que ese absoluto silencio hizo que inconscientemente me pusiera nerviosa. Por eso me sobresalté tanto, aunque apenas si pude ver a aquella figura.

Stave cierra un momento los ojos y reflexiona. Anna von Veckinhausen recorría el solar algo tarde. Ya estaba anocheciendo: luz escasa, no se ve bien. Por otro lado, tampoco a uno pueden verlo. Quizá sea la mejor hora para los saqueadores, cuando queda la luz justa para ver con ojo avezado, pero también está suficientemente oscuro como para no llamar la atención.

La mujer ve al asesino, por lo menos su silueta. Después encuentra el cadáver. No da aviso a la Policía: quizá porque, tal como afirma, no se atrevió. Quizá también porque quiere evitar preguntas desagradables sobre sus expediciones de pillaje.

El inspector cree su historia. Todo encaja. Si esa figura era el asesino, Anna von Veckinhausen debió de acercarse al lugar de los hechos poco después de que se cometiera el crimen. El anciano ya estaba muerto, seguramente también desnudo. De modo que el viejo debió de pasar por allí cuando aún era de día, puede que por ese mismo sendero que cruzaba las ruinas. O es posible que lo mataran en algún otro lugar y luego el asesino lo llevara allí. Pero ¿se habría atrevido el criminal a hacerlo cuando todavía no estaba oscuro?

–¿La vio el desconocido?

Ella duda, otra vez se protege el cuerpo con el brazo.

–Me escondí enseguida. Me puse a cubierto, como diría un soldado, y me dio la impresión de que aquella figura hacía justo lo mismo, aunque no puedo estar segura.

Mierda, piensa Stave. Si eso es cierto, Anna von Veckinhausen no solo es la única testigo del crimen. El asesino, entonces, también sabe que alguien lo vio.

–¿Alguna otra cosa que recuerde?

Ella lo piensa.

–Un olor –dice entonces–. Con este aire tan helado no se respira muy hondo, pero aun así estoy segura de que entre las ruinas olía a tabaco.

–¿El desconocido estaba fumando?

–No, al menos yo no vi ningún cigarrillo, ninguna brasa. Solo olía a tabaco. Estaba en el aire y luego desapareció.

Un cargamento de cigarrillos, piensa Stave. ¿Llevaba encima cigarrillos el anciano y por eso lo mataron? ¿Fue un robo con homicidio? ¿Sería el móvil finalmente el estraperlo?

–Mecanografiaré su declaración. Espere en la antesala, por favor; después podrá leer de nuevo el texto y firmarlo, en caso de que no quiera modificar ni añadir nada.

La mujer asiente, se levanta, duda.

–¿Y mis saqueos? ¿Tienen que aparecer en la declaración?

Stave se permite el lujo de sonreír.

–Dejémoslo en que pasaba usted por ese sendero.

La acompaña hasta la puerta y le indica una silla de la antesala sin hacer caso de las miradas de curiosidad de Erna Berg. Después escribe a máquina la declaración él mismo, arranca la hoja de papel del carro y relee el texto de principio a fin. No es que sea mucho: con un testimonio así no se envía a nadie al patíbulo. Pero eso el asesino no lo sabe.

Tengo un cebo, se le ocurre a Stave, y solo con pensarlo siente cargo de conciencia. Porque llamará al periodista y compartirá con él esa nueva información. Ningún nombre, desde luego, ningún detalle sobre domicilio ni edad, solo lo siguiente: Investigación Criminal tiene una testigo. Eso debería poner nervioso al asesino, y quizá entonces cometa algún error.

Descuelga el teléfono, pide a la centralita que lo pongan con la redacción de *Die Zeit*. Allí pregunta a la telefonista por Kleensch. La conexión crepita. Unos segundos interminables. Venga, vamos, piensa Stave.

Por fin Kleensch se pone al aparato.

–Tenemos un nuevo dato en el caso del asesino de los escombros.

–Lo suyo no es andarse con rodeos, inspector jefe –replica el periodista, y se ríe tanto que la línea resuena.

Stave, sin embargo, percibe algo en la voz del reportero, algo que sabe interpretar a la perfección: la excitación del cazador. Se imagina cómo habrá agarrado al instante el lapicero y el bloc de notas, ansioso por conseguir una historia.

–Se trata probablemente de un único autor. Una testigo vio una silueta en el lugar del hallazgo. Abrigo largo, cabeza cubierta. Es probable que pronto tengamos más detalles.

–¿En cuál de los tres lugares de hallazgo fue vista esa silueta?

Stave duda. ¿Pondrá en peligro a Anna von Veckinhausen si desvela esa información? Por otro lado: ¿no existe la posibilidad de que el asesino regrese allí para hacer desaparecer posibles pruebas? No sería muy inteligente, pero hay delincuentes que se comportan así. No tiene bastantes hombres para mantener vigilados a todas horas los tres lugares de hallazgo, pero quizá sí para uno solo.

–En el solar de escombros que hay junto a Lappenbergsallee. Donde encontramos al anciano.

Kleensch respira hondo, medita.

–¿Quién es esa testigo misteriosa?

–Siento no poder darle detalles al respecto.

–Comprendo. –De nuevo silencio, interrumpido únicamente por los crujidos de la línea.

¿Habrá alguien más escuchando?, piensa Stave de pronto. Entonces se llama al orden. Tonterías.

–En estos momentos no puedo informarle de nada más –dice.

–¿Seguirá teniéndome al corriente?

–Sí.

Cuelga. Veremos qué sucede, piensa. Entonces mira hacia la puerta cerrada que da a la antesala y llama a Anna von Veckinhausen para que entre de nuevo. Su única testigo. Su cebo.

Ella lee el acta detenidamente, tuerce el gesto una, dos veces.

–No es que sea usted un poeta, pero tiene una prosa muy correcta para un funcionario.

–Justo lo que opina la Fiscalía –masculla Stave–. ¿Se reconoce usted en el escrito, de todas formas?

La respuesta es una firma que ella traza con letra enérgica bajo los renglones y a la que añade la fecha.

–¿Puedo marcharme ya? –pregunta.

–¿Me permite que la acompañe?

El mismo Stave se sorprende de lo que acaba de decir. Le ha salido así, sin más.

Anna von Veckinhausen lo mira desconcertada.

–Voy en la misma dirección que usted –añade él enseguida–, solo que yo llego algo más lejos. Hasta Wandsbek.

Ella sonríe un segundo.

–Si nos damos prisa, aún llegaremos al último tranvía –repone.

Stave se levanta de un salto, alcanza abrigo y sombrero, le abre la puerta. Erna Berg lo mira con asombro.

–Envíe a un agente a buscarme si sucede algo importante –ordena el inspector jefe.

Sin más explicaciones. De pronto se siente animado como no lo estaba desde hacía años, aunque una voz interior le advierte que es un bobo y que tiene pinta precisamente de eso.

Una vez fuera del edificio, ambos echan a andar a paso ligero. Tienen que llegar a tiempo a Rathausplatz, desde donde salen los tranvías. Solo circulan durante unas horas, antes y después del mediodía, para ahorrar electricidad. Los dos se protegen contra el viento, ella con un pañuelo y una bufanda que se ha echado alrededor de la cabeza; él, hundido bajo su sombrero y tras el cuello subido de su abrigo. No hay tiempo para intercambiar muchas palabras. A Stave le parece perfecto, ya tiene suficiente con concentrarse en caminar y ocultar su cojera todo lo posible.

No te enamores, se reconviene, no pierdas la cabeza. Es tu única testigo. Un cebo que no sospecha que lo es para un asesino sin escrúpulos, un cebo que tú mismo has preparado. O tal vez sea una asesina, ¿quién puede descartar esa opción? No sabes casi nada de ella, ni siquiera si está casada. Quizá en la barraca la esperan marido e hijos. Hijos, sí: ¿qué pensaría Karl si regresara algún día? Su hogar, convertido en escombros; su madre, muerta y su padre, al que ya antes de la guerra despreciaba, viviendo con una nueva mujer. Impensable.

Aprietan el paso por la desprotegida Rathausplatz. Ella tiene las mejillas encendidas por el frío y el esfuerzo de la marcha ligera. Está preciosa, piensa Stave, y enseguida mira al suelo.

Delante del ayuntamiento se cruzan las tres líneas de tranvía cuyos raíles ya están reparados y han quedado despejados de cascotes. Vagones abollados, aglomeraciones, empujones. Vendedores que suben pesados cargamentos de carbón y patatas con sus gigantescos ayudantes. Carteros cansados que embarcan paquetes. Por lo menos no hay basura, piensa Stave. Todas las mañanas, los desperdicios se llevan en tranvía hasta el vertedero que hay a las afueras de la ciudad. ¿Cómo, si no, se desharían de ellos?

Entre los paquetes y las cajas se aprietan los pasajeros: estraperlistas, empleados de oficinas y tiendas que cierran todas las tardes a la misma hora a causa de los cortes eléctricos. Stave intenta con torpeza hacerle sitio a Anna von Veckinhausen, ayudarla a subir los peldaños del vagón.

Ella sola se las arregla mejor que él, es evidente que viaja más a menudo en tranvía. En el vagón falta sitio: el fuerte olor de abrigos mojados, de zapatos gastados hace tiempo, sudor, mal aliento, tabaco rancio.

Los que entran tras ellos los empujan hasta la ventanilla que hay frente a la puerta. El inspector jefe se resiste, saca un codo hacia atrás sin mirar a su alrededor, luego se resigna y se deja llevar hasta que queda apretado contra la mujer que debería hacer salir al asesino de su escondite por él. Sonríe como disculpándose.

–Son pocas paradas, después podremos volver a respirar un poco de aire fresco –dice ella.

Una sacudida, el chirrido de las oxidadas ruedas de acero sobre los raíles, un movimiento brusco cuando el tranvía toma una curva. Golpes en un hombro, en el estómago, el topetazo repentino del hombre de al lado que tropieza, un dolor en la mano porque alguien se ha aferrado al mismo asidero que él en busca de salvación. Groserías en voz baja y en voz alta. Nadie se disculpa. Todos se esfuerzan por no cruzar la mirada con nadie.

Stave no dice nada. Toda palabra vehemente es peligrosa. Nadie sabe lo que ha hecho en la guerra la persona que tiene al lado. No hay que olvidar que más de uno ha recibido una puñalada de manos de antiguos soldados rusos solo por insultarlos a media voz. También ha habido adolescentes que ya a los quince años luchaban en el frente como miembros de las Juventudes Hitlerianas y que han matado de una paliza a alguien porque los había empujado sin querer. Una sociedad devastada, piensa el inspector jefe, y los de Investigación Criminal vamos apartando los escombros.

Stave se encuentra otra vez sin saber qué decir. Qué obscena resulta esa falta de espacio. Cualquiera podría oír una palabra pronunciada en ese vagón. El que no reniega, calla. Además, ¿qué podría contarle?, piensa.

Por suerte, el tranvía se vacía tras la tercera y la cuarta parada: puntos sin señalizar en ese mar de ruinas y en los que decenas de personas bajan sin explicación aparente. ¿Adónde irán?, se pregunta el inspector jefe.

Ahora que hay paso, un sudoroso revisor se abre camino por el vagón. Stave le da un bono de transporte que tiene desde hace dos semanas y del que hasta ahora solo ha gastado un viaje. Debido a la escasez de papel, ya no se venden billetes para un único trayecto. Stave viaja poco en tranvía, así se ahorra un dinero que invierte en cigarrillos con los que a su vez compra información en la estación central a los soldados que regresan a casa. Además, las caminatas le van bien para fortalecer la pierna.

–Dos personas –le dice al revisor.

–Muy generoso por su parte –repone Anna von Veckinhausen.

Menos mal que no ha dicho ningún nombre, piensa él. Si hubiera añadido un «inspector jefe», sin duda habría llamado la atención de todos los viajeros. Una atención nada amistosa en un vagón lleno, por lo menos hasta la mitad, de personas que regresan del mercado negro.

–¿Viaja usted mucho en tranvía? –pregunta Stave sin que venga muy al caso cuando por fin se ha abierto a su alrededor espacio suficiente para sentirse cómodo hablando normalmente con ella.

–He aprendido a hacerlo en Hamburgo.

–¿Cómo se desplazaba antes?

Ella lo mira con atención, también algo divertida.

–¿Se trata de una pregunta oficial?

–Personal. No tiene por qué responderme –le asegura.

–En automóvil. En carruaje. Pero, a poder ser, a lomos de un caballo.

–Un hogar muy protegido.

–Una casa muy protegida. Ya sé lo que piensa.

–¿Qué pienso? –pregunta Stave.

–Que procedo de una familia de nobles terratenientes del este del Elba. Que fue gente como nosotros la que destruyó Alemania.

–¿Y fue así?

Ella exhala con rabia.

–Éramos de convicciones nacionalistas. Conservadoras. Pero nunca votamos al señor Hitler.

Al inspector jefe le intriga saber a quiénes se referirá con ese uso del verbo en plural, pero no se atreve a preguntarlo.

–Tengo que bajar aquí –dice Anna von Veckinhausen cuando el tranvía se detiene con frenos chirriantes ante una fachada que ha quedado en pie solo hasta la mitad, tiznada por un incendio.

Stave la acompaña sin pedirle permiso. Una calle recta que atraviesa colinas de cascotes entre los que sobresale algún que otro tocón de muro. Una hilera de anticuadas farolas de hierro colado, ciegas, recorre una de las aceras. Solo ellas han sobrevivido a la devastación. A Stave le recuerdan grotescas cruces plantadas hace tiempo en sus tumbas.

Los barracones Nissen están ubicados en un cruce que hay a la sombra del búnker: cuatro calles llenas de barracas construidas con chapa. El inspector jefe cuenta veinte de ellas. Por alguna de las diminutas ventanas recortadas en las cubiertas abovedadas llamea el resplandor amarillo anaranjado de las velas, otras están a oscuras. Hay un hedor acre a madera mojada ardiendo; humaredas azuladas que salen de las delgadas chimeneas torcidas y penden como nubes viscosas entre las barracas, entre las cuerdas con coladas olvidadas y congeladas hace tiempo, entre las ruinas. Olor a sopa de col y zapatos húmedos. De vez en cuando aparece la silueta embozada de una persona que viene del tranvía y pasa junto a ellos, empuja la puerta de una barraca y desaparece en ella.

Por unos instantes, la mirada de Stave atisba el interior: mesas toscas, estufas de dimensiones insuficientes en el centro de la vivienda, formas de negro hierro colado. Por todas partes hay ropas y telas colgadas de cuerdas, muchísimas y de todos los colores posibles, aunque desteñidos. Prendas tendidas para secarse o paredes provisionales con las que las familias intentan conseguir cierta intimidad en ese interior sin compartimentar.

Stave se pregunta cómo se las arreglará en una barraca rodeada de escombros alguien que creció en una casa señorial. ¿Se avergonzará Anna von Veckinhausen? ¿O estará feliz de seguir aún con vida y tener un techo sobre la cabeza, aunque no sea más que una gran bóveda de chapa ondulada?

Anna von Veckinhausen se dirige al barracón Nissen que ocupa el centro del cruce: un cruce en el que, absurdamente, todavía queda en pie una columna de anuncios casi intacta con un cartel sobre el asesino de los escombros. Anna von Veckinhausen se ve obligada a mirar las fotografías de las víctimas en cuanto sale de su barraca. Tal vez fue eso lo que la empujó a presentar una nueva declaración, piensa Stave, satisfecho.

Una pareja con abrigos de la Wehrmacht teñidos de otro color los adelanta, la mujer empuja un cochecito de bebé abollado cuyo eje delantero rechina. No parece que dentro haya ningún niño, piensa el inspector jefe. Más bien da la impresión de que sea un tocón de árbol que entre los dos habrán desenterrado a saber dónde. Recuerda su propio apartamento con calefacción y se pregunta, estremecido, cómo serán las noches en esas barracas con paredes de fina chapa metálica.

Anna von Veckinhausen aprieta ahora el paso.

Quiere deshacerse de mí, piensa el inspector jefe algo decepcionado. No quiere dejarse ver aquí conmigo.

–Muchas gracias por acompañarme –dice la mujer cuando llega a la puerta del barracón–. ¿Cree que voy a necesitar vigilancia?

–¿Por qué? –pregunta Stave.

–Porque el asesino me vio.

El inspector jefe piensa en su conversación con el periodista de *Die Zeit*. Se siente mal y mira el cielo gris.

–Si es que la figura que vio era el asesino. Y si esa figura llegó a verla a usted a su vez. Piense que el desconocido tampoco distinguiría de usted más de lo que usted vio de él. No sabe cómo es su rostro, y mucho menos cómo se llama ni dónde vive.

–En eso seguro que tiene razón –responde ella, aunque no parece convencida. Extiende una mano hacia él–. Buenas noches, inspector jefe.

Espera hasta que se ha alejado algunos pasos y solo entonces abre la puerta. Stave no alcanza a ver el interior del barracón Nissen. Se levanta una vez más el sombrero con cortesía a modo de despedida, pero la puerta ya ha vuelto a cerrarse con un golpeteo metálico. Se vuelve despacio y enfila el largo camino a pie hasta Wandsbek, sin cojear. Tal vez ella lo esté mirando por una de las diminutas ventanas del barracón.

Recorre a zancadas un par de cientos de metros, se obliga a no pensar en Anna von Veckinhausen, tampoco en su hijo, ni en su mujer, solo en el caso, en el condenado caso.

Un industrial de Hamburgo que tuvo negocios armamentísticos con el antiguo régimen y una aristócrata de la Prusia Oriental con opiniones conservadoras: ¿existirá alguna relación? La palabra *bottleneck* en un trozo de papel y el pillaje de antigüedades para venderlas a los británicos: ¿se podrá establecer un vínculo entre ambas cosas? Una figura embozada entre los escombros. Un abrigo largo. Olor a tabaco. Eso, si es que puede creer la declaración de su única testigo. Pero ¿puede fiarse de Anna von Veckinhausen? No pienses en ella, se advierte, ahora no. ¿Es que aún queda alguien de quien pueda fiarse? ¿MacDonald, después de todas las pistas que apuntan a una relación con los británicos? ¿Maschke, al que señaló aquella huérfana y que sin duda oculta algo? ¿Ehrlich, quien podría estar llevando a cabo una campaña de venganza personal y que no tiene el menor interés en encontrar al asesino?

Al llegar a casa, se arrastra escalera arriba sin ocultar ya su cojera, pues allí todo está a oscuras. Casi espera encontrarse a Ruge o algún otro municipal esperando ante su puerta, mensajeros con una nueva noticia, indudablemente mala. Sin embargo, el descansillo de su apartamento está vacío. Stave abre la puerta y luego la cierra con cuidado tras de sí. Se tumba en el sofá desgastado, todavía con el abrigo y el sombrero puestos. Hace un frío espantoso. Tendría que ir a la cocina, obligarse a comer algo. Está exhausto. Anna. No lo pienses. El inspector jefe se queda dormido en el sofá; lo último que percibe con claridad antes de hundirse en la negrura es su perplejidad por lo cansado que llega a estar.

La número cuatro

Miércoles, 12 de febrero de 1947

En el infierno, piensa Stave, no hace calor sino frío. Cuando mira por la ventana de su despacho, ve casas que parecen descuidadas: los tejados y las paredes orientadas al norte y al este están raspadas por un viento que se ha empapado de hielo en el Ártico y que restriega con su cepillo invisible el revoque y las tejas de madera. En los costados más amparados, el viento ha dejado placas de hielo hoyosas y velos de nieve polvo en canalones y alféizares, en los marcos de puertas vacíos de las casas bombardeadas. La temperatura no ha variado desde enero, solo la luz: durante ocho horas, el sol destella desde un cielo despejado en todos los tonos de azul, baña el mundo en una luminosidad que resalta, en exceso, incluso el detalle más insignificante. El inspector jefe ve hasta la última grieta de la fachada de la sala de conciertos, en la plaza de enfrente, como si fuera un grabado de Durero. Cada deteriorado capitel de columna proyecta sombras grotescas. Solo yo ando a tientas en la oscuridad, piensa Stave, un chiste malo.

El tercer informe de autopsia del doctor Czrisini hace tiempo que está en su expediente. Posible fecha de la muerte: alrededor del 20 de enero. No hay nada más que llame la atención. Stave se pregunta cuántas personas más no habrán sido asesinadas ese mismo día, y cuándo encontrarán sus cadáveres.

Kleensch ha publicado su artículo en *Die Zeit:* comedido, sin especulaciones infundadas, sin histerismos, sin esperanzas precipitadas. Pero suficiente como para enviar un mensaje: la Policía hace progresos. Stave ya había informado a Cuddel Breuer y al fiscal Ehrlich, para que no se enterasen leyendo la prensa directamente.

Por lo demás: nada.

Ha apostado a varios hombres en el solar de Lappenbergsallee, una guardia espantosa con el frío que hace. Ahora habrá unos cuantos agentes congelados y muertos de aburrimiento que lo estarán odiando por ello, ya que nadie se ha dejado caer por allí. No ha habido reacción alguna por parte del asesino, ningún indicio desde la población, ninguna pista nueva; nada de nada de nada.

Tampoco ha tenido noticias de Anna von Veckinhausen. ¿Habrá leído el artículo? ¿Estará furiosa con él? Stave le ha pedido a MacDonald que compruebe esa historia suya de la venta del cuadro *kitsch*. Parece que es cierta. En realidad, el teniente no ha encontrado todavía al soldado que compró el cuadro aquel día en cuestión, pero Anna von Veckinhausen, según se ha demostrado, es conocida entre muchos oficiales británicos; su mercancía es muy apreciada. El teniente le ha dado a entender de buenas maneras que algunos altos cargos británicos verían con extremo desagrado que no pudiera seguir proveyéndoles en un futuro. El inspector jefe asintió con la cabeza y masculló algo incomprensible. Había comprendido el mensaje.

En adelante ya no podrá presionar a Anna von Veckinhausen con acusaciones por saqueo u operaciones en el mercado negro. La testigo cooperará libremente o no lo hará. Y en caso de que estuviera relacionada con las muertes, Stave se vería obligado a presentar razones de peso para poder encararse con ella.

En cuanto a lo de *bottleneck,* MacDonald no ha conseguido nada. El industrial Hellinger continúa desaparecido.

Maschke se ha dedicado a visitar puerta por puerta a viejos médicos que ya están jubilados; fue idea suya, consiguió las direcciones en el Colegio de Médicos. De modo que ha preguntado a numerosos doctores por las víctimas, sobre todo por el anciano. No ha averiguado nada. Aunque era buena idea, piensa Stave, a mí mismo podría habérseme ocurrido. El compañero de Orden Público está resultando cada vez mejor.

Stave mira fijamente las finas carpetas que ha colocado unas junto a otras con esmero sobre su escritorio. Tres investigaciones. Tres asesinatos. Tres expedientes con algunas hojas de papel y varias fotos. ¿Se esconde la solución del caso en algún lugar de esos expedientes? ¿Qué se le ha pasado por alto?

Son las doce en punto cuando alguien abre la puerta. Maschke irrumpe en el despacho.

–¿Y si antes llama a la puerta? –pregunta Stave.

–Tenemos un nuevo asesinato –informa jadeando el agente de Orden Público.

–Esta vez conduzco yo –dice Stave con seguridad dos minutos después, cuando suben al viejo Mercedes frente a la Central de Investigación Criminal–. ¿Qué ha sucedido?

–Tenemos un cadáver fresco.

–¿Quién es?

–Un hombre en un sótano, en Borgfelde, detrás de la estación de Berliner Tor. Acaban de encontrarlo, han dado el aviso a eso de las 11.30 en la comisaría del barrio.

–Otra vez en el este.

–Y otra vez en un barrio bombardeado.

Stave pisa el acelerador, aprieta hasta el Alster, fuerza el viejo y renqueante motor de ocho cilindros por Jungfernstieg, toca el claxon al ver que un hombre con un abrigo de la Wehrmacht no se aparta lo bastante deprisa. La mano de Maschke se aferra al tirador de la puerta del acompañante, tiene todos los nudillos blancos.

–No va a pararnos la Policía –lo tranquiliza el inspector jefe.

Cuatro muertos, dos hombres, una mujer, una niña. Tres cadáveres, por lo menos, se han encontrado en el este. La nueva víctima, más o menos a medio camino entre el lugar del hallazgo del primer cadáver, la mujer joven, y el tercero, la niña del canal. ¿Se desvela por fin un patrón?

–Anckelmannstrasse 52 –indica Maschke con los labios apretados.

Stave tuerce por Glockengiesserwall. Una rueda trasera golpea con fuerza contra un ladrillo que se ha congelado sobre la calzada. El Mercedes da bandazos, él enseguida recupera el control del vehículo.

–Hay algunos tramos con bastante hielo –susurra Maschke.

–Esto empieza a divertirme.

Pasan por delante de la estación central, luego cruzan por St. Georg, los estraperlistas del mercado negro los siguen con la mirada. En Borgfelder Strasse, Stave vuelve a pisar hasta el fondo: una recta de medio kilómetro, nadie a la vista. Dos curvas cerradas a la derecha y consigue detener bruscamente el pesado coche con un chirriar de frenos.

–Un muerto al día es suficiente –murmura Maschke, y abre su puerta.

Stave baja también y se apoya un momento en el capó abollado. El motor suelta chasquidos de lo caliente que está. Pone las manos encima un par de segundos y disfruta del calor que le inunda el cuerpo como si fuera líquido.

–Pero solo por esto merece la pena, ¿a que sí?

–A mí, desde luego, me ha subido la temperatura –responde Maschke de mal humor.

El inspector jefe mira entonces a su alrededor: a su espalda, los pilares de acero del tren elevado, uno de cada seis o de cada siete está combado. Fachadas vacías de edificios de apartamentos de cuatro o cinco pisos. Edificios empresariales destruidos por las bombas. Almacenes medio derrumbados. La calle adoquinada, limpia de escombros en parte. No hay ninguna casa en condiciones de ser habitada en trescientos metros a la redonda, por lo menos.

Un patrón, piensa Stave, tengo un patrón.

Un municipal aparece entre dos paredes de cierta altura que quedan a su derecha, saluda y se acerca. Es muy joven, casi un niño todavía, y se trata de la primera vez que Stave lo ve. Los saluda a lo militar; por un momento parece incluso como si quisiera cuadrarse.

–Está bien –dice el inspector jefe, y se presenta a sí mismo y a Maschke. Por lo visto, el joven llegó a servir en la Wehrmacht. Ahora que está en la Policía, piensa Stave, podría desacostumbrarse a un par de cosas–. ¿Dónde está nuestro hombre?

–Es una mujer, inspector jefe.

Stave se queda mirando al joven municipal, que parece avergonzado.

–Dos hombres han encontrado a la víctima en un sótano sin iluminación. Han salido de allí corriendo muertos de miedo y nos han dado el aviso. Creían que el cadáver era un hombre. Es evidente que no se han parado a mirarlo. Se trata de una mujer.

Stave reflexiona, está confuso. Dos mujeres, una niña, un anciano. ¿No encajaría mejor un hombre en su patrón?

El municipal sigue informando.

–La casa es el número 52 de Anckelmannstrasse y está completamente destruida –explica–. Hemos podido bajar al sótano entre las ruinas, pero es más fácil hacerlo dando un rodeo.

Lleva a Stave y a Maschke unos cincuenta metros más allá, hasta un edificio colindante que está derruido solo en parte. Allí hay un arco de ladrillos que da acceso a varios cobertizos traseros medio derrumbados a lo largo de los cuales retroceden de nuevo en dirección contraria.

Stave se detiene frente a los restos de un almacén. SOCIEDAD HANSEÁTICA DE IMPORTACIÓN DE MICA, dice un descolorido letrero negro que hay en la pared de ladrillo desnudo. Alguien trepa por los escombros del edificio de la calle: el doctor Czrisini. Los agentes de Investigación Criminal saludan al forense con un ademán de la cabeza, el municipal señala hacia la entrada del sótano.

–Tengan cuidado con los escalones –advierte–, están sueltos.

–No hay puerta –murmura Stave cuando ha descendido los frágiles peldaños.

Penumbra. Saca su cuaderno de notas y describe el exterior del lugar del hallazgo. El municipal toquetea una vieja linterna de mano hasta que obtiene un rayo de luz amarillenta y cansada. Al pie de la escalera aparece una persona más. Stave solo ve unos zapatos sucios y el bajo de un abrigo largo. Mira de nuevo hacia delante, hacia la cavidad oscura.

Una sala: suelo de cemento, unos cuantos ladrillos sueltos, restos de revoque caído de las paredes, polvo de piedra. Más allá, una segunda sala, lúgubre, porque la luz que se cuela por la escalera ya no llega hasta ella. También allí hay polvo de piedra, nada de escombros, ningún mobiliario.

Solo una víctima.

Treinta y cinco años, calcula Stave, tal vez algo más joven. La mujer está desnuda en el suelo. Congelada, pegada al cemento. Tiene manchas cadavéricas por todas partes, rojizas y azuladas. La boca entreabierta, los ojos entornados, la mano derecha en el suelo, la izquierda sobre el ombligo, todos los dedos algo doblados. Stave le quita la linterna al municipal sin decir nada e ilumina directamente el cadáver. El joven policía parece a punto de vomitar.

–Puede esperar fuera –le ofrece el inspector jefe.

El doctor Czrisini saca de su maletín médico una linterna de mano grande que ilumina con más claridad. Toca la cara de la mujer con manos enguantadas.

–Esbelta, delgada, pero bien alimentada –murmura–. Pestañas pintadas de castaño oscuro, cejas depiladas. Eso que tiene en las mejillas podrían ser restos de maquillaje en polvo. Pelo rubio, claramente oxigenado. Agujeros para los pendientes en los lóbulos. En la oreja izquierda no se ve ninguna joya. En la derecha... –Vacila un momento, tantea la nuca de la mujer con la mano, saca algo de su melena y lo sostiene a la luz de la linterna–. El pendiente derecho está suelto, pero enredado en el pelo de la nuca. –El forense le pasa la joya a Stave.

El inspector jefe la contempla con detenimiento: un pequeño colgante de oro con una perla.

–Una forma bastante excepcional –masculla. Al oro le han dado la forma de una diminuta estrella de mar que sujeta la perla.

–No tengo nada que decir a eso –repone Czrisini–. Las joyas no son mi especialidad.

El forense le levanta los párpados.

–Ojos azul grisáceo. –Después le abre la mandíbula, le ilumina la boca–. Dos prótesis dentales en la mandíbula superior: interior del incisivo derecho, primer molar derecho. En la mandíbula inferior, dos muelas de oro a la derecha.

Desde la cabeza sigue su cuidadoso examen hacia abajo.

–Punto extremo de congelación. Rígor mortis no verificable, por lo que se desconoce la fecha de la muerte. Marcas de estrangulamiento en el cuello, marrón rojizo, de dos centímetros de ancho por delante y a la izquierda. A la derecha y por detrás, de solo cinco milímetros. Marcas de ataduras en ambas muñecas, de tres a cinco milímetros. Llama la atención el cuidado de las uñas, con esmalte rojo intenso y bien limadas, la parte sobresaliente pintada de esmalte blanco. Zonas de piel más clara en la muñeca izquierda y el dedo anular izquierdo. Posibles marcas de un reloj y un anillo. Cicatriz de operación, grande, de unos catorce centímetros, desde el ombligo hasta el pubis, posiblemente de una cirugía abdominal; bien curada, cerrada hace tiempo.

–No hay marcas en el polvo del suelo del sótano –añade Stave–. No se ve suciedad en el cuerpo. Es poco probable que la mataran aquí.

–La asesinaron en otro lugar y la trajeron tras la muerte –dice Maschke–. Para ocultar el cadáver.

–Y quizá también para desvestirla con toda tranquilidad y desvalijarla –agrega el inspector jefe–. De todos modos, el asesino ha tenido que cargar con la víctima hasta aquí y bajar con ella la escalera con una linterna en la mano.

–Un hombre fuerte –dice el forense.

–¿Lo tendría planeado con antelación? –apunta Maschke–. ¿Conocería este sótano y había decidido ya antes del ataque ocultar aquí a su víctima? ¿O ha buscado el lugar más cercano después del asesinato y ha llegado aquí por casualidad?

–Tenía que llevar una linterna consigo. –Stave se rasca la cabeza–. Eso nos habla de un plan. O quizá siempre la lleva encima. O conoce tan bien la zona que ha podido bajar a este sótano incluso a oscuras.

–Me pregunto quién sería ella –susurra el forense, ensimismado.

–Sin duda era acomodada, puede que rica –razona Stave–. Dientes de oro. Pendientes, reloj de pulsera, anillo, esmalte de uñas. No recuerdo cuándo fue la última vez que vi a una mujer con la manicura hecha.

–Un esmalte demasiado caro, elegante y refinado para una chica de la calle –añade Maschke–. Era una dama.

–Y está claro que no vivía en Borgfelde, detrás de la estación –dice Stave; su voz casi suena divertida–. ¿En Winterhude, quizá? ¿Blankenese? En cualquier caso, un barrio mejor. Intacto. Una zona no destruida. Alguien tiene que conocerla.

Czrisini señala el dedo anular izquierdo, después el abdomen.

–Seguramente también estaba casada. O sea que habrá un marido. Esa cicatriz parece indicar que no tenía hijos. Por otro lado, también puede ser una ventaja para la investigación. Estas intervenciones son menos frecuentes que las de apéndice o que las manipulaciones dentales. Habría que encontrar a un cirujano o un ginecólogo que la recuerde.

–¿Podemos establecer el momento de la muerte?

–Aquí no. En el instituto dejaré que el cadáver se descongele un poco. Después de la autopsia sabremos más, seguramente el cerebro ya habrá empezado a descomponerse.

La euforia que acaba de invadir a Stave se esfuma.

–Entonces, ¿cree usted que la víctima está aquí desde hace tiempo?

El patólogo asiente con la cabeza.

–Por lo menos desde antes de ayer.

No puede ser, piensa Stave. Una mujer rica, marido, vecinos... Si la hubiesen asesinado hace días, alguien la habría echado ya en falta. No recuerda que haya entrado ningún aviso que encaje con la víctima. Necesito respirar aire fresco, piensa.

–Interrogaremos a los hombres que la han encontrado –dice–. Doctor Czrisini, su gente puede llevarse el cadáver en cuanto el fotógrafo haya terminado su trabajo.

Dos hombres: el chatarrero August Hoffmann y su empleado Heinrich Scharfenort, ambos más o menos de la edad de Stave y con las caras muy pálidas.

–¿Han descubierto ustedes el cadáver? –El inspector jefe utiliza una formulación deliberadamente neutra.

A pesar de ello, Hoffmann lo mira con culpabilidad.

–De verdad que creíamos que era un hombre. Acabo de enterarme hace nada de que ahí abajo hay una mujer.

–Lo principal es que han dado parte en cuanto la han encontrado –repone Stave–. ¿Qué ha sucedido?

El empleado mira al suelo, le deja la respuesta a su jefe.

–Estábamos buscando bandejas de horno.

–¿Bandejas de horno?

–Aquí hubo una gran panadería hasta 1943. Hace poco encontré entre los escombros una gran bandeja de horno. Por casualidad –añade enseguida–. Entonces pensé que tendría que haber alguna más. Así que hoy había salido con el señor Scharfenort para... –Duda.

El inspector jefe asiente con comprensión y termina la frase:

–Recuperar el metal. ¿Por eso han bajado al sótano?

–Sí. Las ruinas de la superficie hace tiempo que están agotadas. Nos hemos traído lámparas de carburo para inspeccionar los sótanos.

–¿Y han bajado con ellas hasta aquí?

El chatarrero asiente con la cabeza y por un momento da la sensación de que tuviera que ir corriendo tras un muro a vomitar, pero enseguida recupera la compostura.

–Hemos bajado la escalera y hemos iluminado la primera sala. Luego la segunda. Solo he visto un pie desnudo de repente, en la luz.

–¿Y usted?

El empleado levanta la mirada.

–Iba detrás de mi jefe. Casi no he visto nada. El señor Hoffmann ha gritado: «¡Un muerto!», y entonces hemos hecho lo posible por salir de aquí.

–¿Ha habido algo más que les llamara la atención?

–A mí con un muerto me basta.

–¿No han visto a nadie?

Los dos niegan con la cabeza.

–¿Habían estado aquí antes estos últimos días? Ha dicho usted que encontraron por casualidad una bandeja de horno.

–Hace tres días tomé un atajo por el que no suelo ir nunca. La encontré entonces, medio oculta por los cascotes en la entrada de un sótano. De ahí mi idea de volver con la lámpara de carburo. Si no, nunca vengo aquí.

–¿Saben si suele venir alguien por la zona? ¿Si alguien toma ese atajo que dice usted?

Otra vez negaciones mudas.

Stave despide a los dos testigos con un ademán de la cabeza.

–¿Alguna novedad?

El jefe está de pie frente a Stave. Cuddel Breuer no lo mira a él; tiene los ojos puestos en un chucho helado de frío que olisquea sin mucho entusiasmo entre los escombros.

–No ladra –comenta.

También Stave prescinde de fórmulas de cortesía.

–El doctor Czrisini sospecha que la víctima podría llevar varios días ahí abajo. Tampoco parece que el lugar del hallazgo haya sido el escenario de los hechos.

Breuer asiente sin decir nada, después se lleva una mano al interior de su amplio abrigo, saca una linterna de mano grande y baja al sótano en silencio. Solo.

Ya no confía en mí, se dice Stave.

Tras varios minutos, Breuer regresa al exterior.

–Tiene usted sobre sus espaldas un caso condenadamente complicado, Stave. Pase a verme cuando haya terminado aquí. –Da media vuelta y se marcha sin despedirse.

Por lo menos no has descubierto nada más que yo, piensa Stave con rabia.

Cuando el director de Investigación Criminal tuerce tras un muro de unos dos hombres de alto, casi choca con una figura que se acerca a toda prisa tropezando por las ruinas: es Kleensch, de *Die Zeit*.

–Hoy no me libro de nada... –masculla el inspector jefe.

Duda un segundo. ¿Debería evitar al reportero? ¿Quitárselo de encima? No hará más que entrometerse por todas partes, hacer preguntas, causar inquietud. Mejor ocuparse en persona del asunto. Stave se acerca a Kleensch, le estrecha la mano y lo lleva al sótano.

–Una nueva víctima del asesino de los escombros –afirma el periodista al contemplar a la mujer en la luz amarillenta de la linterna. Habla con sobriedad.

Ya está pensando en su artículo, cree Stave. Le explica a Kleensch todo lo que han descubierto y consigue que se fije especialmente en los indicios que apuntan a que la muerta debió de ser una mujer acomodada.

–Ahora a los muertos ricos los echan de menos tan poco como a los muertos pobres. Eso es la democracia –comenta Kleensch.

–No irá a escribir eso...

El hombre sonríe.

–A mi editor no le gustaría leerlo, y tampoco los británicos estarían demasiado contentos. Quiero conservar mi puesto. ¿Un cigarrillo?

–No fume en el lugar del hallazgo, por favor –responde el inspector jefe, y al mismo tiempo sacude la cabeza como con un «gracias» y señala con la mano derecha hacia la salida del sótano–. A nadie le gusta leer algo así –continúa Stave, retomando fuera su poco entusiasta intento de evitar la publicación del artículo.

Kleensch lo mira con indulgencia.

–En eso se equivoca. A todo el mundo le gustan las historias de asesinatos. Historias terroríficas. Seguramente es la moraleja lo que nadie quiere oír. Así que me ahorro esa parte y de esa forma tengo más espacio para los detalles. No sé si me entiende.

Stave asiente, resignado.

–Usted hace su trabajo. Yo, el mío.

–La gente tendrá miedo, aunque yo le prometa que me contendré. Pero así son las cosas: el asesino de los escombros se convierte en la personificación del mal, en un monstruo. Por fin esta ola de frío infernal tiene una cara, aunque sea una bastante indefinida. Podría ser cualquiera: cualquier figura que se mueve en la calle detrás de mí, cualquier sombra entre los escombros, cualquier nuevo vecino silencioso. La gente empezará a sospechar del prójimo. Las denuncias serán peores de lo que fueron con Hitler, pero no hay nada que hacer. Lo van a atormentar a usted, lo siento. Aunque seguro que al final pescará al tipo que ha cometido los crímenes, y entonces será un héroe.

–Muchísimas gracias por su optimismo.

–Resulta muy útil. Sobre todo cuando se encuentra uno frente a la muerte. –Kleensch levanta ligeramente su sombrero para despedirse y se aleja tropezando.

Por lo menos no ha hablado con nadie más, piensa Stave. Habría sido desagradable que agobiara a Breuer con sus preguntas. Seguro que el jefe se habría desquitado luego conmigo.

Stave regresa más tarde con el Mercedes. Solo, ya que Maschke, dándole las gracias, ha declinado su ofrecimiento de llevarlo con la menos convincente de todas las excusas: que quería hacer algo por su salud e ir a pie.

En Jungfernstieg, el inspector jefe pisa de pronto el freno. El vehículo se detiene con un chirrido unos cuantos metros más allá. Esta es mi oportunidad, piensa.

Ya hace varios días que, desorientado como nunca, ha pensado en consultar a un psicólogo sobre el caso. Incluso ha estado preguntando, sin llamar demasiado la atención, por buenos doctores mentales en Hamburgo. Pero lo ha ido retrasando. En parte por recelos, porque ningún agente de Homicidios tiene muy buen concepto de los psicólogos. En parte por vergüenza, porque con un paso así estaría reconociendo ante sus compañeros lo desorientado que está: un acto de desesperación, Stave ha llegado a acudir a un psiquiatra. ¿Quién sabe si no se tumbará él mismo en el diván?

Jamás.

Casualmente, sin embargo, ahora se encuentra solo. Y, casualmente, allí tiene su consulta el psicólogo más afamado de todo Hamburgo: el profesor Walter Bürger-Prinz.

Stave pone un pie en la magnífica calle, casi intacta, que a la derecha desciende en varios escalones hasta la destellante capa de hielo del Alster. A la izquierda se alzan las sólidas fachadas decoradas por columnas de emblemáticos edificios que han sobrevivido indemnes a los bombardeos. De nuevo, el impulso de expresar a gritos la rabia que siente por esa injusticia lo invade por un momento. ¿Por qué ha quedado incólume todo ese esplendor, esa riqueza que tantas veces no está fundada más que en la codicia y la misantropía?

Stave se serena. ¿Qué culpa tiene un psicólogo de que los británicos prefiriesen devastar barrios obreros y no magníficas avenidas?

No recuerda de memoria el número del edificio de la consulta, pero al ir recorriendo despacio la hilera de fachadas encuentra una gran placa metálica con el nombre del profesor junto a un portal. Quinto piso. El inspector jefe empuja una puerta de tres metros de alto: escalones de mármol claro, barandilla de hierro forjado, pero no queda ni una bombilla en los portalámparas de la araña de cristal, según comprueba con satisfacción. Un anticuado ascensor en el hueco de la escalera, pero a causa de la falta de electricidad no funcionará. Stave comienza lentamente la larga subida.

Cuando por fin entra en la antesala de la consulta, se hunde hasta los tobillos en una alfombra mullida, contempla los sillones ingleses, un escritorio y un armario archivador de teca, percibe el elegante aroma de un té Earl Grey y del abrillantador para madera. Stave, con sus zapatos viejos, el traje arrugado y el abrigo desgastado, se siente miserable. Una recepcionista ocupa su trono tras un escritorio: más de cincuenta años, pelo gris peinado hacia atrás con severidad, gafas de níquel.

–¿Desea usted...?

Suena como si hubiera dicho: «Aquí está prohibido mendigar y vender de puerta en puerta».

Stave iba a preguntar educadamente si el profesor podría, por favor, recibirlo y dedicarle tan solo unos minutos. Sin embargo, el muro amedrentador de la fachada noble, la interminable escalera de mármol, el denso aroma que impregna el aire y ahora, además, ese desprecio corroen las cadenas de su autocontrol hasta que ya no logran contenerlo. Se acerca a la mesa dando zancadas furiosas, saca su identificación y se la planta delante de las narices a la gélida dama.

–Stave, de Investigación Criminal. Quiero hablar con el profesor Bürger-Prinz. Enseguida.

Ella se echa un poco atrás, sorprendida y confusa, porque nadie le había hablado nunca así. Sus facciones se descomponen por un momento en una mueca de indignación; luego reflexiona, no dice nada, se levanta, desaparece por una puerta tapizada con cuero grueso.

Stave no tiene que esperar mucho. Cuando lo hacen pasar por esa misma puerta, entra en otro mundo. Una sala amplia, ventanas altas como puertas con vistas al Alster, un escritorio, tres sillones y, efectivamente, un diván. Sin embargo, nada de todo ello rezuma elegancia inglesa, sino que es más bien moderno de una forma extraña y, no obstante, anticuado a la vez: como de antes de la guerra. Bauhaus, supone Stave. Los sillones geométricos, de acero cromado y cuero negro; el diván, una confortable tumbona de esos mismos materiales. Será muy cómodo, piensa el inspector jefe, pero más bien parece la variante de lujo de las mesas en las que el doctor Czrisini disecciona sus cadáveres. Aunque aquí también lo diseccionan a uno, en cierto sentido.

Las paredes son blancas, un único cuadro cuelga en la pared que se extiende frente a las ventanas. Impetuosos trazos negros sobre un fondo ocre. Debe de ser arte moderno, se dice Stave. Suelo de parqué, pulido y reluciente. En la repisa de la ventana central, una escultura de bronce de un hombre sentado con cierto aire asiático. ¿Buda, quizá? Ningún documento en las paredes, ningún diploma, tampoco fotografías de familia sobre el escritorio, ningún teléfono.

Stave vio una vez en un libro un retrato de Sigmund Freud e inconscientemente espera encontrarse con un reflejo del famoso doctor. En realidad, sin embargo, se ve ahora frente a un hombre como salido de un cartel de reclutamiento de las SS: el profesor Bürger-Prinz mide alrededor de un metro noventa, es atlético y tiene el pelo corto y rubio y los ojos azules más brillantes que Stave haya visto jamás. De un color como el agua de un fiordo noruego. El inspector jefe siente que alcanzan a ver en su interior.

–¿Qué le ha traído a verme con tanta urgencia? –La voz profunda y bien modulada de un orador experimentado o de un cantante. El psicólogo le tiende la mano. Un apretón firme.

Stave se siente aliviado cuando Bürger-Prinz señala un sillón, no el diván. Se disculpa por su aparición repentina. Entonces empieza a hablarle de las víctimas, de los lugares donde se han encontrado los cadáveres, de las pocas pistas. De los medallones con ese extraño símbolo. De desapariciones que no se denuncian. De muertos a los que nadie puede identificar. De marcas de estrangulamiento y piel desnuda. De ruinas y muros quemados y la fina capa de nieve sobre el cemento.

El psicólogo no lo interrumpe. Sus irritantes ojos lo miran fijamente, no toma ninguna nota, está sentado en un sillón, relajado y atento a la vez. Quizá mi historia lo entusiasme, espera Stave, quizá haya despertado su interés profesional. O bien domina su postura a la perfección.

–He leído los artículos sobre el asesino de los escombros –dice por fin el psicólogo, cuando a Stave ya no se le ocurre nada más de lo que informar–. En *Die Zeit*. Y las fotografías de las víctimas lo miran a uno desde todas las columnas de anuncios.

–¿Ve usted algún patrón? –pregunta Stave–. ¿Le dicen algo los asesinatos acerca del asesino? ¿Algo que acaso nosotros hemos pasado por alto hasta ahora? ¿Quién haría algo así, y por qué? ¿Qué vincula esas muertes, aparte del mismo modus operandi? Quisiera encontrar nuevas pistas.

–No sabe por dónde seguir.

–No sé por dónde seguir.

Bürger-Prinz arruga la frente.

–Supongo que no esperará verdaderamente de mí que en menos de un minuto le presente una solución para un caso al que usted, un criminalista con experiencia, hace semanas que le da vueltas sin resultado alguno.

–Tal vez encuentre al menos algo así como un patrón –insiste Stave–. En la elección de los lugares donde el desconocido deposita los cadáveres, por ejemplo. O en las víctimas que selecciona.

El psicólogo se levanta, se acerca al escritorio, saca un plano de Hamburgo de uno de los cajones y lo estudia.

–Solares de escombros, barrios de gente humilde bombardeados, tres veces al este y una al oeste del Alster. Un sótano, un hueco de elevador, un cráter de bomba. El asesino esconde los cadáveres, pero con eso le basta.

–¿A qué se refiere?

–No tiene interés en hacerlos desaparecer. No los oculta para siempre. Solo durante el tiempo suficiente para que no lo descubran a él.

–No es de extrañar, tenía poco tiempo: todas las víctimas menos la última, de la que aún no tenemos autopsia, murieron el mismo día. El 20 de enero.

–Pero no tienen por qué haber sido depositadas el mismo día cada una en su lugar correspondiente.

Stave mira fijamente al psicólogo.

–¿Quiere decir que alguien mata a varias personas y las esconde a todas en un lugar determinado, y que después va vaciando poco a poco su almacén?

Bürger-Prinz sonríe con indulgencia.

–Eso sería bastante calculador. Y su desconocido no sería el primer asesino que traslada los cadáveres de un sitio a otro después de días o semanas del crimen.

–¿Es que está jugando a un juego perverso con nosotros?

–Es posible. Aunque quizá al criminal lo empujen motivos mucho más prácticos. Solo puede cargar con un cuerpo cada vez. Tal vez salga todas las noches.

–¿Todas las noches? –El inspector jefe cierra los ojos.

–En cualquier caso, el asesino obra con planificación. Es racional. Además, podría darse cierta característica común en todos los lugares de hallazgo: los tres puntos del este se encuentran cerca de la estación central y, el del oeste, junto a la estación de Dammtor.

–¿El asesino busca a sus víctimas en los vagones? ¿O en los andenes?

–Y las mata cerca de las estaciones. Luego las oculta en solares de escombros que se encuentran en los alrededores.

–¿Todas las víctimas el mismo día? ¿Cuatro muertos, dos estaciones? Los trenes solo viajan durante el día. Las estaciones se quedan vacías después de las ocho de la tarde. Si el asesino ataca a sus víctimas cuando hay luz, ¿cómo consigue llevarse los cadáveres a solares en ruinas sin que nadie lo vea? Y si oculta a sus víctimas de noche, ¿cómo puede haberlas elegido antes en la estación? ¿Las mata durante el día en algún lugar, y luego espera durante horas para esconderlas por fin? No es muy probable.

–Si escoge a pasajeros del último tren, entonces sí sería concebible. Un tren que llega a las cinco y media de la tarde entra ya en una estación oscura. Una estación muy oscura. Y con este frío, una estación muy solitaria. Pongamos que mata al anciano en la estación de Dammtor, y luego a las tres mujeres en la estación central. Algo así podría conseguirse.

–¿Piensa usted en un asesino experto?

Bürger-Prinz reflexiona.

–Posiblemente el criminal busque siempre a la víctima más débil –murmura.

Stave se lo queda mirando con un interrogante.

–La persona del tren que él espera someter con más facilidad. Una mujer. Un niño. Un anciano.

El inspector jefe recuerda las interminables horas que ha pasado en la estación, las miradas escrutadoras con que recorre los vagones que llegan, los miles de personas que pasan apretadas junto a él. Sacude la cabeza.

–Con la niña podría creerlo, puede que también con el anciano. Pero las mujeres no encajan en ese patrón. Hoy en día no encontrará ningún tren en el que una mujer joven sea la persona más débil. Siempre viaja algún niño, además de ancianos y lisiados de guerra.

Duda un momento, porque se le ocurre algo.

–El anciano fue la única víctima a la que golpeó. Le dio incluso una paliza, según lo que ha podido comprobar el forense. De las cuatro personas que ha escogido hasta ahora el asesino, sin embargo, no era el más fuerte y mucho menos el que se movía con mayor agilidad. Las dos mujeres habrían ofrecido sin duda una resistencia más peligrosa para él, o habrían podido huir más fácilmente.

El psicólogo sonríe.

–Ya veo adónde quiere ir a parar: una familia. Alguien le guarda un rencor mortal a una familia, puede que incluso sea la suya. Por eso tenían que morir esas personas. El anciano, no obstante, el patriarca, tenía que sufrir más que el resto, y a él el asesino lo golpea antes de apretar el lazo.

Stave asiente.

–Naturalmente, también puede ser casualidad –dice–. Quizá la intención del asesino sea estrangular a las víctimas para que no tengan forma de defenderse. Acaso se les acerca por detrás. O las aturde. Y, solo con el viejo, algo salió mal de forma fortuita, a él no logró controlarlo y por eso le tuvo que golpear. Pero, si aceptamos que no fue casualidad...

–Entonces los golpes son indicativos de una ira especialmente enconada. De odio. De un deseo de venganza, de castigo, de revancha.

–Entonces el asesino conoce a sus víctimas. Las mata a todas ellas por motivos que aún nos son desconocidos. Pero a él, al anciano, lo ataca con especial violencia.

–Lo castiga.

–Un anciano, una mujer de treinta y tantos, una joven que ronda la veintena, una niña de como mucho ocho años. ¿Quién puede tener algo en contra de personas tan diferentes? ¿Un perturbado que asesina a toda su familia?

–En tal caso, todas las víctimas serían familia.

–Por eso no existe ninguna denuncia de desaparición. El único familiar que podría echarlos en falta es el asesino.

El psicólogo mira por la ventana.

–El anciano podría ser el padre de las dos mujeres –dice–. El abuelo de la niña, o quizá también el abuelo de la niña y de la mujer más joven. Pero ¿sería alguna de las dos la madre de la niña? Una era demasiado joven. La más mayor podría serlo, pero me ha dicho usted que el forense no cree que pudiera haber estado embarazada.

–Sufrió una operación en la zona del vientre. No sabemos cuándo y, hasta que no se practique la autopsia, tampoco sabremos de qué la operaron.

–Con una cicatriz quirúrgica de catorce centímetros no puede haber quedado demasiada cosa intacta ahí abajo –susurra el psicólogo.

–Aun así, pudo haber estado embarazada antes de la intervención.

–Está bien, partamos de la siguiente hipótesis: tenemos a abuelo, hija, nieta y una pariente joven, quizá una hermana que se lleva bastantes años con la otra mujer.

Stave sonríe por primera vez desde que ha entrado en la consulta.

–Supongamos también que la forma de ejecución y la declaración de la testigo señalan a un hombre como autor de los hechos –propone–. Y supongamos que ese hombre está emparentado con las víctimas. Entonces, el principal sospechoso sería el marido de la mayor de las mujeres, y por tanto también padre de la niña. Es a él a quien tenemos que buscar.

Bürger-Prinz lo mira con algo similar a la compasión en los ojos.

–Tal vez también a él lo encuentren entre los escombros, congelado en el suelo y con marcas de estrangulamiento en el cuello.

El inspector jefe necesita respirar hondo. De pronto tiene una visión: todos los días halla entre las ruinas un cadáver congelado, una vez una niña, otra vez una joven, una mujer, un anciano... Y cuando este invierno interminable se acabe de una vez por todas, otros cadáveres congelados que habrán pasado meses ocultos en sótanos se descongelarán de pronto y el hedor de su podredumbre atraerá primero a las ratas y luego a la Policía.

–Si de verdad somos los espectadores de un drama familiar –sigue diciendo el psicólogo en voz baja–, todavía nos faltan algunos intérpretes: una abuela, el otro par de abuelos, el padre de la niña y supuestamente cónyuge de la mujer mayor. Quizá algún hijo más. Hermanos o hermanas de las dos adultas. Por no hablar de parientes de segundo o tercer grado. Hay muchas más víctimas potenciales o asesinos.

Stave suspira.

–¿Quiere decir que todavía tenemos que encontrar algunos muertos más que encajen en el esquema? ¿Y que hasta entonces no podremos tener la certeza de que se trata de una familia?

Bürger-Prinz niega con la cabeza.

–Si llegan a encontrar una veintena de muertos, entonces podremos descartar con bastante seguridad que se trate de una familia. Pero ¿solo unas cuantas víctimas más? Un muchacho o una chica podrían encajar tan bien en el esquema como un par de ancianos de uno u otro sexo. Un hombre tanto como una mujer. Piénselo bien: a un hombre de una edad comprendida entre treinta y cinco y cincuenta años lo consideraría el esposo y padre. Un hombre más joven le parecería el hermano, o quizá el marido de la muchacha. Téngalo por seguro: el próximo muerto que encuentren encajará en su esquema. Y también el siguiente. No dispondrá de más información que ahora.

–¿Y el medallón?

Bürger-Prinz se inclina hacia atrás y mira al techo.

–Las dos víctimas que lo llevaban están relacionadas, sin duda.

–Si es que no lo dejó allí el asesino, como una marca.

–No lo creo. Demasiado discreto o demasiado inconstante. Han encontrado a dos víctimas sin medallón, lo cual significa que el asesino no dejó allí ninguna marca. O que lo hizo, pero la escondió de tal modo que se les ha pasado por alto. Ninguna de las dos opciones encaja con un asesino que tiene la intención de dejar su firma.

–De manera que los medallones pertenecían a las víctimas. Una familia. ¿Algo así como un blasón?

–Ninguno que yo conozca de una familia de Hamburgo –responde el psicólogo–, pero no tiene por qué ser un blasón familiar.

–¿Qué, si no?

–¿Tal vez un símbolo religioso? Una cruz y dos dagas, eso tiene una dimensión espiritual.

–¿Una secta? ¿Testigos de Jehová? El anciano estaba circuncidado.

–Como los judíos. Y los musulmanes también, por cierto.

–Ni judíos ni musulmanes llevarían una cruz.

–Cristianos, entonces. Tal vez las cuatro víctimas pertenecían a la misma comunidad.

–¿Y ningún otro miembro de esa comunidad ha denunciado su desaparición? ¿Ningún pastor o el jefe de la secta?

–A las sectas no les gusta demasiado salir a la luz pública, tampoco llamar la atención de la Policía. Sobre todo tras las experiencias de los últimos años.

Stave piensa en los testigos de Jehová que, injuriados y perseguidos como «Estudiantes de la Biblia», fueron encerrados en campos de concentración. En los pocos minutos que lleva con el psicólogo ha avanzado mucho, más de lo que se habría atrevido a esperar. Sin embargo, ¿qué puede hacer con esos datos e hipótesis? ¿Cómo aplicarlos a su caso? ¿Hay algo de ello que sea realmente importante? ¿O está extraviándose al seguir un rastro muerto?

–Gracias por su tiempo –dice el inspector jefe, resignado, y se levanta.

En la Central, Stave recorre despacio el oscuro pasillo hasta su despacho, pero se detiene en seco frente a la puerta de la antesala. Detrás de ella reconoce dos siluetas: Erna Berg y MacDonald. Por un momento el inspector jefe está tentado de toser discretamente antes de hacer su entrada.

Sin embargo, los jóvenes no están acaramelados. Su secretaria está sentada al escritorio con cara de haber llorado. El joven británico está detrás de Erna, inclinado a medias hacia ella, hablándole en susurros y con un tono conspirador.

Stave no entiende ni una palabra, y se alegra de ello. A mí qué me importa, piensa. Un drama de pareja tan pronto, aunque no hace más que unos días que esos dos están juntos. Les da algo de tiempo para que terminen de hablar y no entra en su despacho, sino que sigue hasta el de su jefe. Cuddel Breuer, además, le había dicho que fuera a verlo.

Stave resume una vez más los hallazgos, toma impulso e informa incluso de su visita a Bürger-Prinz.

–La verdad es que no deja usted nada por intentar.

Stave calla, molesto, no está seguro de si lo ha dicho para alabarlo o con sarcasmo.

–Hago lo que puedo.

–Eso explíqueselo al alcalde –dice Breuer–. Tenemos que ir a verlo. No está contento con el caso.

Stave y Breuer recorren en el Mercedes los pocos cientos de metros que hay hasta el ayuntamiento, aunque Stave hubiese preferido ir a pie. Así habría tenido más tiempo para reflexionar.

El ayuntamiento, con su sólida fachada neorrenacentista y su alta torre delgada, ha sobrevivido intacto. Un monumento a la riqueza comercial y el orgullo burgués, fuera de lugar entre los escombros. En la plaza que hay delante, un tranvía gira y se detiene chirriando. Vendedores y carteros se suben a él. Los transeúntes aprietan el paso sobre el pavimento, como si corrieran todavía hacia el refugio antiaéreo más cercano con el estruendo de las sirenas en sus oídos.

Stave sigue a su jefe, que entra en el imponente edificio y avanza por pasillos medio a oscuras hasta un despacho sin calefacción. Los recibe el alcalde, Max Brauer: un hombre fornido y vital, rostro rectangular, pelo gris repeinado hacia atrás, ojos claros. Apenas sesenta años, alcalde del distrito de Altona hasta 1933. Luego los nazis lo expulsaron, se fue a China, más tarde a Estados Unidos. Hace un año que regresó, y desde hace tres meses es alcalde de la ciudad hanseática.

Stave ya lo conocía porque en diciembre de 1946 tuvo que ocuparse de una pelea de arma blanca entre estraperlistas de Altona y estuvo interrogando a testigos en el lugar de los hechos, Palmaille, la calle que recorre allí la orilla del Elba. Fue llamando a las casas de los residentes, era una mañana de domingo. En el número 49, en el ático, el rótulo del timbre decía «Brauer», pero él ni mucho menos sospechó nada; a fin de cuentas, es un apellido muy común. Se sobresaltó un tanto al verse de pronto frente al alcalde.

También Brauer lo reconoce a él y le estrecha la mano. Un apretón fuerte.

–Disculpen que no haya calefacción, por favor –dice el alcalde. Él mismo lleva puesto el abrigo, aunque no parece que tenga mucho frío.

Cuddel Breuer deja que Stave presente el caso.

–Tenemos que tomar cartas en el asunto –dice Brauer después de haber escuchado el informe–. Demostrar hasta dónde estamos dispuestos a llegar.

Cuddel Breuer asiente, Stave se limita a mirar al vacío sin ninguna expresión.

–En todos estos años nunca había vivido un invierno tan crudo –sigue diciendo el alcalde–. Nadie puede decir cuándo terminarán de una vez estas heladas. ¿Dentro de una semana? ¿Quizá no hasta dentro de un mes? ¿Dos? ¿Cómo vamos a sobrevivir a este invierno? Ya en tiempos normales habría sido todo un desafío. Cañerías que estallan por toda la ciudad, postes eléctricos que se parten, cargueros de carbón bloqueados, carreteras cortadas por la ola de frío, no hace falta que se lo explique a ustedes. Pero, ahora, en esta situación tan extraordinaria...

Ya lo he entendido, piensa Stave, y no hace más de tres meses que tú eres alcalde. La gente espera algo de ti. Al inspector jefe le gustaría ayudar a Brauer, en 1946 le dio su voto. Pero ¿cómo? Se siente frustrado y guarda silencio.

–Imprimiremos nuevos carteles de aviso –propone Cuddel Breuer en su lugar.

–Hemos puesto a tantos agentes como podemos en el caso –añade Stave, que por fin encuentra palabras–. Los británicos cooperan. Hemos seguido más pistas que en ningún otro caso desde la caída del régimen, incluso las que llevaban a la zona soviética. Y, sin embargo, a día de hoy ni siquiera sabemos quiénes eran las víctimas. Nunca había visto nada igual.

El alcalde asiente con comprensión, sonríe incluso, pero no da su brazo a torcer.

–No se puede forzar una detención, eso ya lo sé, pero también leo los periódicos. Y oigo conversaciones de los ciudadanos de a pie. Recibo cartas. Me llegan rumores, incluso desde las filas de funcionarios de esta ciudad.

»Todo el mundo tiene miedo. Todo el mundo se pregunta quiénes eran esas personas y quién es el asesino. Todo el mundo tiene su propia teoría, sospecha de alguien. Rumores malsanos recorren las calles. Es como si todo el horror, las constantes privaciones y las humillaciones hubiesen alimentado un odio que ahora busca un objetivo. Y ese objetivo podría ser el asesino sin rostro. Mientras siga haciendo este frío y sigan sin detenerlo, esa rabia no cesará de crecer. En algún momento le echarán en cara su fracaso a la Policía, luego a la Administración municipal en general. Y en algún momento alguien dirá en voz alta lo que algunos sin duda están pensando ya: que esto no habría sucedido antes, con Adolf. Yo, sin embargo, no me quedaré de brazos cruzados mirando cómo un único asesino demente consigue que los ciudadanos añoren a los nazis.

Stave ha oído esa misma opinión en una u otra variante de Breuer, del fiscal Ehrlich, de MacDonald; incluso Kleensch, el reportero de *Die Zeit,* la ha mencionado. Se queda mirando al alcalde, que sigue contemplándolos con gesto amable, pero el inspector jefe ha comprendido que en esa declaración resuena esta vez algo nuevo: un ultimátum. Haz algo de una vez por todas o el alcalde en persona se abalanzará contra Investigación Criminal para evitar que le endilguen la fama de inútil. Stave comprende que no se trata tanto de dar con el asesino; basta con que no haya más titulares horribles, sino buenos o, mejor aún, de ninguna clase. Que la gente esté tranquila. Que olviden los asesinatos.

–¿Doy por supuesto que esos carteles ya están impresos? –pregunta Brauer.

Cuddel Breuer se muestra avergonzado por primera vez desde que Stave lo conoce.

–Creemos que es necesario preguntar otra vez por los desaparecidos. Y alertar a la población.

–Háganlo. Aunque, por lo que le he oído decir al señor Stave, no tiene demasiadas esperanzas de conseguir una identificación mediante esas espantosas fotografías que cuelgan en todas las columnas de anuncios de la ciudad. Les propongo, pues, que en caso de que esta remesa de carteles tampoco dé resultados, trabajen con más discreción en el futuro.

–Nada de titulares, comprendo –dice Stave.

Brauer sonríe un tanto.

–Hace ya tiempo que mis preocupaciones no se limitan solo a un par de cañerías reventadas. Los hospitales están desbordados: neumonías, síndromes de malnutrición, congelaciones. Todos los días mueren más personas de las que ese loco ha matado hasta hoy. Desde un punto de vista puramente estadístico, por tanto, sería el menor de mis problemas; en términos psicológicos, sin embargo, no lo es. No podemos dejar que ese asesino se convierta en símbolo de nuestro fracaso. Es todo lo que pido de ustedes.

Breuer y Stave regresan al Mercedes en silencio. El inspector jefe no dice nada hasta que han cerrado ya las pesadas puertas del vehículo: casi como si tuviera miedo de que alguien pudiera estarlos espiando en el ayuntamiento.

–¿Qué sucederá si no logramos identificar a las víctimas? –pregunta–. ¿Y si nunca resolvemos el caso, si el asesino se libra?

–Entonces, rece por que el deshielo llegue pronto –murmura Breuer mientras arranca el motor–, para que después de nuestra degradación a agentes municipales no se nos congele el trasero durante las guardias.

Cuando Stave recorre por fin el pasillo hasta su despacho, cojeando, agotado y hambriento, encuentra la antesala vacía. Erna Berg y MacDonald han desaparecido. Entonces entra en su despacho y se detiene de pronto. Falta algo. Tarda un segundo en darse cuenta de qué es.

Los expedientes de los asesinatos han desaparecido.

Se abalanza sobre el escritorio, está seguro de que los ha dejado ahí cuando Maschke lo ha sobresaltado esa tarde con la noticia de la cuarta muerte. No ha vuelto a guardarlos en el archivador, sino que ha salido corriendo y deprisa. ¿Los habrá guardado su secretaria? Nunca antes se ha atrevido a hacer algo así. De todos modos abre de un tirón el cajón del armario de archivo.

Vacío.

Stave mira alrededor, aturdido. Controla el pánico, se dice, tranquilízate y piensa.

En la antesala: los expedientes no están.

Respirando con dificultad, al final se deja caer en su silla. ¿Ha robado alguien los expedientes? ¿Maschke, que ha regresado a la Central de Investigación Criminal cuando él seguía haciéndole preguntas a Bürger-Prinz? ¿MacDonald, que estaba intentando convencer a Erna Berg en la antesala? ¿O Erna Berg, que evidentemente tenía los nervios destrozados? Pero ¿por qué iba ninguno de ellos a hacer desaparecer los expedientes de los asesinatos?

Por un momento, Stave tiene la terrible sospecha de que el asesino de los escombros en persona podría haberse colado en sus instalaciones para eliminar las pocas pistas que tienen de sus actos. Qué absurdo, se dice. ¿O quizá no? Alguien está saboteando la investigación.

¿Qué debe hacer? ¿Informar a Breuer? Teniendo en cuenta el rapapolvo que acaba de echarles el alcalde, seguro que lo suspende de inmediato por negligencia probada. ¿Acudir discretamente al fiscal Ehrlich? El resultado sería el mismo. Ya no puedo confiar en nadie, piensa. Alguien quiere acabar conmigo.

Se queda en su despacho hasta altas horas de la noche, estudiando su cuaderno de notas y escribiendo todo lo que recuerda aún de los cuatro casos. Le pedirá al doctor Czrisini copias de sus informes sin levantar sospechas y mandará al fotógrafo hacer más positivos. En caso de que sea necesario, también podría hacer llamar de nuevo a los escasos testigos. Anna von Veckinhausen. Piensa en ella un instante, pero enseguida se obliga a concentrarse otra vez en el nuevo misterio.

Cuando por fin se levanta cansado del escritorio, poco antes de la medianoche, sabe que podrá proseguir con la investigación: con la investigación oficial del caso del asesino de los escombros, pero también con su investigación privada del caso de los expedientes robados. Buscará en secreto esos informes. Comprobará con discreción los motivos y las oportunidades de personas a las que consideraba compañeros; a algunos, incluso amigos.

Y ya no confiará en nadie.

Entre compañeros

Jueves, 13 de febrero de 1947

Agua helada sobre la piel y una pastilla de jabón Sunlicht, del color de la bilis, que produce una espuma con muchas burbujas. Stave sabe que en la fábrica de Sunlicht, en el barrio de Bahrenfeld, hierven huesos. El año pasado estuvo allí investigando porque sospechaba que un asesino había lanzado a su víctima a una de las calderas. No pudo demostrar nada, pero ¿quién sabe?

Se lava hasta que le arde la piel. Siente la necesidad de quitarse de encima la suciedad, tanto la que se ve como la que no. Por lo menos ahora ya hay suficiente luz por las mañanas para que pueda verse la cara en el espejo roto que cuelga sobre el lavamanos. No es que esa visión logre animarlo.

En la calle se alegra de no llevar uniforme. Así, nadie sabe que es policía. Por todas partes cuelgan carteles: ¿QUIÉN CONOCE A LAS PERSONAS DE LAS FOTOGRAFÍAS? Debajo, las imágenes de cuatro cadáveres. Después, el texto con la petición –la súplica, si se lee con atención– de identificar al menos a uno de los fallecidos. Cuddel Breuer ha autorizado imprimir sesenta mil carteles. Saltan a la vista, como era la intención de Stave. Están en todas las paredes, en todas las columnas de anuncios que siguen en pie. Los han enviado por correo a las comisarías de otras ciudades, incluso a las de la zona soviética.

Son imaginaciones mías, piensa Stave: hoy parece que la gente camina más apresurada por la calle, fija más la mirada para evitar la de los demás, se hunde más en los abrigos y las bufandas.

Nadie recorre ya directamente los solares de escombros. Los rehúyen como si de allí manara una peste. Los transeúntes prefieren caminar por el centro de la calle y no a la sombra de una fachada vacía o junto a un muro medio derrumbado.

Alguien ha montado un cuartucho con tablones y tela asfáltica en las entrañas abiertas de una casa de vecindad bombardeada, como una úlcera. Tapando la entrada del cobertizo se bambolea una tela, congelada como si fuera de cartón. En la fachada de la casucha, torcida hacia la derecha, han instalado un tragaluz recuperado de las ruinas. Tras él, unas cortinas corridas, temblorosas aún por el rápido gesto de una mano. Ahí hay alguien mirándome, cree el inspector jefe cuando pasa por delante. Ahí hay alguien montando guardia. Se siente perseguido por miradas furtivas y vuelve la cabeza disimuladamente. Nadie. Acelera, luego aminora el paso, de pronto tuerce a la derecha con brusquedad, da un quiebro, regresa de nuevo a la calle. Nadie. Solo figuras embozadas y veloces que vienen de alguna parte y se apresuran a algún otro lugar.

No te vuelvas loco, piensa.

En la Central, por un momento espera que se haya producido un milagro: que los expedientes vuelvan a estar en su escritorio, un error lamentable de algún compañero, todo en orden.

Pero los documentos siguen desaparecidos.

Stave empieza a buscar al fotógrafo de la Policía por los largos pasillos. No puede enviar a Erna Berg; todavía no ha llegado. Qué extraño, piensa el inspector jefe. Encuentra al fotógrafo en el laboratorio y le encarga nuevas copias de todas las fotografías de los cadáveres del asesino de los escombros. Hace caso omiso de la mirada de asombro del compañero.

Cuando regresa a su despacho, Erna Berg está abriendo la puerta: pálida, los ojos hinchados y enrojecidos, aunque hace esfuerzos para que no se le note.

Mal de amores, supone Stave. Si no quiere hablar de ello conmigo, pues que no lo haga. La saluda con amabilidad, como si todo estuviese como siempre.

–Pídale a Maschke que venga a verme, por favor –dice, y con una pizca de insidia añade–: Y también al teniente MacDonald, para esta tarde a las dos en punto.

Cuando llega Maschke, los dos se van juntos a ver al doctor Czrisini. Quiere estar presente cuando abra el cadáver. Su compañero se ha quedado blanco cuando le ha explicado el objetivo de su excursión y ahora permanece callado durante todo el camino.

No tardan ni un cuarto de hora a pie: al otro lado de la muralla, pasada la estación de Dammtor. Si Bürger-Prinz tiene razón, se le ocurre a Stave, estoy cruzando por un coto de caza del asesino de los escombros. El humo blanco de una locomotora emana entre los arcos de acero y cristal de la estación. Gente con abrigos, las cabezas ocultas bajo toda clase de tejidos, cientos de personas por todas partes. Yo no soy aquí el más débil, piensa Stave, a mí nunca me acecharía. No tiene ninguna esperanza de identificar allí a ningún sospechoso.

Siguen su camino deprisa, cruzan el recinto devastado de la universidad, tuercen por Neue Rabenstrasse, una zona tranquila de Rotherbaum, cerca del Alster, donde también se encuentra el Instituto de Patología. Stave se pregunta cuántos ocupantes de esas villas saben que en su vecindario se diseccionan cadáveres.

Unos minutos después, ambos están en una sala luminosa, junto a una mesa de acero sobre la que yace un cadáver. Descongelado. El doctor Czrisini saluda a Stave, luego a Maschke, y les presenta a un joven ayudante con gafas que redactará el acta con todo lo que el forense determine durante la autopsia.

Stave les da la mano a ambos y se hunde mucho en su abrigo, lo cual le vale una mirada arrogante del asistente. Él la devuelve con una sonrisa amable. No te hagas ilusiones, piensa, no me voy a desmayar. Con su compañero de Orden Público no lo tiene tan claro: Maschke apenas les ha dado la mano a los dos médicos de bata blanca y ya parece que estuviera a punto de vomitar en una de las palanganas cromadas. Stave solo tiene frío. También los patólogos llevan puesto el abrigo bajo sus batas.

Czrisini empieza por la cabeza. Primero la palpa y la observa antes de usar el escalpelo y luego la sierra de huesos. Procede metódicamente y dicta todo lo que Stave sabe ya. Entonces, no obstante, presta mayor atención.

–Pequeña herida seca, marrón rojizo, sien izquierda –dice el forense–, de entre uno y dos centímetros. Hemorragia en el cuero cabelludo. Asimismo, hematoma en la frente, sobre el párpado derecho. Posibles contusiones.

De modo que el anciano no fue el único al que torturó el asesino, piensa Stave. Por lo menos una de las mujeres también se defendió antes de morir, o bien el criminal albergaba también contra ella un odio extraordinario.

Al cabo de un rato, Czrisini le abre el cráneo con la sierra. Un hedor insoportable inunda la sala. El asistente mira –él cree que sin que se note– hacia Stave. Este le sonríe sardónicamente.

Maschke, sin embargo, profiere un borboteo gutural, se tapa la boca con la mano derecha y corre hacia la puerta. Mirada burlona del asistente. A Stave le gustaría soltarle una patada. Debería uno alegrarse de que no todo el mundo esté tan curado de espanto al ver cómo hurgan dentro de un cadáver, piensa.

–El cerebro presenta un estado avanzado de descomposición –dicta mientras tanto Czrisini, sin inmutarse. Entonces mira al inspector jefe–. Eso indica que la fecha de la muerte fue aproximadamente hace cuatro semanas.

–O sea, el 20 de enero –murmura Stave.

–Es muy posible –confirma el forense.

El asistente mira a uno y otro, está claro que sin la menor idea de cómo pueden haber llegado esos dos a una fecha tan concreta.

–Prótesis dentales en la mandíbula superior –prosigue el forense–. Mandíbula inferior derecha, dos muelas postizas. De oro. Base derecha de la lengua y ambos cuernos de la laringe destrozados –dicta Czrisini para el informe mientras intenta llegar al cuello–. Señal típica de estrangulamiento. Con toda probabilidad fue lo que causó la muerte.

El forense va recorriendo lentamente el cuerpo, lo abre, separa piel, huesos, nervios y órganos.

–Una masa alimenticia muy pastosa en el estómago –dice. El olor no mejora. El asistente de Czrisini vuelve a lanzarle una mirada a Stave.

–¿Qué pudo haber comido? –pregunta el inspector jefe.

–Seguramente pan. O sémola. En cualquier caso, una cantidad suficiente como para no pasar hambre.

Después, el médico llega por fin al bajo vientre de la víctima. Stave se acerca con curiosidad.

–No hay rastro de lesiones en la vagina –murmura Czrisini. Vuelve a alcanzar el escalpelo, abre la vieja cicatriz, sigue el camino que un cirujano tomó ya antes que él.

–Falta la trompa de Falopio izquierda.

–¿Consecuencia de la operación?

–Es probable. Pero vea: la derecha está ocluida, cerrada. El ovario es bastante grande.

Corta, retira con el escalpelo tejidos que Stave no logra identificar como ningún órgano.

–Ahí –dice el forense, y señala un punto rojo en el ovario que el inspector jefe no sabe cómo interpretar–. Una masa en el ovario. Completamente irrigada, como del tamaño de una cereza.

Stave se siente mareado por primera vez.

–¿Un embrión? –dice, jadeando.

–No. Un tumor –responde Czrisini.

–¿Cáncer?

–Si es benigno o maligno, no puedo decirlo a primera vista. De todas formas poco importa, ¿verdad?

El inspector jefe ha recobrado la compostura.

–¿Pudo tener hijos la mujer?

El forense mira un rato el vientre abierto y medio vacío de la muerta. Los órganos extraídos que han quedado en las palanganas de acero. Después niega con la cabeza.

–No lo creo. La mujer tenía adherencias y poliposis en el aparato reproductor, seguramente desde hace bastante tiempo.

Probablemente por eso le extirparon la trompa de Falopio izquierda. La derecha también presenta anomalías. Y luego, además, esa masa en el ovario. Tampoco se ve ningún indicio de un parto llevado a buen término, no hay viejas heridas en la vagina, por ejemplo. No, apostaría incluso dinero a que no tuvo hijos.

–¿Cuándo la operaron?

–Es difícil de decir. Las cicatrices están curadas por completo. No fue en los últimos doce meses, pero es probable que sí en los últimos diez años. Antes, habría sido extrañamente joven para una intervención de este tipo.

–Entre 1937 y principios de 1946. ¿En una consulta?

Czrisini le lanza una mirada de sorpresa y luego niega con la cabeza.

–No. Si su asistencia médica se desarrolló con normalidad, debieron de realizar la operación en un hospital con unidad quirúrgica.

–¿Había muchos hospitales en el Reich que realizaran estas operaciones?

–¿En todo el Reich? Cientos.

–Lástima.

Stave sigue el resto de la autopsia en silencio. No hay nada más que pueda ayudarlo.

Un hombre como única víctima contra la que descargaron también golpes; una mujer que podría ser la madre de la niña... Lo que apenas ayer, en la consulta de Bürger-Prinz, apuntaba a una elegante hipótesis sobre un drama familiar, ha quedado hoy extirpado por los cortes del forense como si de un órgano putrefacto se tratara: la mujer que yace en la mesa nunca tuvo hijos. Y con toda probabilidad fue también golpeada por su asesino antes del estrangulamiento.

Aun así: cuatro muertes acaecidas seguramente el mismo día. Dos medallones. Además de los resultados de la autopsia. Era una mujer adinerada. El pendiente con forma de estrella de mar. Sus manos no son de trabajadora. Tampoco las del anciano, ni las de la mujer joven. Demasiados puntos en común para que sean pura casualidad, piensa el inspector jefe. Las cuatro víctimas están relacionadas.

¿Conduce la operación abdominal hacia alguna otra pista? En Hamburgo nadie la ha identificado. Si la víctima no era de aquí, ¿dónde más pudieron realizarle esa operación? ¿En el este? ¿En Königsberg? ¿En metrópolis bombardeadas? ¿Berlín? Podría haber sido en cualquier lugar entre Flensburg y Garmisch. ¿Quién se acordará allí de ella? ¿Dónde habrán quedado los viejos historiales clínicos? ¿Dónde vivirá hoy el cirujano? Si es que todavía vive, lo cual, las cosas como son, resulta más bien improbable.

–Le enviaré el informe –anuncia Czrisini finalmente, mientras se lava las manos.

–Envíeme también copias de las otras tres autopsias, por favor –dice Stave sin hacer caso de las miradas del asistente.

Maschke está fuera, apoyado en el muro de una casa, fumando, con la cara blanca y la mano del Lucky Strike temblando un poco todavía.

–Siento haberlo traído conmigo –le dice Stave al salir del instituto–. Pensaba que le interesaría esta parte del trabajo de Homicidios.

–Prefiero quedarme con mis golondrinas de la calle –responde el agente, y en su voz no se oye ni un tinte de cinismo.

A la hora convenida, MacDonald aparece en el despacho del inspector jefe. El teniente está pálido e inquieto. Evita la mirada de Erna Berg. Tampoco a Stave lo mira apenas un instante. El nerviosismo lo envuelve como una nube de mala loción para después del afeitado.

–¿Quiere que le haga poner un cartel: «Prohibida la entrada a civiles alemanes»? –gruñe el inspector jefe.

MacDonald lo mira un segundo, molesto, como si eso lo hubiese despertado de un sueño. Después sacude la cabeza a modo de disculpa.

–No es que nos creamos superiores –dice sin pensar–. Es solo la tradición colonial. No se lo tome a mal, hombre.

–Las barreras son barreras, y yo no soy un culi indio –replica Stave.

–Por lo menos ese cartel es franco y habla claro –contesta el teniente, serio de pronto–. Le aseguro que en Inglaterra levantamos unas barreras muy diferentes. Invisibles, alevosas. En Oxford, en determinados clubes, en el casino de oficiales. De alguna forma consiguen que uno se avergüence de pronto de sus orígenes, de su propia familia, de su apellido.

Stave piensa en su propia carrera en la Policía. No es que haya sido brillante. Además, tuvo problemas con los nazis. Pero ¿alguna vez llegó a avergonzarse de sus orígenes? ¿Le cerrarían una puerta por haber nacido en la familia equivocada? Se pregunta qué batallas mudas no habrá tenido que librar MacDonald para llegar a donde está en esos momentos.

–Yo no tengo nada contra su apellido –dice en voz alta.

–Incluso lo pronuncia usted correctamente –repone el teniente, y vuelve a sonreír.

También Stave se sonríe satisfecho. Sienta bien dejar de andarse con cuidado de vez en cuando, piensa, pero no dice nada más.

Entra Maschke. Stave lo ha obligado a tomarse un descanso, pero parece que el agente ya ha conseguido recuperarse de la autopsia. Los tres juntos lo conseguiremos, piensa el inspector jefe.

Cierra la puerta de su despacho y explica cómo ha ido la autopsia. De la Jefatura S, a quienes ha enviado fotografías del pendiente, no hay noticias nuevas. De momento, la pareja no ha aparecido en el mercado negro. Un agente ha ido a visitar uno por uno a los pocos joyeros de la ciudad que han vuelto a abrir: nada. Nadie ha fabricado nada semejante. De su visita de ayer a Bürger-Prinz, Stave no menciona nada.

–¿Alguna propuesta nueva? –pregunta al cabo.

–Podemos enviar las fotos y las descripciones de las tres víctimas adultas a todos los departamentos de Investigación Criminal del antiguo Reich. Si es que siguen existiendo. Quizá alguno de ellos no es solo víctima, sino que fue también delincuente y se procedió a su identificación –lanza Maschke a la sala.

Stave asiente, molesto a su pesar. Una idea simple. Podría habérsele ocurrido a él mismo. Esto me está desmoralizando poco a poco, piensa Stave. Está bien que al menos Maschke siga atento.

–Supongamos que todas las víctimas fuesen miembros de una familia. Una familia acomodada. De fuera de Hamburgo.

Los tres discuten la hipótesis, aunque en realidad solo hablan dos de ellos, Maschke y Stave, porque MacDonald mira ensimismado por la ventana. Para Stave es una conversación con cierto *déjà-vu,* puesto que se desarrolla más o menos igual que el intercambio de ideas con el psicólogo. Solo que esta vez nadie expresa seriamente la sospecha de que la mayor de las mujeres pudiera ser la madre de la niña.

–Si los crímenes están relacionados, no tenemos muchas posibilidades de descubrir el motivo sin más pruebas –concluye Maschke. Suena cansado–. Si alguien estaba furioso con su papá porque le había quitado el patinete, y por eso va y se carga a su familia, ¿cómo vamos a saberlo nosotros? O si un tío perverso atacó a sus sobrinas. O si una esposa torturada durante años quiso romper su lazo matrimonial. Todos ellos serían motivos, pero ninguno habría trascendido al exterior. No tenemos nada que seguir investigando.

–A menos que fuera una lucha por la herencia –repone Stave, a quien se le ha ocurrido una idea–. Alguien que mata a todos sus parientes para hacerse con el legado familiar. Todas las víctimas estaban bien alimentadas, o sea que no eran pobres. Así pues, debía de haber algo que heredar. Siempre ha habido personas dispuestas a matar por unos cuantos marcos. Hoy, sin embargo, puede que no sea solo la codicia lo que los empuja a desear echar mano de una herencia antes de tiempo, sino también la necesidad. Un alojamiento con calefacción. Un par de viejas medallas o cuadros que malvender en el mercado negro. Para quien más, quien menos, eso supone la diferencia entre morir congelado o no. Entre morir de hambre o no hacerlo. Aunque no lo considero demasiado probable, porque a las víctimas las desvalijaron con una minuciosidad espantosa. ¿Haría eso alguien que mata por una herencia? De todas formas, debemos tener en cuenta esa posibilidad.

Maschke lo medita unos segundos, asiente.

–Está bien –murmura–, pero ¿qué hacemos ahora?

–Ya que vamos a escribir a todos los departamentos de Investigación Criminal del antiguo Reich, les pediremos también que nos envíen información sobre herencias sospechosas. Y en Hamburgo y Schleswig-Holstein consultaremos uno por uno todos los registros civiles, los archivos de cementerios y empresas de pompas fúnebres: ¿se ha informado de la muerte, aunque sea en circunstancias nada sospechosas, de personas que respondan a las descripciones de nuestras cuatro víctimas? ¿Tuvieron lugar realmente todos esos entierros que se notificaron?

El hombre de Orden Público lo mira extrañado.

–Alguien podría matar a su esposa e informar al Registro Civil de su defunción, comunicar también su entierro –continúa Stave–. Así, se embolsaría su herencia, pero no permitiría que tuviera lugar el funeral, por miedo a que alguien se fijara en las marcas de estrangulamiento de la víctima. De manera que la abandona entre los escombros y cancela el entierro. Ningún funcionario del Registro Civil irá a comprobar si se ha producido el enterramiento de una defunción que le han comunicado. Menos aún en los tiempos que corren. Y el encargado de la funeraria al que le anulan el servicio tampoco irá corriendo a denunciarlo al Registro Civil ni a la Policía. Pensará que un competidor más barato le ha robado el cliente.

–Me alegro de no ser su tío rico –murmura Maschke.

–Tenemos dos tareas por delante –dice Stave–. Redactaremos los escritos para los departamentos de Investigación Criminal, los registros civiles y demás. También necesitaremos varias decenas de copias más de las fotografías. Probablemente incluso cientos. La señora Berg se ocupará de eso.

Observa que MacDonald se estremece al oír el nombre, pero ninguno de los dos hace ningún comentario.

–Y enviaremos una carta a todos los cirujanos que hayan realizado alguna operación ginecológica en los últimos diez años, con fotografías de la mujer mayor. De la cabeza y de ahí abajo. A los que estén a doscientos kilómetros a la redonda de Hamburgo los visitaremos personalmente. Así iremos más rápido, y eso será cosa suya, Maschke.

–Mi día de suerte –replica el hombre de Orden Público, aunque no parece demasiado descontento para lo que es habitual en él–. Siempre que no tenga que presenciar ninguna autopsia más, soy su hombre.

Está más que contento de salir de aquí, supone Stave. Así estará fuera de la línea de fuego en caso de que esta investigación me acarree más broncas. Maschke no sospecha que el inspector jefe, pese a toda la simpatía que le pueda haber tomado, con ese encargo no quiere hacerle ningún favor a su carrera, sino que lo mueven segundas intenciones.

Stave se levanta.

–A trabajar.

Cuando los hombres han salido de su despacho, espera unos instantes antes de asomarse a la antesala. Quizá, piensa, MacDonald y Erna Berg agradecen unos segundos de intimidad. Sin embargo, cuando por fin sale, encuentra a su secretaria sola en su mesa. Le dice lo que tiene que hacer y ella lo apunta, con mano temblorosa.

Al final, se siente tonto fingiendo que no se ha dado cuenta de nada.

–¿Le pasa a usted algo? –pregunta. Demasiado tarde se da cuenta de lo inadecuadamente íntimo que ha sonado eso–. Por supuesto, no tiene por qué contestarme –añade enseguida, tartamudeando. Aún se siente más bobo.

Tras un lamentable intento de sonreír, Erna Berg se desmorona y se echa a llorar en silencio. Stave se le acerca, incómodo, ve las lágrimas que caen bajo las manos que cubren el rostro, que resbalan por las mejillas y gotean en el escritorio. Stave saca su pañuelo y quiere secarle con él la cara, pero entonces le parece que eso sí sería demasiado íntimo y acaba limpiando las perlas de humedad de la mesa. Así transcurre una eternidad torturadora en la que él no sabe qué hacer, y al mismo tiempo le da miedo que alguien pueda entrar de pronto.

Por fin su secretaria se tranquiliza un poco, acepta el pañuelo que él sigue sosteniendo en la mano, se seca la cara, se suena la nariz.

–Ahora no podré devolvérselo –masculla, y se lo guarda–. Mañana se lo traigo otra vez, lavado y planchado.

–Puede quedárselo –repone Stave.

–Bueno, una preocupación menos –dice ella–. Siento mucho haberle montado aquí una escena.

–Puede tomarse el día libre.

Ella lo rechaza con espanto.

–En estos momentos estoy mejor aquí que en casa. –Entonces respira hondo–. Seguro que sospecha usted algo, ¿verdad? –pregunta con timidez.

–¿MacDonald?

–James, el teniente MacDonald me lo advirtió: cree que nos ha descubierto usted.

–No han hecho nada malo para que yo pueda descubrirlos.

–Muchas gracias por esa mentira piadosa. El señor MacDonald y yo hemos llegado a sentirnos muy próximos estas últimas semanas.

–Eso no es ningún delito.

–Cuando eres una mujer casada, esperas un hijo y tu marido regresa de repente, me parece que sí.

Stave se sienta entonces en una de las sillas para las visitas que hay delante del escritorio.

–Días turbulentos –masculla.

–Verá: yo creía que era viuda. Mi marido desapareció. Ninguna noticia ni señales de vida desde hacía años. Ya lo sabe usted. –Se pone muy colorada, mira al suelo–. Y entonces, de pronto, entra en el despacho el teniente MacDonald. Estuvimos hablando, los dos estábamos solos, sin ataduras, una cosa llevó a la otra. Que me quedara embarazada tan pronto no estaba previsto, pero queremos tenerlo. Soñábamos con un futuro juntos. También con mi hijo, al que el señor MacDonald quería adoptar. Íbamos a trasladarnos a Inglaterra, algún día. Lejos de todos estos escombros. –Se lleva las manos a la cara–. Y entonces, hace dos días, llaman a la puerta de mi apartamento. Pienso que es James, me sorprendo, me alegro, corro a la puerta y me encuentro con mi marido. O lo que ha quedado de él. Es una sombra famélica. Con una sola pierna. Y una mirada en los ojos perdida, desamparada y al mismo tiempo casi brutal.

Un llanto convulsivo. Stave espera hasta que la mujer vuelve a serenarse un poco. Se alegra de que no lo esté mirando en estos momentos. La envidia y la ira lo recorren como la bilis. Envidia, porque el marido al que creía perdido ha regresado de repente, mientras que el hijo de él sigue desaparecido sin rastro. Y rabia, porque ella no es ni siquiera capaz de alegrarse por ese milagro.

–¿Sospecha su marido algo de sus... –dice, intentando hallar la expresión adecuada, aunque no encuentra ninguna y termina–: dificultades?

Ella niega con la cabeza.

–James y yo por el momento no nos vemos fuera de las horas de trabajo. También para él ha supuesto una conmoción. Pero no podré ocultar mi estado para siempre. Sobre todo porque después no me veré capaz de decir que el niño es de mi marido. Es que no puedo hacerlo, ¿comprende usted?

Stave lo comprende muy bien. Un hombre que se ha dejado una pierna en algún lugar de Rusia y que regresa tullido junto a su joven esposa. Una mujer que abre los ojos con espanto cuando llama a su puerta. Y que por la noche, en la cama, se aleja de él como si fuera un leproso. ¿Rehuirá también su hijo a ese padre extraño y deforme?

–¿Qué piensa hacer?

Erna Berg se yergue de pronto, consigue componer una sonrisa.

–Antes de nada, escribir todas esas cartas, inspector jefe –dice.

Stave se sobresalta.

–Naturalmente que eso no es cosa mía –murmura–. Disculpe la pregunta.

Vuelve a su despacho y cierra la puerta.

Stave contempla el plano de la ciudad con sus cuatro alfileres rojos. Tres cadáveres hallados en el este, uno en el oeste. Los tres puntos al este del Alster, a fin de cuentas, apenas quedan a un cuarto de hora a pie entre sí. De Lappenbergsallee, sin embargo, todos esos lugares quedan por lo menos a una hora de camino.

A no ser que el criminal llevase un coche o un camión.

Stave contempla esa posibilidad. Eso señalaría hacia alguno de los pocos alemanes con autorizaciones especiales. O a un británico. Por otro lado: ¿no sería un vehículo motorizado un elemento demasiado llamativo? Además, a ninguno de los cuatro lugares puede accederse directamente; habría tenido que arrastrar de algún modo los cadáveres hasta su escondrijo desde el coche, aparcado en la calle más cercana. Durante el día sería casi imposible hacer algo así sin que nadie lo viera. ¿Y de noche? Un coche llamaría entonces mucho más la atención, porque los británicos casi nunca conducen durante las horas nocturnas, y los alemanes lo tienen explícitamente prohibido.

Maldita sea, piensa Stave, ¿es que nada puede tener sentido? De una u otra forma, todo se atasca, siempre hay algún detalle que no encaja en el conjunto. Recuerda la última autopsia. ¿Por qué un asesino tan ávido de un botín, que le ha quitado incluso las bragas a la mujer, iba a dejarle precisamente los dientes de oro? Con oro puede comprarse cualquier cosa en el mercado negro.

¿Pretende, pues, borrar pistas con esa forma de desvalijar a sus víctimas? Pero si lo que quiere no es atracarlas, no abusa de ellas, tampoco alberga ninguna clase de rencor familiar, ¿por qué las mata entonces?

Stave querría darse de golpes contra la pared a causa de la rabia: rabia hacia el asesino, hacia su propia incompetencia, hacia los compañeros que lo dejan en la estacada, que protagonizan sus propios dramas personales o que incluso le sabotean el trabajo.

Ya han dado las seis de la tarde. La antesala está vacía, el pasillo en silencio. Si no consigo avanzar con esta investigación, piensa Stave, ha llegado el momento de dedicarme a la otra. La secreta.

Sale de su despacho, recorre lentamente los oscuros pasillos, espía con disimulo en las oficinas que no tienen la puerta cerrada. Una tarde tranquila. Stave llega a la escalera, baja dos pisos, se detiene. Hasta ahí, cualquiera que lo estuviera observando pensaría que se va a casa. Es ahora cuando se aventura en un terreno desconocido. El inspector jefe respira hondo, empuja una puerta y entra en el pasillo del Departamento de Orden Público.

Un corredor con puertas de despachos a uno y otro lado, igual que en Homicidios. No se ve ninguna luz encendida. Medio en penumbra, aprieta el paso y va leyendo las placas que hay junto a las puertas del pasillo.

Inspector de policía Lothar Maschke.

Mira hacia ambos lados, luego acciona el tirador hacia abajo.

No ha echado la llave.

Stave se cuela sin hacer ruido y vuelve a cerrar la puerta. El corazón se le acelera. En toda su vida apenas ha hecho nada prohibido y ahora, de pronto, esto: irrumpir en el despacho de un compañero.

Saca una linterna de mano del bolsillo del abrigo, la enciende, echa una ojeada. Se trata de un despacho diminuto sin antesala en el que lo primero que advierte es el desorden; una montaña de informes, fotografías policiales, cuadernos de notas, cajetillas vacías de Lucky Strike sobre la mesa. Ceniceros desbordados. Una silla, apartada del escritorio en vez de bien arrimada contra el canto. En una pared cuelga un plano de Hamburgo sujeto con chinchetas oxidadas, torcido. Cuatro cruces marcadas con lapicero señalan los cuatro lugares donde se ha encontrado un cadáver. En otra pared, el diploma de la Policía sin enmarcar, algo torcido también.

Stave se acerca más, mira el escritorio con mayor detenimiento pero aún no toca nada. Una foto en un marco: una dama de edad avanzada que lo mira con seriedad. El inspector jefe recuerda que su compañero todavía vive con su madre. Por lo demás, nada personal. En esa mesa reina el desbarajuste: un torbellino de papeles sobre las investigaciones de los asesinatos, copias de informes de autopsia, imágenes del fotógrafo de la Policía, listas de cirujanos y dentistas.

Ningún expediente.

Stave se enfunda unos finos guantes de piel negros y va desmontando con cuidado las columnas de papeles, siempre con la precaución de dejarlas después exactamente igual a como estaban antes. ¿Quién sabe si Maschke no tendrá un método dentro de ese caos aparente?

Nada.

Quedan aún los cajones del escritorio, dos a cada lado. Arriba a la izquierda: cigarrillos, mecheros. Stave enarca las cejas. Parecen más bien demasiados para el salario de un inspector de policía. O se fuma la mitad de su sueldo, o tiene una fuente de suministro que un agente de la ley no debería tener.

Abajo a la izquierda, un cajón muy hondo: fichas con fotos. Stave se hace con unas cuantas y las observa. Adjuntan, pegadas junto a los nombres, fotografías policiales como las que se hacen para la identificación de los delincuentes. Por la parte de atrás hay notas con la caligrafía de colegial de Maschke:

«Nombre de pila: Lena o la Danesa.»

«Lleva una navaja escondida en cada tobillo.»

«Chica de Willy Warncke (Willy el Gordo).»

«Yvonne Delluc, tiene familia aquí.»

«Cuidado: Isabelle, apreciada entre los oficiales británicos. No tratar con demasiada dureza.»

«Detenida en el mercado negro el 5-1-47 con un par de medias de nailon y veinte cigarrillos.»

El inspector jefe repasa deprisa las fichas del montón: putas, chulos, putas, chulos. Ningún cliente. Es sorprendente la cantidad de individuos que tiene clasificados Maschke, dado el poco tiempo que lleva en Orden Público.

Las fichas están guardadas sin orden aparente, aunque Stave sospecha que Maschke sabe perfectamente dónde está cada una. Detrás de esa dejadez se esconde un sistema, piensa.

Cajón superior derecho: lápices, un sacapuntas deteriorado, cuadernos de notas estropeados, vacíos; muchos de ellos tienen varias páginas arrancadas. Son libretas en sucio más o menos usadas que, por lo visto, Maschke quiere reaprovechar. Junto a ellas, gomas de borrar rotas, dos sujetapapeles torcidos, un par de chinchetas oxidadas, hebras de tabaco.

Cajón inferior derecho, tan hondo como el de la izquierda: una docena de papeles, algunos arrugados, más otros tres cuadernos de notas. Stave ilumina un momento las hojas sobrevolándolas con el haz lechoso de la linterna. Columnas de números. Las hojas están llenas de cifras garabateadas: a veces solo unas cuantas, otras veces muchas. También esos cuadernos son cementerios de números. ¿Números de teléfono? ¿Combinaciones de cajas fuertes? En ninguna parte hay una explicación, ningún nombre, ni siquiera una letra.

Entre las hojas y los cuadernos hay un plano actual de los Ferrocarriles del Reich de todas las zonas de ocupación: algo sin apenas valor ese invierno, pues nadie sabe nunca cuándo va a salir un tren, si es que sale.

También hay mapas como los que confeccionaba la Wehrmacht. Mapas topográficos, a gran escala: el norte de Alemania,

Baja Sajonia, Dinamarca, los Países Bajos, Bélgica y Luxemburgo, Francia, Baviera y Austria, Suiza...

Stave contempla asombrado todos esos mapas tan bien plegados. Los alrededores de Hamburgo son sin duda interesantes para un agente de Investigación Criminal. Pero ¿países extranjeros? Se hace una composición mental: todos son de países que quedan al norte, al oeste y al sur de las fronteras del Reich. Maschke estuvo en la Wehrmacht, en la campaña occidental. ¿Por qué ha conservado precisamente todos sus mapas? ¿Y por qué llegaron a sus manos si era tripulante de un submarino? Stave vuelve a hojearlos. Parecen por estrenar, salvo uno, el de Francia. Dobleces blancas, rasgaduras en los bordes. Lo saca, lo despliega con cuidado sobre el accidentado escritorio. Toda Francia, un mapa tan grande como la mesa.

Hay notas garabateadas en lápiz. Símbolos militares, letras y cifras, posiblemente abreviaturas de unidades. Junto a ellas, fechas. Algunas indicaciones están borradas y reescritas, a veces tachadas con prisas y corregidas a un lado.

La imagen de una retirada.

Las anotaciones más antiguas empiezan el 1 de junio de 1944, a la izquierda, casi en la costa atlántica, al nordeste de Burdeos. Después una línea que sube hacia el norte, hacia Normandía. La invasión de los Aliados, piensa Stave. Después, ya solo anotaciones hacia el este. La última entrada, de finales de noviembre de 1944, junto a Estrasburgo.

Mientras el inspector jefe vuelve a plegar el mapa, el haz de la linterna recae sobre el reverso. Un sello oficial del Reich medio borrado: el águila y la cruz gamada. Debajo, una inscripción en letra gótica. Stave está a punto de dejar el mapa otra vez con los demás cuando se detiene de pronto: el sello lleva un símbolo más. Las dos runas de las SS.

Lo coloca bajo la linterna, descifra detenidamente las letras que hay bajo el símbolo, emborronadas por huellas dactilares, corridas en algunos puntos por gotas de lluvia: «3ª Comp. 1º Bat. Regimiento de Granaderos Anticarro de las SS "El Führer"».

Y debajo, en lápiz y prácticamente ilegible, un nombre: «Hans Herthge». Con la letra de Maschke.

Stave no tiene tiempo de reflexionar sobre lo que acaba de descubrir. De repente oye algo fuera, en el pasillo.

Pasos.

Al inspector jefe le quedan dos segundos para pensar. Seguramente el desconocido pasará de largo, pero ¿y si no lo hace? ¿Y si lo sorprenden con una linterna junto al escritorio de un compañero? ¿Debería esconderse? Pero ¿dónde?

El descaro siempre triunfa, piensa Stave. Cierra el cajón de golpe, guarda corriendo el mapa de Francia y sus guantes en el bolsillo de su abrigo, apaga la linterna y enciende la lamparita del escritorio. Si alguien lo ve, que sea como si no tuviera nada que ocultar.

Los pasos se acercan; luego, silencio. Hay alguien justo delante de la puerta. Stave se inclina sobre los papeles del escritorio y finge estar buscando algo.

El tirador se mueve con cuidado. El inspector jefe levanta la mirada. Es el fiscal Ehrlich.

Los dos hombres se contemplan durante un segundo, ambos con bastante bochorno.

–Buenas tardes –dice al fin Stave, que es el primero en recuperar la compostura–. ¿Puedo ayudarlo en algo?

–¿Me he equivocado de pasillo? –replica el fiscal–. Pensaba que este era el despacho del señor Maschke.

–Objetivo alcanzado. Pero mi compañero ya ha terminado por hoy.

–¿Y a usted lo han trasladado a Orden Público? –El fiscal lo mira sorprendido.

Stave tiene un par de segundos para improvisar una historia.

–Por la mañana, Maschke irá a visitar a cirujanos que hayan realizado operaciones como la que presenta la cuarta víctima. Ya lo he enviado antes a consultar con médicos. La dentadura, la hernia inguinal..., ¿recuerda? Me pregunto si habrá algún facultativo que opere hernias inguinales en hombres y también cuestiones femeninas. En caso de que las víctimas pertenecieran a una misma familia, eso sería un buen planteamiento. Como Maschke ya se ha ido a casa, lo estoy comprobando yo. –Señala como disculpándose hacia las montañas de papeles que tiene delante–. Pero me temo que tendré que hablar con él mañana.

Ehrlich lo mira unos instantes más con escepticismo, luego sonríe y asiente.

–Ya comprendo –murmura. No parece que comprenda nada–. Supongo que, entonces, también yo tendré que esperar para poder hablar con él. Una lástima.

El fiscal hace una reverencia y luego cierra de nuevo la puerta al salir. Pasos que se alejan, cada vez más tenues.

Stave respira hondo. Unas perlas de sudor frío le corren entre los omóplatos. ¿Se habrá creído Ehrlich su cuento? ¿Le comentará a Maschke ese encuentro inesperado? Ahora tendrá que mencionarle al agente de Orden Público esa estúpida ocurrencia sobre los cirujanos para dar consistencia a su tapadera.

Aguarda un par de minutos más para estar seguro de que Ehrlich ha desaparecido. Coloca bien los papeles. Duda si volver a dejar también el mapa de Francia en su sitio, pero después se decide a quedárselo. Por el momento. A ver qué descubre de ese «Hans Herthge».

Apaga la luz, sale al pasillo y se apresura por el oscuro edificio. Hasta que no se encuentra fuera, en la plaza desprotegida, Stave no cae en la cuenta de que Ehrlich no le ha dicho qué buscaba en el despacho de Maschke a una hora tan avanzada.

Calles sombrías, ruinas como castillos encantados, en algún lugar ruge el motor de un Jeep británico. Una cortina congelada que sobresale entre los cascotes de ladrillo golpetea a causa del viento. Por lo demás, hay un silencio opresor. En los últimos años Stave se ha acostumbrado tanto a la visión de la ciudad devastada que apenas piensa ya en ello. Sin embargo, mientras se apresura hoy hacia casa, se siente incómodo, inseguro. Amenazado.

Sombras que se estremecen en los huecos de las ventanas. Siluetas junto a muros despellejados. ¿Cadáveres? ¿O un asesino que acecha desde su escondite a un transeúnte nocturno? Me estoy volviendo paranoico, piensa otra vez el inspector jefe.

Se sorprende a sí mismo caminando también por el centro de la calzada, alejándose todo lo posible de los solares de escombros. Un cosquilleo en la nuca, como si alguien lo estuviera observando. Se vuelve. Nada.

Aun así, la sensación de que no está solo persiste.

Se lleva la mano a la pistola, quita el seguro de la FN 22, acelera a pesar de las punzadas de la pierna izquierda. El camino se le hace interminable.

Cuando por fin llega a su edificio, sube los escalones de dos en dos, abre la cerradura a tientas, cierra la puerta del apartamento. El corazón le late muy deprisa, tiene la piel humedecida, la respiración jadeante.

Me estoy portando como un imbécil, se dice, como un principiante. Si alguien se me hubiera acercado a preguntarme la hora, habría acabado disparándole por culpa del miedo. Espera hasta que la mano deja de temblarle, le pone el seguro a la FN 22 y vuelve a guardarla en la pistolera. Tengo que dormir más, piensa, conseguir entrar en calor de una vez por todas. ¡Ojalá pasara por fin esta ola de frío! Aunque al mismo tiempo teme que llegue ese día. Teme los cadáveres descongelados, pestilentes.

Se prepara la cena: pan con sabor a papel, una loncha fina de queso, agua, una patata pasada que consigue tragarse medio cruda después de tenerla una hora hirviendo sobre el hornillo. Luego espera tumbado a que el sueño haga acto de presencia, yace en la cama como un muerto, inmóvil. Un cansancio que pesa cuatro quintales. Sin embargo, su mente se niega a abandonarse al mundo de los sueños.

Stave acaba por acercarse a tientas hasta la radio. Un resplandor amarillento aparece en el viejo cacharro cuando los tubos se calientan. Hacía meses que no la escuchaba. En la época de los camisas pardas, las rimbombantes notas de Liszt y luego: «¡El alto mando de la Wehrmacht hace saber...!». La voz exaltada de Hitler o Goebbels y, de fondo, roncos como el granizo contra una ventana, los gritos de «Heil» coreados en uno u otro estadio deportivo. Música de Wagner. Al final estaba tan harto de todo ello que prefería no encender el aparato. Había compañeros y vecinos de los que sabía que escuchaban la BBC en secreto, pero él nunca se habría atrevido a hacerlo.

Hoy, sin embargo, una nueva cadena iba a comenzar sus emisiones: Nordwestdeutscher Rundfunk, la Radiodifusión de Alemania Noroeste. Oficiales británicos, jóvenes periodistas alemanes, una especie de BBC para alemanes. Stave ha oído hablar de ello; estos últimos días ha escuchado, aunque sin mucho interés, a varios compañeros que estaban contando los días que faltaban para volver a escuchar la radio por fin.

Sin embargo, ahora que no logra dormir, se entrega a las ondas sonoras. Para él supone al menos la ilusión de tener una segunda voz en la habitación. Un interlocutor. Ruidos, crujidos estáticos, a veces silencios de varios minutos, oscuridad cuando se va la corriente. Luego una obra radiofónica. Stave no ha retenido el nombre del autor, tampoco escucha más que a medias las descripciones, los diálogos. Simplemente disfruta de oír sonidos en el apartamento, de la tenue luz de la radio, de recuperar una fracción de normalidad.

Le narran la historia de un hombre que regresa a casa de la guerra y a quien nadie quiere de vuelta. Oye cómo habla ese hombre con el Elba. Qué extraño, piensa, ¿cómo va a hablar uno con el Elba, si yace oculto bajo un metro de hielo?

Con eso se sume en una ensoñación en la que su hijo habla con el río, cuyas olas logran de algún modo adoptar los rasgos de Margarethe. Hace calor, las casas relucen intactas bajo el sol. Stave se siente triste y alegre a la vez, se deja llevar más allá del sueño, hacia el reino de la más negra oscuridad, y se queda dormido profundamente, como hacía años que no conseguía.

Desenmascarado

Lunes, 17 de febrero de 1947

Stave se encuentra en su despacho desde las siete de la mañana, colgado del teléfono. Cuando la punta del dedo se le pone roja de tanto girar el dial, usa un lápiz para marcar los números. Ya el viernes intentó ponerse en contacto con Maschke. Quiere hablar con él enseguida, antes de que Ehrlich pueda hacerlo, para ofrecerle su versión del encuentro tardío en su despacho. No hay manera. No encuentra al agente de Orden Público por ninguna parte; no está en ningún hotel, en ninguna comisaría del norte de Alemania, en ningún hospital. Varias veces ha hablado con personas que lo han atendido, siempre unas horas antes. Es como si quisiera escapar de mí, piensa Stave. Qué absurdo.

El fin de semana lo ha pasado en la estación, y allí ha tenido mucho tiempo para reflexionar. Porque cuanto más se alarga este invierno, menos carbón se extrae y cada vez más locomotoras quedan abandonadas, con las cañerías rotas o las calderas reventadas a causa de las heladas. Ahora, cada día traquetean por las vías menos trenes de los que antes pasaban en una sola hora.

Stave ha recorrido los andenes vacíos de un lado a otro, y no solo para ahuyentar el frío de sus piernas. Estaba intranquilo, se había imaginado que Ehrlich hablaba con Maschke de alguna forma durante el fin de semana... sobre él. O que su compañero regresaba sin previo aviso el sábado o el domingo y entraba en su despacho. Stave se había imaginado que Maschke entraba en esa sala aparentemente tan desordenada, buscando quizá solo un paquete de cigarrillos, y entonces se quedaba inmóvil al darse cuenta de que un papel de la pila no estaba tan torcido como lo había dejado él. Se había figurado cómo Maschke registraba el escritorio, descubría aquí y allá alteraciones en ese caos tan cuidadosamente ordenado, luego abría el cajón inferior de la derecha, echaba un vistazo a los mapas, se percataba de que faltaba uno. Y entonces llamaba a Ehrlich para que fuera a verlo...

Cuando no pensaba en Maschke, sus pensamientos giraban sin control en torno al asesino de los escombros. ¿Y si también estuviera allí, en esa estación, buscando igual que él? ¿Y si el asesino encontrara antes que él a su hijo, que regresaba cansado y bajaba tambaleante y demacrado de un vagón? Un soldado macilento que vuelve a casa tras la guerra, una presa fácil. Un municipal visitaría a Stave en cualquier momento con una notificación: «Tenemos otro muerto». Un solar en ruinas. Un joven desnudo. Stave que se acerca, la conmoción al reconocerlo...

El inspector jefe ha recorrido los gigantescos vestíbulos, intranquilo, furioso, sin rumbo fijo, igual que una fiera enjaulada. Cuando el último tren del domingo salió de la estación dando sacudidas con jadeos asmáticos, se sintió cansado como siempre, congelado, decepcionado y al mismo tiempo un poco aliviado porque no hubiera sucedido nada. Y porque ya había pasado un fin de semana más.

De repente Stave se estremece: oye el teléfono y arranca el auricular del receptor.

–Aquí Maschke.

Crujidos, chisporroteos, una conexión temblorosa. La voz suena como si el agente llamara desde el Polo Norte.

–Hace ya una hora que intento dar con usted. ¿Qué sucede? La línea siempre estaba ocupada.

Stave se obliga a disimular su satisfacción.

–Tenía que hacer un par de llamadas –responde–. Nada importante. ¿Tiene usted alguna novedad?

Maschke llama desde el balneario de Travemünde. Echa pestes de los ricachones que se hospedan allí: una habitación con vistas al mar por quinientos marcos del Reich la noche, desayuno con café de verdad y mermelada y, por la noche, ochocientos marcos por una botella de whisky.

–El hotel está lleno –grita por encima de los ruidos de la línea–, como si nunca hubiese habido una guerra. Solo ha cambiado la clientela.

–O sea que los hombres de negocios despilfarran allí sus billetes. La verdad es que todo sigue igual. –Stave no puede reprimir una pizca de malicia. Maschke, el cínico, el azote de putas y chulos, vive dentro de un hombre que todavía cree en la bondad de las personas.

O tal vez no. El inspector jefe vuelve a pensar en el mapa de Francia con el sello de la Sección Armada de las SS y el nombre de Hans Herthge.

Quizá podría dirigirme a él directamente como Herthge mientras estamos hablando para ver cómo reacciona, piensa, pero enseguida desecha la idea. Después tendría mucho que explicar. En lugar de eso, le pide que busque a cirujanos que hayan realizado tanto intervenciones ginecológicas como de hernia inguinal. Stave escoge sus palabras con muchísimo cuidado. Se expresa con vaguedad, no desvela directamente que estuvo ya entrada la tarde en el despacho de Maschke, pero sí consigue formularlo todo de tal modo que, si su compañero se entera por Ehrlich, pueda defenderse diciendo que ya se lo había dicho por teléfono.

El agente de Orden Público guarda silencio. ¿Sospecha algo? Sin embargo, su respuesta llega enseguida.

–Eso haré –dice.

A pesar de los crujidos de la conexión, es fácil notar el escepticismo de su voz.

–Ginecología y hernias inguinales. Por el momento he cubierto desde Hamburgo hasta la costa del mar Báltico. Ahora me dirijo hacia la frontera danesa. Después cruzaré hasta el Mar del Norte y bajaré desde allí. Tardaré aún unos días. De momento he hablado ya con unos veinte cirujanos. Es sorprendente la cantidad de hombres que se dedican a hurgar en las partes bajas de las mujeres. Pero ninguno había visto nunca a la dama que estamos buscando. Ya que estaba, también les he preguntado si creían que la mujer podría haber tenido hijos. Todos lo consideran bastante improbable.

–¿Y las otras víctimas?

–Les enseño todas y cada una de las malditas fotos de nuestro fotógrafo. El viejo, la chica, la niña... No parece que ninguno de ellos visitara nunca a un médico. Debían de ser personas bastante sanas. Solo con un ligero dolor de garganta, al final.

–Informe a la Central cada dos días, aunque no haya descubierto nada. Sea meticuloso. Pregunte también por médicos mayores que ya no pasen consulta. Más vale dedicar un día de más que una hora de menos.

Así me quito a Maschke de encima, piensa al colgar el auricular de golpe.

Mientras, la máquina de escribir ha empezado a golpetear en la antesala: Erna Berg ha llegado ya.

–¿Cómo está usted? –pregunta Stave en tono intrascendente. Parece que la mujer lleve tres días sin pegar ojo.

–Bien –miente. El repiqueteo de la máquina sube de volumen.

–Encárgueme unas cuantas carpetas de archivo, por favor. Todavía tengo expedientes que clasificar. –Un globo sonda.

Erna Berg asiente con la cabeza, sin más.

La palabra «expedientes» no la ha puesto nerviosa. De todos los compañeros, ella es la que habría tenido mejor ocasión de hacer desaparecer los expedientes de los asesinatos, pero carece de motivos. Ni siquiera ha reaccionado ante la palabra. O es muy buena actriz. Pero, en tal caso, ¿no habría logrado ocultar mejor la historia con MacDonald y su marido?

–¿Puedo hacer algo más por usted? –pregunta levantando la mirada.

Stave se da cuenta de que la estaba mirando fijamente. Se pone colorado y dice que no, pero después cambia de opinión.

–Sí. Llame a MacDonald, que venga.

Ella esboza una tenue sonrisa.

–Me gustaría mucho, pero el teniente ha desaparecido.

–¿Desaparecido?

–Se ha ido. Está ilocalizable. Tampoco en su puesto han sabido decirme dónde está. Llamo muchas veces allí, no solo por cuestiones oficiales. A veces pasan unas horas, a veces incluso un día, y entonces James aparece otra vez, habla conmigo como si no hubiera ocurrido nada. No sé qué hace durante ese tiempo. ¿Puede que tenga otra mujer?

–No lo creo –responde mecánicamente el inspector jefe, aunque no conoce tan bien al británico como para poder afirmar nada por el estilo–. Siga intentándolo.

–Eso no tiene ni que decírmelo. En cuanto haya dado con él, se lo haré saber.

Stave se retira de nuevo a su despacho. Se ha quitado a Maschke de encima. MacDonald está ilocalizable. Erna Berg sigue ocupada con sus propios problemas. No tiene a Ehrlich ni a Cuddel Breuer pendientes de él; ese fin de semana sin más cadáveres le ha dado un respiro, un plazo de gracia, antes de que le vengan otra vez con exigencias.

Volveré a repasarlo todo, piensa el inspector jefe, tranquilo, solo. Volveré a interrogar a los testigos principales.

–Pregunte al parque móvil si puedo llevarme uno de los vehículos –exclama para que lo oiga su secretaria.

–¿Todo el día?

–La mitad. O solo dos horas, si no queda más remedio.

–¿Para qué lo solicita?

–Para seguir pistas –contesta Stave, escueto.

Media hora después conduce el viejo Mercedes a toda velocidad, haciendo rechinar los neumáticos por el pavimento de

Elbuferstrasse. Stave ha pensado un momento si debía anunciar su visita por teléfono, pero luego ha decidido que no. Es una brigada volante de un solo hombre, quizá pueda sacar provecho del efecto sorpresa. En caso de que no le permitan la entrada al Warburg Children's Health Home, siempre puede proceder por la vía oficial; con la ayuda de MacDonald si hace falta, si es que el teniente vuelve a aparecer. Por un instante se pregunta por qué se habrá esfumado y si Erna Berg puede tener razón.

Cuando llega a la mansión de Warburg se ve obligado a detenerse. La verja está cerrada, no se ve a nadie. El inspector jefe llama al timbre. Tras varios minutos interminables, un adolescente hace acto de presencia al otro lado.

–¿Qué desea?

Stave mete la mano sin pensar en el bolsillo del abrigo para sacar su identificación de policía, pero entonces decide no hacerlo. Se limita a dar su nombre, sin el rango.

–Quisiera hablar con madame DuBois, por favor –solicita.

El joven desaparece. Un minuto. Dos minutos. El inspector jefe se pregunta ya si no habrá escogido la táctica equivocada cuando por fin ve acercarse a la esbelta directora de la villa. Le abre la verja y le hace una señal invitándolo a pasar con el coche hacia el camino de entrada.

–Lamento que no haya encontrado todavía al asesino –dice a modo de saludo Thérèse DuBois.

–¿Cómo ha llegado a la conclusión de que no lo he detenido todavía?

–¿Por qué habría vuelto aquí, si no?

Stave la sigue hasta el invernadero de la propiedad mientras medita hasta dónde puede desvelar.

–No he venido por el asesino de los escombros –empieza a decir después de tomar asiento.

–¿Otra investigación?

–Es posible. Todavía es pronto para saberlo.

–¿Y por eso necesita usted mi colaboración?

–Necesito la colaboración de una niña pequeña.

Thérèse DuBois sonríe. Con aire triunfal, le parece a Stave.

–Anouk Magaldi. En su primera visita me preguntó usted por su nombre. Desde entonces he sentido curiosidad por saber qué buscaba con ello. Me preguntaba cuándo regresaría usted para contármelo.

–¿Podría hablar con ella?

–¿Por qué?

–Por lo visto, conocía al agente que vino conmigo. De antes.

Thérèse DuBois lo mira sin decir nada.

–Mi compañero no sabe nada de esto –sigue explicando el inspector jefe. Duda–. Tengo motivos fundados para preguntarme quién es él en realidad.

–¿Cree que fue un nazi?

–Muchos lo fueron. Quiero saber qué clase de nazi fue.

–¿Si hizo algo que pudiera interesarle al fiscal Ehrlich?

Stave la mira con perplejidad. Luego asiente, casi a su pesar.

–Sí.

–Llamaré a la niña.

Unos minutos después tiene a la pequeña ante sí: frágil para su edad, brazos y piernas finos como cañas de bambú, el pelo negro y largo, los ojos grandes. Stave le tiende una mano para saludarla, pero ella pasa el gesto por alto y se contenta con mirarlo. Alerta, piensa el inspector jefe, preparada para huir.

–¿Hablas alemán?

Anouk niega con la cabeza.

–Yo le traduciré lo que diga –se ofrece Thérèse DuBois.

–¿Cómo es que hiciste este gesto cuando viste a mi compañero? –pregunta Stave, e imita el movimiento de cortarle el pescuezo a alguien.

La directora apenas ha dicho dos palabras en francés cuando la pequeña la interrumpe. Habla atropelladamente, con frases pronunciadas como si corriera. Hace gestos: la niña lanza algo, se agacha, se arrastra, levanta las manos, cierra los ojos, tuerce el gesto con dolor, corre.

Stave no comprende ni una palabra, pero sus movimientos han sido muy elocuentes. Antes aun de que Thérèse DuBois pueda empezar con su traducción, ya sabe que le hablará de una matanza.

–Anouk es judía. Vivía con su familia en una pequeña localidad al noroeste de Limoges –explica la directora–. Por eso fueron especialmente cuidadosos durante la ocupación alemana; más cuidadosos que sus vecinos. El verano de 1944, unos soldados llegaron al pueblo y ellos se escondieron enseguida en un sótano. La mayoría de los habitantes, sin embargo, no se ocultaron.

–¿Qué soldados?

–Alemanes. La Sección Armada de las SS. La invasión de Normandía había tenido lugar cuatro días antes y los soldados iban de camino al frente. Los franceses creían que el dominio alemán terminaría pronto. La Resistencia organizaba muchos ataques y los hombres de las SS se vengaron aquel día, en aquel pueblo.

Stave guarda silencio, espera a que la mujer siga explicando.

–Se llevaron a rastras a todos los hombres y muchachos adolescentes a garajes o graneros y allí los ejecutaron. A las mujeres y los niños los metieron en la iglesia. Después prendieron fuego al templo, lanzaron en su interior granadas de mano, dispararon. Murieron prácticamente todos los habitantes, más de seiscientas personas. Una tercera parte de ellos, niños.

»También los padres de Anouk fueron descubiertos y ejecutados. Ella, sin embargo, sobrevivió agazapada tras una estantería de herramientas y tablones. Los hombres de las SS no la encontraron. Después se arrastró hasta una ventana de aquel sótano, miró fuera y lo vio todo. Tras la matanza, los asesinos prendieron fuego a las casas del pueblo. Cuando en el sótano ya no se podía soportar el calor, la pequeña huyó. No se encontró con nadie, hasta que al día siguiente vio un comando de la

Resistencia y corrió hacia ellos. Su salvación. Tan solo un puñado de sus vecinos habían sobrevivido.

Stave mira a la niña con seriedad y dice despacio:

–¿Y el hombre con el que vine el otro día era uno de esos soldados?

La directora lo traduce. La pequeña asiente con la cabeza. Después, otro torrente de palabras y gestos: patadas, un dedo en el gatillo.

–Pertenecía a la tropa que se llevó a sus padres del sótano, y más tarde vio cómo disparaba a la iglesia ardiendo. Se reía.

Stave cierra los ojos e intenta imaginar a Maschke: un desgarbado joven de uniforme negro con una gorra de visera en la que destaca una calavera. O quizá con casco. Fumando, sin duda, riendo.

–¿Cómo se llamaba ese lugar? –pregunta entonces.

–Oradour-sur-Glane.

–¿Cuándo tuvo lugar la matanza?

–El 10 de junio de 1944.

Stave saca el mapa de Francia que se llevó del despacho de Maschke y lo despliega en el suelo. La niña lo mira sin decir nada.

–¿Podría señalarlo en el mapa?

La directora busca, luego indica un punto que queda casi en el centro del país.

El inspector jefe se inclina sobre el mapa. Exactamente en ese punto hay una fecha escrita con lápiz: «10 jun. 44».

Durante el trayecto de vuelta, Stave conduce extrañamente despacio. Lothar Maschke es en realidad Hans Herthge, no un tripulante de submarino, sino un antiguo soldado de la Sección Armada de las SS. Un asesino, corresponsable de la muerte de más de seiscientas personas.

Y nosotros, alterados por cuatro cadáveres, piensa. Pero enseguida se reconviene: alterados con razón. Un asesinato es un asesinato.

¿Qué debe hacer? Tiene la declaración de una niña de ocho años. Thérèse DuBois le ha prometido que la pequeña asistiría como testigo a los tribunales. Lo ha dicho como esperando que Stave acuda enseguida al fiscal. Sin embargo, ¿qué podría hacer Ehrlich? Con una sentencia de culpabilidad, Maschke/Herthge se enfrentaría a la muerte. Pero ¿bastará la declaración de una niña de ocho años para llevar a un agente de policía al patíbulo? ¿Puede demostrarse de algún modo que Maschke es Herthge? Está el mapa de Francia, pero Stave lo ha sustraído del escritorio de su compañero en circunstancias dudosas. ¿Podría aprovechar eso un abogado defensor hábil? Al final, Maschke sería puesto en libertad por falta de pruebas, y Stave habría sido el delator, el cerdo traidor de compañeros. Se vería obligado a dimitir.

Tengo que hablarlo con Ehrlich e informarme, piensa Stave. De manera confidencial. Ver qué se puede hacer. Recopilar más pruebas. Entonces pisa bruscamente el freno y el coche se detiene derrapando.

Ehrlich quería entrar aquella tarde en el despacho de Maschke y no le dijo por qué iba a ver al agente de Orden Público. ¿Es posible que no quisiera verlo precisamente? Tal vez el señor fiscal, igual que el inspector jefe, quería husmear en el escritorio del policía, aunque por otros motivos. Puede que Ehrlich sospeche desde hace tiempo del oscuro pasado de Maschke. ¿Qué dijo Thérèse DuBois? Que Ehrlich siempre se carga con nuevos casos. Un vengador. Alguien que quiere saldar cuentas con los nazis.

Stave mira a través del sucio cristal del parabrisas. Un hombre que avanza por la acera con una vieja bicicleta de llantas relucientes lo mira con desconfianza y luego aprieta el paso. El inspector jefe no se fija más en él. ¿Quién está jugando aquí a qué?, piensa. No es de extrañar que Maschke saliera de la casa en aquella primera visita al hogar infantil. No es de extrañar que no le hagan gracia las investigaciones relacionadas con desplazados: debe de temer continuamente que alguno lo reconozca.

¿Quién sabe qué más no habrá hecho el hombre de las SS? Cada judío, cada refugiado superviviente, cada antiguo prisionero de guerra podría ser un testigo que lo descubra. No es de extrañar que Maschke quisiera presentar enseguida a un estraperlista cualquiera como el criminal. Como tampoco es de extrañar que para eso se valiera de la violencia y que le diera una paliza al mejor sospechoso que tenía para intentar arrancarle una confesión.

¿Por eso ha robado Maschke los expedientes? ¿Hay algo en ellos que pueda ofrecer un indicio sobre su pasado en las SS? Pero ¿el qué? Stave tirita de frío y sabe que no es por el viento helado que rodea el vehículo.

Los pensamientos de Stave se vuelven entonces hacia el fiscal. ¿Estará Ehrlich interesado en el asesino de los escombros? ¿O utiliza simplemente el caso para poner entre la espada y la pared a Maschke/Herthge, de quien ya sospecha? ¿Habrá realizado el fiscal una visita tardía al despacho de Stave, igual que intentó con Maschke? ¿Se llevaría Ehrlich los expedientes? Sin embargo, a Stave no se le ocurre ningún hecho, ningún comportamiento llamativo, ningún motivo que pudiera corroborar esa sospecha.

Al despedirse, a Thérèse DuBois le ha explicado que, en su opinión, solo con la declaración de una niña de ocho años no podría condenarse a Maschke. Ella le ha sonreído con tristeza.

–Es más fácil perpetrar la matanza de seiscientas personas en un solo día que llevar a un asesino a los tribunales –ha dicho ella.

–Acabará en los tribunales, eso se lo prometo. Buscaré más pruebas.

Ahora se pregunta si podrá mantener esa promesa.

En la Central arrastra los pies por el pasillo, cansado, en dirección a su despacho. No hace caso del hambre ni del dolor tirante de la pierna. Erna Berg cuelga el auricular justamente cuando él entra.

–¿MacDonald?

–Ha llamado él. Viene de camino, a verlo.

–¿Alguna otra novedad?

–No. Ninguna llamada. Ninguna visita.

–Ningún nuevo cadáver.

Erna Berg sonríe con timidez.

–¿Podría tomarme la tarde libre? Quisiera ir a examinarme. Al ginecólogo.

Stave se la queda mirando. Al ginecólogo, ¿o a una abortera? No es asunto mío, se dice antes de responder asintiendo con la cabeza.

–Váyase tranquila. No parece que hoy haya mucho que hacer. –Vacila un momento–. Mucha suerte –añade entonces, pero en voz tan baja que Erna Berg no lo oye.

Cuando su secretaria se ha marchado, Stave pasa media hora colgado del teléfono llamando a hoteles y comisarías de Policía de la costa del mar Báltico: no encuentra a Maschke por ningún lado. Estará con algún médico, supone.

¿Debería solicitar quizá el historial de Maschke? Tal vez encuentre en él un indicio que apunte al cambio de identidad. Un documento falsificado, una contradicción en su hoja de servicios. Sin embargo, ¿qué pretexto podría darle al funcionario del Departamento de Personal? Que un viejo amigo le filtre algún dato es una cosa, pero ¿un historial completo? Imposible. No merece la pena intentarlo siquiera. Stave debería hablar con el fiscal; a Ehrlich le resultará más fácil que a él acceder a esos historiales.

Aun así, está satisfecho. He hecho progresos, piensa, y eso que tengo que actuar por cuenta propia. Maschke es Herthge, solo eso ya es todo un hallazgo.

Llaman a la puerta de su despacho: MacDonald.

–Por fin he atado los cabos sueltos de la historia de la testigo Anna von Veckinhausen –informa el teniente–. El día en cuestión, efectivamente, le vendió un cuadro a un oficial británico frente al Garrison Theatre. He visto la obra, una buena muestra de *kitsch* alemán. Precio: quinientos veinte marcos del Reich. –Entonces el joven británico toma aire–. Por cierto, ¿dónde está su secretaria? –pregunta. Su intención era decirlo como quien no quiere la cosa.

–En el ginecólogo –responde Stave.

MacDonald se da un masaje en las sienes. Por primera vez desde que el inspector jefe lo conoce, parece cansado.

–La verdad es que no tengo suerte con las mujeres –murmura con resignación.

–A mí me parece que la señora Berg está muy enamorada –replica Stave con severidad, porque no sabe de qué otra forma consolar a su interlocutor.

MacDonald sonríe.

–Una condición nada conveniente para una mujer casada. Sé lo que me digo. –Y guarda silencio.

Stave no dice nada más, se limita a esperar a ver qué vendrá a continuación.

–Erna es la segunda mujer que ha significado algo en mi vida –prosigue el oficial pasados unos instantes–. La primera fue una dama inteligente, alegre, maravillosa. Por desgracia, casada. Con un compañero de regimiento. Hijo de un lord, heredero de un bonito castillo, con una fortuna considerable y media docena de exquisitos títulos nobiliarios.

–Por lo visto fue un duelo desigual.

–Por lo visto fue un escándalo. La dama en cuestión, a pesar de todo, habría acabado decidiéndose por mí, pero entonces corrieron los primeros rumores sobre nuestra relación. En el club, en el casino de oficiales.

–Barreras invisibles –masculla Stave.

MacDonald sonríe.

–Una dama de la nobleza y un don nadie escocés. Habrían acabado con su vida en sociedad, y también con la mía. Así que regresó junto a su esposo, tal como correspondía a su estatus. –El teniente mueve la mano como si quisiera espantar un insecto molesto–. Un buen motivo para marcharse al frente, ¿no le parece?

–Un buen motivo para quedarse en esta ciudad. –Stave sonríe para despedirse del británico–. La señora Berg no pertenece a la nobleza, eso seguro –dice con intención de animarlo.

Hablando de damas de la nobleza, piensa Stave, todavía tengo que ir a ver a un par de testigos. A Anna von Veckinhausen, por ejemplo.

Toma el tranvía hasta la parada que queda junto a esa fachada tiznada de hollín; la calle de las farolas. Stave ha llegado temprano, no son ni las tres de la tarde. Las tiendas de alimentación han cerrado hace rato, las colas frente a sus puertas han desaparecido ya. Un par de niños que por la mañana han tenido clase juegan en la calle a pesar del frío. Sin embargo, muchos otros están todavía en el colegio, sus padres trabajan o intentan ganarse algo en el mercado negro. Entre las ruinas no hay prácticamente un alma.

La hora ideal para cometer un asesinato, se le ocurre al inspector jefe. ¿Por qué pienso siempre en las horas de la noche? Si atacara a sus víctimas poco después del mediodía, casi no tendría que preocuparse por los testigos.

¿Encajaría eso con la versión de Anna von Veckinhausen? No vio a aquella figura hasta el atardecer. Pero entonces, supone Stave, el anciano de Lappenbergsallee ya estaba muerto. El asesino lo arrastra hasta un escondite, lo desvalija. Eso lleva un tiempo. Es posible que la mujer lo interrumpiera al cruzar el solar poco antes de que anocheciera.

Llega a los barracones Nissen situados junto al cruce de las calles despejadas de cascotes. No se ve a nadie. Se acerca a la barraca que queda casi en el centro, en la que vive Anna von Veckinhausen. O mejor dicho: tras cuya puerta desapareció aquella tarde que la acompañó. No pudo ver nada del interior. ¿Y ahora? Stave no sabe siquiera si su testigo estará allí. Tal vez esté peinando ruinas en busca de antigüedades. Lo mismo da, tampoco habría podido llamarla antes para anunciar su llegada. En el campamento de barracas no hay teléfonos.

El inspector jefe llama a la puerta. Suena como si golpeara un bidón de gasolina vacío. Un hombre mayor y sin dientes le abre tan deprisa que parece que estuviera esperando tras la puerta. Lleva la camisa manchada. Huele a cebolla. A Stave le ruge el estómago.

El inspector jefe se presenta sin el rango, sin sacar su identificación. No quiere poner a Anna von Veckinhausen en una situación incómoda anunciándose como agente de policía. Pregunta por ella.

–Nunca he oído ese nombre –murmura el anciano, mirándolo con desconfianza.

¿Lo ha embaucado la testigo? ¿No vive ahí? La describe.

–Ah, esa... –dice el anciano con curiosidad, y deja de bloquearle la entrada.

Stave entra en el barracón. ¿Cuánto tiempo hará que el anciano vive bajo el mismo techo que Anna von Veckinhausen? Y ni tan siquiera conoce su nombre.

La estufa de hierro colado del centro de la barraca, más pequeña que un barril de cerveza, crepita. Las llamas arden, un resplandor anaranjado se abre paso entre las ranuras de la portezuela, que cierra mal. En el aire viciado pende un soplo de hollín. El barracón no es mucho mayor que el cobertizo de un huerto familiar. El rostro de Stave se enciende tras unos segundos frente al calor que emana de la estufa; su espalda, sin embargo, vuelta hacia la pared de chapa ondulada, sigue fría. Si la estufa se apagara, todos morirían de frío aquí dentro, piensa, y se pregunta fugazmente si los inquilinos montarán guardia por la noche para que siempre haya alguien vigilando el fuego. Como en la edad de piedra.

Mantas grises de la Wehrmacht cuelgan de unas cuerdas tendidas que cruzan el barracón de modo que desde el centro, donde está la estufa, dividen la estancia en cuatro compartimentos.

El anciano cruza al otro lado de la estufa y va al rincón izquierdo del fondo, donde menea una manta.

–¡Tiene usted visita! –Lo grita como si estuviera en el patio de un cuartel.

Unos instantes después, Anna von Veckinhausen levanta la cortina de separación. Stave entrevé apenas una cama de campaña, dos cajas de fruta vueltas bocabajo que seguramente hacen las veces de silla y mesa, un baúl de viaje, un pequeño cuadro al óleo apoyado contra la pared de la barraca: una iglesia con paisaje invernal.

La mujer se le acerca, recoloca la manta y le impide ver el interior de su alojamiento. Tal vez tenga algo que ocultar, piensa Stave. Aunque quizá solo se avergüenza. Parece agotada, y no precisamente muy contenta de verlo.

–Quisiera hacerle un par de preguntas más –empieza a decir el inspector jefe.

–¿Es que ese amiguito suyo del periódico necesita material para otro artículo?

Antes de que pueda responder, ella vuelve a desaparecer en su compartimento. Por un momento, Stave teme que lo haya dejado allí plantado como a un colegial bobo. ¿Qué hacer? Ella no tiene por qué responderle, a menos que le envíe una citación. Pero ¿sin un motivo plausible? ¿Y si se le ocurre ir a quejarse de él a sus amigos, los oficiales británicos? Stave ya tiene suficientes complicaciones. Sin embargo, para alivio suyo, la mujer vuelve a salir al cabo de unos segundos con el abrigo puesto y una bufanda en la cabeza.

El anciano, que sigue todavía junto a la estufa, los mira con atención.

–Vayamos a dar un paseo –dice ella lo bastante alto como para que su vecino pueda oírla.

Stave habría preferido quedarse cerca de la estufa para aprovechar el calor, pero asiente con la cabeza, aliviado al ver que ha accedido a hablar.

Caminan en silencio entre las ruinas hasta que llegan a la orilla del Wandse. Antes de la guerra era un arroyo que en algunos puntos se encharcaba formando balsas y fluía entre prados y hayedos. Una franja verde que cruzaba el este de Hamburgo con tan solo unos metros de ancho pero varios kilómetros de largo. De vez en cuando, alguna garza acechaba entre las cañas en busca de peces, gris e inmóvil como una escultura. Mariposas, gorriones, ardillas que se ejercitaban en las ramas y que hacían susurrar las hojas, toperas...

Ahora el Wandse es una línea de hielo gris negruzco, congelado hasta el fondo. Peces, garzas y patos han desaparecido, por el frío o porque los han cazado y asado en alguna cocina económica. Han talado los árboles para aprovechar la madera. Únicamente los troncos más gruesos permanecen en pie: algunos, picados por la metralla de las bombas caídas; otros, chamuscados. Los prados han desaparecido en muchos lugares bajo montañas de cascotes, trozos de ladrillos y polvo de piedra, amontonados para despejar deprisa las calles de los alrededores.

–Le explicó a ese periodista que vi al asesino de los escombros –dice Anna von Veckinhausen cargada de reproche cuando se detienen junto a la orilla del arroyo.

Stave, contento de poder darle un breve descanso a su pierna izquierda, levanta las manos a modo de disculpa.

–Le dije que una mujer había visto al criminal. Kleensch se habría enterado de todas formas. Mejor que tenga mi versión de los hechos a que se lo imagine él solo.

–Ahora el asesino sabe que hay una testigo. Tal vez sepa que fui yo, porque seguramente me vio también aquella tarde.

–Si de verdad llegó a verla, seguro que debía de contar ya con que acudiría a la Policía. Además, por ese artículo tampoco sabe quién es usted, cómo se llama, dónde vive.

Anna von Veckinhausen se encoge de hombros.

–Tenía la esperanza de que esa mención en el periódico pusiera nervioso al asesino –confiesa el inspector jefe–. Tanto, que tal vez regresaría al lugar de los hechos. Para eliminar pistas o algo así. Sucede a menudo.

–¿Lo ha hecho?

Stave niega con la cabeza.

–Quizá no le importe lo más mínimo nuestra investigación. No se siente amenazado.

–Supongo que no –repone Anna von Veckinhausen mirando el hielo–. ¿A mí me vigilan?

Stave la mira con sorpresa.

–No. ¿Por qué lo pregunta?

–¿No soy su única testigo? ¿No le da miedo que el asesino pueda buscarme y hacerme callar para siempre?

–No sabe nada de usted. ¿Quiere que le pongamos vigilancia?

La mujer sonríe entonces por primera vez, fugazmente.

–Mejor no.

–¿Se siente observada?

Ella cruza un brazo sobre el pecho, como tiene por costumbre.

–¿No nos sentimos todos observados?

Reemprenden el camino paseando a lo largo del riachuelo. Stave no se aparta de su lado. Tiene hambre y está cansado, le duele la pierna. Le gustaría invitarla a una cafetería, aunque solo tomaran una sopa clara de col en un edificio medio destruido por las bombas. Pero no se atreve a proponerlo. Tampoco se le ocurre nada más que preguntarle. En realidad es una estupidez que me haya dejado caer otra vez por aquí, piensa, pero es bonito caminar de nuevo al lado de una mujer. Incluso con el frío que hace, incluso por ese parque devastado, incluso teniendo la precaución de no acercarse demasiado a ella, siempre con medio metro de distancia entre hombro y hombro. Sí: el paso elegante de ella a pesar del abrigo desgastado que envuelve su cuerpo y las pesadas botas que lleva en los pies; el mechón de pelo negro que se le ha escapado por debajo de la bufanda y que ella de vez en cuando se aparta ensimismada de la frente, aunque nunca lo bastante como para que no vuelva a caer; su fragilidad cuando cruza el brazo sobre el pecho; su sonrisa esquiva. Stave cree incluso percibir un soplo de su perfume, pero eso han debido de ser imaginaciones suyas, con el frío que hace.

No seas idiota, se advierte.

Como no se le ocurre nada mejor, le vuelve a hacer las mismas preguntas. Ella le contesta de buen ánimo. Una parte del cerebro de Stave constata que no hay contradicciones. La otra está simplemente contento de escuchar su voz, de caminar junto a ella.

En algún momento dan media vuelta sin haber malgastado una palabra en decidirlo. Está anocheciendo, pero el riachuelo helado brilla como una banda luminosa.

–No consigue avanzar con el caso –dice ella. No es una pregunta, sino una afirmación no descortés.

Él sonríe azorado.

–Nunca había visto un crimen así –reconoce–. Ni siquiera hemos podido identificar a las víctimas.

–¿Le extraña?

Él la mira con sorpresa, luego asiente.

–Sí.

Ella sacude la cabeza.

–Cree en la bondad de las personas. A pesar de todo. –Con un gesto señala hacia un montón de cascotes.

–No sé qué tiene que ver la identificación de cuatro cadáveres con creer en la bondad de las personas.

Anna von Veckinhausen le sonríe, compasiva, cree él.

–He oído al anciano que le ha abierto antes la puerta de la barraca. Johann Schwarzhuber, viudo, huido de Breslau, hace ocho meses que está en Hamburgo, estuvo afiliado al Partido, era carpintero, ahora está jubilado, no tiene familia. Sé todo eso aunque seguramente no he intercambiado ni diez frases con él. Pero ¿qué sabe él de mí?

–Ni siquiera su nombre.

–Si yo no regresara de este paseo por el Wandse, inspector jefe, el bueno de Johann Schwarzhuber, jubilado, no iría a denunciar mi desaparición. Y si mi fotografía apareciera de pronto en uno de sus carteles, no acudiría a la Policía. Miraría para otro lado, mascullaría para sí algo poco agradable y desvalijaría mi rincón antes de que lo hiciera algún otro. Desde hace ocho meses no nos separa más que una manta raída. Pasamos frío y hambre juntos y, no obstante, Johann Schwarzhuber me dejaría morir sin dudarlo un segundo. Y a las dos familias con niños pequeños que viven también en nuestra barraca, lo mismo. Y a todas las demás personas de esta tierra. No ayudaría a nadie, más que a sí mismo.

»Hamburgo está lleno de Johanns Schwarzhuber; miles de ellos vagan entre las ruinas, se agazapan en los barracones, miran a través de los cristales helados de las ventanas. Apuesto a que hay alguien por ahí que conoce a los cuatro muertos y que piensa: ¡que se moleste otro en ir a la Policía!

–Puede ser que en Hamburgo vivan muchos Johanns Schwarzhuber –replica el inspector jefe–, pero no todos los ciudadanos son como él. Si desaparece usted durante este paseo, seguramente él no denunciaría su desaparición, pero sí alguna otra persona.

Anna von Veckinhausen lo mira largo rato, luego sacude la cabeza con una sonrisa cansada.

–En eso se equivoca –susurra. Su voz se pierde y ella contempla el hielo del arroyo.

–Entonces he tenido suerte de que al menos usted sí se tomara la molestia de acudir a la Policía –dice Stave. Nadie denunciaría su desaparición, piensa. Qué triste... Y, aun así, una parte de él lo celebra en el fondo: no tiene marido.

De pronto se le ocurre algo. Saca una fotografía del bolsillo de su abrigo, la imagen del pendiente de la cuarta víctima.

–Es usted experta en joyas y arte. ¿Había visto alguna vez algo así?

Anna von Veckinhausen agarra la foto con mano cautelosa, como si fuese la joya misma.

–René Lalique –dice después de estudiarla apenas unos instantes.

Stave se la queda mirando.

–¿Quién es ese?

Ella sonríe con indulgencia.

–Un joyero cuyas creaciones no puede permitirse un agente de policía. *Art nouveau.* René Lalique fue un maestro joyero de París. Creó piezas de este tipo más o menos desde 1890 hasta 1914. ¿Tiene algo que ver con sus asesinatos?

El inspector jefe recupera la fotografía.

–Si alguna vez llego a echarle el guante a ese tipo, entonces le daré a usted las gracias –murmura. Después le explica en qué circunstancias encontraron el pendiente.

»¿Dónde vendía René Lalique sus joyas?

–Exclusivamente en París, aunque ese pendiente es ya casi una antigüedad. Puede que haya pasado por varias manos antes de que lo acabara llevando su cuarta víctima.

–De manera que es probable que la mujer estuviera en Francia... y, en tal caso, antes de la guerra. Y es probable que fuera rica.

–Quien se los regalara era rico.

Stave piensa en los medallones.

–¿Tienen las estrellas de mar y las perlas algún significado religioso? ¿Como símbolo de una secta o algo similar?

Ella lo mira con asombro, lo piensa un rato y niega con la cabeza.

–Lástima –dice el inspector jefe–. Habría sido demasiado bonito que me quitara todo el trabajo de encima.

Anna von Veckinhausen vuelve a sonreír. Cuando llegan frente al barracón Nissen, ella le tiende la mano para despedirse. Stave se la estrecha y la sostiene un segundo más de lo necesario.

–Si alguna vez quiere un cuadro para colgarlo en esa pared tan desnuda de su escritorio, hágamelo saber.

–Se lo diré –contesta Stave–. Prometido.

El inspector jefe vaga ensimismado entre las ruinas, agotado tras los numerosos trayectos a pie de ese día. Sin embargo, está extrañamente feliz. Por fin hago algún progreso y, además, algo está comenzando con Anna von Veckinhausen. Ni él mismo se pregunta qué quiere decir con ese «algo».

Como para ir a su casa tiene que pasar por Marienthal –y ya es tan tarde que los tranvías han vuelto a quedarse sin electricidad–, decide que, aprovechando su día de suerte, les hará una visita también a los Hellinger. Quizá el industrial ha reaparecido y no se ha tomado la molestia de informar a la Policía. Sucede muchas veces. O tal vez su mujer ha recordado algo más, y por lo menos en la villa no hace frío y hay té caliente.

La calle de las grandes casas: oscuras como panteones. Cuando se acerca a la mansión, se arrepiente de su decisión por un momento, pero entonces mira por una ventana y reconoce a la señora Hellinger, que está sentada a la mesa de la cocina, llorando. Stave duda un momento. Luego, sin embargo, llama a la puerta. La mujer del industrial tarda mucho en abrir. Está pálida, pero, si no la hubiera visto hace un momento, al inspector jefe jamás se le habría ocurrido pensar que acaba de llorar. La señora Hellinger lo mira con miedo.

Debe de creer que le traigo malas noticias, piensa entonces Stave, y enseguida sonríe, explica que no tiene ninguna novedad para comunicar, pero que si no habrá recordado quizá ella algo más desde la última vez que hablaron.

La mujer, en efecto, lo invita a entrar. El calor, el olor a brasas. A té.

–No sé qué más podría contarle –murmura–. Que mi marido tenía negocios con los ingleses ya lo sabe usted.

Stave guarda silencio y da unos sorbos a su infusión.

–Que desarrollaba calculadores de desviación de trayectoria para submarinos también lo sabe. ¿Qué más puedo decirle?

Al inspector jefe se le ocurre una idea.

–¿Quién fue la última visita que recibió su marido antes de desaparecer?

Ella lo piensa.

–El día anterior, nadie. Dos días antes, un oficial inglés. Un caballero que venía con frecuencia aquí a casa, o al despacho de mi marido. Para hablar de cosas técnicas, supongo, aunque no lo sé con exactitud.

–¿Sabe cómo se llama?

–Huy, sí, un joven encantador. Muy poco militar. El teniente MacDonald. James C. MacDonald.

Señales de vida

Martes, 18 de febrero de 1947

Es el frío lo que ha salvado a Stave. Durmiendo, ha dado vueltas hacia un lado y otro, ha tirado la manta y se ha quedado tumbado sobre la sábana revuelta bañado en sudor, atrapado en la pesadilla hasta que el frío hiriente ha atravesado el caparazón del sueño. Fuego. Bombas. Humo. El hedor a carne quemada. La cara de Margarethe. Siempre escenas de la misma película y aun así, siempre nuevas: Stave ha visto en su sueño a Margarethe entre las llamas, se ha quedado paralizado frente al fuego y ha gritado. Sin embargo, ella no lo oía porque tenía el cuerpo congelado y adherido al suelo de la cocina a pesar del calor abrasador. Unas finas líneas rojas le rodeaban el cuello, y en sus atónitos ojos abiertos había hielo.

Tengo que resolver este caso, se advierte el inspector jefe. Si no, pronto no pensaré en otra cosa. Antes colgaba las investigaciones en el perchero como si fueran un abrigo. Cuando llegaba a casa, se había acabado el trabajo. Incluso en su cabeza. El apartamento era el bastión de la felicidad privada. Hasta que cayeron las bombas.

Recorre la habitación a tientas. El hielo de las ventanas se traga la claridad del alba. Se siente como si estuviera metido en sopa de cebada mientras cojea hacia la mesa de la cocina: un resplandor grisáceo por todas partes, las proporciones de la mesa torcida y de la silla con la pata remendada están distorsionadas. Cierra la mano sobre el respaldo, casi tira al suelo la cafetera de esmalte. Tampoco sería nada grave: no tiene café. Y tan poca agua caliente como luz.

Los cortes eléctricos.

Stave lo había olvidado. A cada distrito de la ciudad le quitan la corriente dos veces por semana durante dos horas porque el carbón de las centrales eléctricas ya no da para todos. Esta mañana le toca a Wandsbek, tendría que haberse preparado. ¿Dónde está la vela?

Pensar también puedo hacerlo en penumbra, se dice para infundirse valor. MacDonald. El inglés lo ha engañado, le ha ocultado su visita al industrial desaparecido. ¿Por qué? ¿Tiene algo que ver con los asesinatos? Hellinger, ¿el siguiente cadáver que aparecerá en algún sótano? ¿Finalmente una pista sobre el asesino? ¿MacDonald? En cierta forma es absurdo.

Sin embargo, nunca se ha preocupado por las coartadas del teniente. ¿No le dijo Erna Berg que a veces pasaba horas ilocalizable? ¿Qué hace durante ese tiempo? Podría ser él. Solo se pregunta qué clase de motivo podría tener. Seguramente no el robo; los oficiales de la ocupación viven como señores coloniales, solo hay que pensar en las antigüedades que Anna von Veckinhausen vende a los británicos. Además, la mujer de Hellinger no reconoció a ninguna de las otras víctimas cuando le enseñó las fotografías. Si no tenían nada que ver con su esposo desaparecido, ¿qué relación hay entre las cuatro víctimas y el industrial? Por otro lado, ¿cómo encaja MacDonald en todo ello?

¿Tienen algo que ver los expedientes desaparecidos? Es posible, en ellos aparece el nombre de Hellinger: un nombre que hasta ahora solo estaba registrado en las listas del Servicio de Desaparecidos y en alguna comisaría, y que por lo tanto habría seguido siendo poco menos que desconocido. Los expedientes de los asesinatos, por el contrario, son más públicos: los leen Stave, Maschke, también Cuddel Breuer y el fiscal Ehrlich, por lo menos. Eso hace aumentar la probabilidad de que alguien encuentre en algún momento una conexión entre Hellinger y MacDonald. Sobre todo por esa misteriosa palabra inglesa escrita en un trozo de papel: *bottleneck*. También eso aparece en los expedientes. De modo que el teniente, que por algún motivo quiere ocultar su relación con Hellinger, los hace desaparecer. Evidentemente, él sabe que Stave se alarmará, pero también que el inspector jefe no irá corriendo a su superior, no en un caso así. Él, Stave, reconstruirá las investigaciones lo mejor que pueda entre las cuatro paredes de su despacho, y se acabaron las miradas curiosas en los expedientes. Eso, a fin de cuentas, sería un motivo.

¿Oportunidades? MacDonald ha estado muchas veces con Erna Berg, incluso cuando Stave no se encontraba en su despacho. Un momento de descuido y los expedientes ya han desaparecido bajo el abrigo del uniforme. O es posible que su secretaria también esté involucrada, que accediera a la petición de su amante y permitiera que se llevara los documentos. Si por ello tiene cargo de conciencia, Stave no se ha dado cuenta, con lo angustiada que está ya por motivos personales.

Piensa en la joya, el pendiente de la víctima. Un joyero parisino. Una mujer rica. ¿Cuándo pudo estar en la metrópoli francesa? ¿Antes de la guerra? Hace diez, quince años a lo sumo, cuando era una joven adulta. ¿Llevaría una mujer de veintitantos años una joya así? Intenta imaginarse a Margarethe con ese pendiente. Tonterías, cuando ellos eran dos jóvenes enamorados soñaban con otras cosas. Con un apartamento grande. Con juguetes para Karl, que aún era un niño. Por otra parte, Anna von Veckinhausen afirma que ese pendiente fue fabricado antes de 1914. En aquella época, la cuarta víctima era sin duda demasiado joven para haberlo comprado o haberlo recibido como regalo. Así que es una pieza de herencia. ¿Quién tiene joyas francesas en Hamburgo? ¿En estos tiempos? Las familias adineradas. Pero ¿por qué no llega, entonces, ninguna denuncia de desaparición?

Las investigaciones avanzan, pero ¿en qué dirección lo llevan? Al respirar, entre sus labios se escapan pequeñas nubecillas de vapor azulado, como humo de cigarrillo.

Eso le hace pensar en Maschke.

Hasta ayer aún se alegraba de saber que estaba lo más lejos posible. Ahora lo ve de otro modo. Hasta ayer había creído que en cualquier momento podía recurrir a la ayuda de los británicos, mediante MacDonald, para atrapar a Maschke cuando a él le conviniera. Pero ahora ya no puede confiar en el teniente. De modo que sería mejor que el agente de Orden Público volviera a estar en Hamburgo, bajo el control directo de Stave. Tengo que hablar con él por teléfono y no puedo irme de la lengua, se dice. Tengo que darle algún pretexto para que interrumpa sus interrogatorios a los médicos y regrese a Hamburgo. De inmediato.

Se coloca con torpeza el pesado abrigo. El hielo se ha extendido por la noche como un barniz sobre la espalda y los hombros, y ahora cae al suelo en forma de polvo brillante cuando se lo pone. Todo me queda demasiado grande, piensa, he adelgazado mucho. Me queda grande. ¿Me quedarán también grandes los casos?

Sombrero, bufanda, guantes, pistola, linterna, identificación. ¿Por qué hago esto, en definitiva? ¿Por qué salgo con este frío? ¿Por qué me enfrento al viento? ¿Por qué paso mi tiempo con personas como MacDonald, Ehrlich, Maschke o Erna Berg, que tienen sus propios planes? Planes en los que quizá yo estorbo.

Sin embargo, ¿qué hacer, si no? ¿Encerrarse en su lóbrego apartamento a pensar en la esposa que murió quemada? ¿En el hijo huraño que a saber dónde habrá acabado? Si es que aún vive.

Tengo ahora cuarenta y tres años, piensa Stave, y en mi vida no hay mucho de lo que presumir. Entonces sale del apartamento, se acuerda de cerrar con llave como siempre, baja los conocidos peldaños de la oscura escalera hasta que llega a la calle, donde el viento lo golpea como un puño de hielo.

–¿Cómo está usted? –le pregunta a Erna Berg cuando, una hora después, entra en la antesala de su despacho.

–El niño que espero está bien. El médico me ha dicho que dentro de un par de semanas ya se me notará la barriguita.

De modo que no ha abortado. Stave quiere preguntar qué decisión ha tomado. ¿Se lo confesará a su marido? ¿Se fugará con MacDonald? Sin embargo, en tal caso esa pregunta se le antoja demasiado personal. Cierra la puerta de su despacho.

Pasa un buen rato hablando por teléfono: no encuentra a Maschke por ninguna parte. Stave está intranquilo porque no es capaz de dar con ningún hotel en el que Maschke haya pasado la noche anterior. Que no vaya a desaparecer justamente ahora, ruega en silencio, y se pregunta si él mismo se habrá delatado de alguna forma. Al final se levanta, sale de la Central de Investigación Criminal y recorre los pocos metros que lo separan de la Fiscalía por la desprotegida plaza.

Ehrlich se pasa una mano por la calva, parece contento de verlo. En su despacho siempre huele a té. Earl Grey, supone Stave.

–¿Qué puedo hacer por usted?

Detener a mis compañeros, le habría gustado responder, pero las cosas aún no han llegado a ese extremo.

–Por desgracia no tengo nada nuevo en el caso del asesino de los escombros, pero he puesto en marcha otras investigaciones y quisiera pedirle su cooperación. Ayuda administrativa, en cierta forma, y discreta.

–La discreción es la esencia de las investigaciones de una Fiscalía –dice Ehrlich, y sonríe un poco.

Siente curiosidad, piensa Stave. Mejor así. Por otra parte, espero que no demasiada.

–Me gustaría que me permitiera ver unos expedientes, pero por el momento no quisiera desvelarle de qué caso se trata. Si es que se trata de un caso. Estoy todavía muy al comienzo de las pesquisas –dice el inspector jefe, y espera que su rostro no lo delate como mentiroso.

–Deme al menos una idea aproximada de la dirección en la que se encaminan sus investigaciones. ¿Se trata de un asunto político?

Stave reflexiona.

–Es posible, en un sentido amplio. Lo principal, no obstante, es que necesito realizar unas averiguaciones discretas dentro del círculo de compañeros de trabajo.

Ehrlich lo escruta con sus ojos claros, acuosos.

–¿Compañeros de trabajo a quienes se les ha adjudicado, junto con usted, el caso del asesino de los escombros?

–Si le confesara eso, ya estaría usted sobre la pista de la persona en cuestión. Ese punto debe ser confidencial.

–Está bien. ¿Qué expedientes?

–Oradour. Una localidad francesa en la que las SS irrumpieron en junio de 1944.

–He oído hablar de ello –lo interrumpe el fiscal–. La matanza. –Se lo queda mirando largo rato.

Pasa un minuto, Stave se siente como si lo estuvieran examinando. Se mueve con incomodidad en la silla mientras Ehrlich lo observa, pensativo.

–El despacho de aquí al lado no está ocupado hoy –dice finalmente–. Haré que le lleven allí los expedientes. Podrá estudiarlos, pero no llevárselos. No hay mucha cosa.

–¿No ha habido investigaciones?

–Sí, pero no tenemos nombres. Justo después de la matanza, el mariscal Rommel quiso iniciar un consejo de guerra, pero el propio Hitler lo impidió. Y luego el problema dejó de existir: la unidad de las SS fue aniquilada a finales de junio de 1944 en la lucha contra los Aliados. Por completo.

–¿No hubo supervivientes?

Ehrlich esboza una fina sonrisa.

–Hasta hace un par de minutos eso pensaba yo: que no hubo supervivientes. Ahora, no obstante, tengo mis dudas.

También Stave sonríe.

–Muchas gracias, señor fiscal.

–Téngame al corriente. Si descubre algo, quiero saberlo. Y si no descubre nada, también.

Stave disfruta poco después del silencio de un despacho tan caldeado que incluso puede quitarse el abrigo. Ehrlich ha hecho que le sirvan un té que bebe a sorbos lentos. La verdad es que la vida es hermosa, piensa.

Al cabo de un rato, un funcionario con gafas vestido con una bata gris le lleva el archivador Leitz a la sala. El inspector jefe se obliga a no caer en el desánimo: el archivador no pesa mucho.

Repasa los expedientes deprisa. La historia de la matanza ya la conoce, las descripciones de la niña del hogar infantil Warburg coinciden con todo lo que lee. Después echa una ojeada a una lista multicopiada de todos los soldados que pertenecían a aquella unidad de las SS. Aparece «Herthge, Hans», lo cual no le sorprende. Por el contrario, no hay ningún «Maschke».

Otra lista, mucho más corta: los nombres de los supervivientes de la localidad. El inspector jefe la consulta: «Desaux, Joseph; Delluc, Yvonne; Fouché, Roger; Magaldi, Anouk». Y algunos más. Copia todos los nombres, aunque en realidad solo necesita uno: Anouk Magaldi. Con eso basta para presentar a la niña de ocho años como testigo fidedigna ante el tribunal.

También hay algunas declaraciones de los supervivientes, además de un fragmento del diario de guerra del mando supremo de la Wehrmacht del 30 de junio de 1944: «3ª Compañía del 4º Regimiento de Granaderos Anticarro de las SS, aniquilada».

Por último, un escrito en francés que Stave traduce con mucho esfuerzo gracias a lo poco que recuerda de las clases del colegio, que quedan ya tan atrás: la Fiscalía de Limoges inició diligencias y cursó orden de busca y captura para todos los miembros de la unidad de las SS. Después, nada más. Ni una carta, ni un documento que demuestre que por lo menos uno de los hombres de las SS fue llevado a juicio.

El inspector jefe se da un masaje en la nuca. Puede corroborar la historia de la niña. Hans Herthge fue un asesino. Solo queda encontrar una prueba que demuestre que Maschke es

Herthge. Trazando una línea más, el dibujo estará completo. Y aun así, tiene la vaga sensación de que está pasando por alto algo importante.

Stave deja el archivador Leitz sobre el escritorio de Ehrlich.

–¿Quiere informarme? –pregunta el fiscal.

–Pronto. Antes tengo que seguir otra pista. Después hablaremos. –Stave señala el archivador–: Tendrá ocasión de completar estos expedientes con un par de nuevos documentos.

–Es usted mi hombre.

Stave camina por Feldstrasse, recorre las callejuelas de St. Pauli, por fin llega a Altona. Marcha a paso rápido, así retiene en su cuerpo el agradable calor del despacho hasta que se halla frente al edificio del Servicio de Desaparecidos; empuja el ostentoso portón y se encuentra ante las infinitas hileras de destinos metidos en cajas de cartón. En los oscuros pasadizos no ve a nadie, parece que hasta la búsqueda de los desaparecidos se ha congelado con la ola de frío. Llama a la puerta del despacho del encargado, Andreas Brems, y entra sin esperar una invitación. No estará agobiado por el trabajo, piensa el inspector jefe.

Brems sonríe con benevolencia y cansancio.

–¿Busca usted a su desaparecido o a un desaparecido? –pregunta.

–A un desaparecido. Lothar Maschke.

Brems señala su escritorio.

–Espere aquí, por favor.

Sale entonces arrastrando los pies y regresa con una ficha amarillenta.

–Maschke, Lothar. Nacido en Flensburg en 1916, residente en Hamburgo desde 1920, se enroló en la marina de guerra en septiembre de 1939. Finalmente, cabo primero en el submarino U-453. Desaparición denunciada el 2 de junio de 1945 por su vecina: Wilhelmine Herthge.

–Ya te tengo –murmura Stave.

Será la madre de su compañero, sospecha. La mujer denuncia la desaparición de un vecino, y más o menos entonces su hijo regresa de la guerra. Un hijo que ha logrado sobrevivir a una batalla de Normandía que quizá les haya costado la vida a todos sus compañeros de las SS. Y que antes asesinó en Oradour. Un hijo que seguramente ya sospecha que esa matanza podría resultar aún peligrosa, y que se entera de que ha desaparecido un vecino que tiene más o menos su misma edad. Un vecino a quien ya no le quedan parientes, porque ¿cómo es que ha tenido que denunciar su desaparición la señora Herthge, y no una madre o una esposa? ¿No resultaría muy fácil entrar a la fuerza en el apartamento vacío, hacerse con unos cuantos documentos y adoptar un nuevo nombre? Solo hay que convencer a la madre de uno, pero seguro que ella no delatará a su hijo. Un hijo que en lo sucesivo se quedará en casa, dócil, y del que sabe con seguridad que no viajará al extranjero. La madre puede incluso conservar su nombre. ¿A quién le llamará la atención que madre e hijo tengan apellidos diferentes? En todo caso, cualquiera pensaría que la madre –quizá por haber quedado viuda– volvió a casarse tras el nacimiento de su hijo y que por eso lleva el apellido de su segundo marido, mientras que el niño ha conservado el del primero. No es nada que se salga de lo corriente en estos tiempos en que millones de mujeres han perdido a su esposo. Sin entierro, sin certificado de defunción, sin bajas en ninguna oficina: el auténtico Lothar Maschke nunca ha sido declarado muerto. Y ¿quién contrasta los nombres de todos los ciudadanos de Hamburgo con los de las fichas del Servicio de Desaparecidos? Nadie. Así que Hans Herthge renace como el nuevo Lothar Maschke. Este nuevo Maschke consigue documentación: es sencillo en una ciudad donde, a causa de los bombardeos, se han perdido decenas de miles de identificaciones personales y partidas de nacimiento. ¿Quién controla todas y cada una de las solicitudes de renovación? De modo que el nuevo Maschke se apropia del historial del antiguo, recibe la cartilla de racionamiento de su predecesor, puede que en algún momento reciba la visita de un oficial británico para comprobar antiguos vínculos con el nazismo. Sin embargo, los tripulantes de submarinos no están imputados, se los considera limpios. El nuevo Maschke queda libre al fin y se siente incluso tan seguro que charla con toda tranquilidad sobre el tiempo que estuvo en Francia. Se instala cómodamente en el nido que se ha fabricado y puede empezar una nueva vida, buscar un nuevo trabajo. Y, precisamente, ¿qué mejor lugar para camuflarse que la Policía?

–Me llevo esta ficha –le dice Stave a Brems–. Es una prueba.

El encargado se encoge de hombros.

–Todavía no ha venido nadie a preguntar por él. Si no, tendría una anotación. De todas formas déjeme hacer una copia, por cuestiones de organización.

Saca una ficha nueva de una caja y escribe a pluma todos los datos. Como hace tanto frío, la tinta está correosa y muchos trazos quedan en blanco.

Nadie podrá leerlo, piensa el inspector jefe, pero eso ya no tiene importancia.

Cuando se despide con un ademán de la cabeza y va camino de la puerta, Brems carraspea.

–No quiero que se haga usted ilusiones, pero esta tarde esperamos que nos llegue un escrito de la Cruz Roja desde la Unión Soviética. Una nueva lista con prisioneros de guerra. Ya sé que no hay muchas probabilidades de que incluya nombres que todavía no tenemos registrados, pero tampoco se puede descartar.

–Pues mire si hay algo en la «S», por favor –dice Stave, esperando que la voz no le haya temblado. Después da media vuelta, deprisa.

No te hagas ilusiones. No vayas a hacerte ilusiones descabelladas.

En el camino de vuelta, Stave entra en una cafetería que ha sobrevivido a la guerra casi intacta salvo por la fachada, que no existe; como si un monstruo le hubiera arrancado la cara al edificio de cuatro pisos. El frente de la cafetería está remendado con tablones en los que alguien, con algunos clavos y masilla, ha instalado dos cristales que dejan pasar algo de luz al interior. También entra una fuerte corriente de aire. El inspector jefe pide una sopa de patata, pan moreno con mantequilla y un té.

La sopa es de un amarillo desabrido, pero por lo menos está caliente. El pan se desmenuza entre los dedos, la pasta que lleva untada encima es cualquier cosa menos mantequilla de verdad. El té huele a ortiga. Al menos será sano, se dice Stave mientras le da un sorbo a la amarga infusión. Cuando sale de la cafetería, tiene más hambre que antes.

En el despacho le aguarda una sorpresa: MacDonald está allí.

–Tengo que hablar con usted –dice el teniente.

–Hoy es mi día de suerte –repone Stave, y le ofrece al británico una de las sillas para las visitas.

Erna Berg los mira intranquila desde la antesala por la puerta abierta. El inspector jefe intuye que no sospecha nada de lo que aflige a su amante. De modo que no está metida en el asunto. Cierra la puerta.

–Ha vuelto a visitar a la señora Hellinger –dice MacDonald con objetividad. Es una afirmación, no una pregunta.

–¿Me tiene vigilado?

El británico sonríe como si se disculpara.

–A usted no. Estamos vigilando a la señora Hellinger.

–¿A quiénes se refiere?

–Es una larga historia.

–¿Y ha venido a contármela?

–Seguramente ya no me queda otra opción –responde MacDonald con un suspiro. Después vuelve a sonreír, una encantadora y exculpatoria sonrisa de Oxford, y saca tres carpetas de un portafolios.

Los expedientes de los asesinatos.

–Siento las molestias ocasionadas, créame. Pensé que me saldría con la mía, pero lo cierto es que es usted demasiado tenaz. Ahora tendré que ponerlo al corriente.

Stave se queda contemplando los expedientes; luego mira a MacDonald, y es entonces cuando empieza a comprender esas últimas palabras.

–¿Sobre qué quiere ponerme al corriente?

–Sobre la Operación Bottleneck –contesta el británico, sonriendo otra vez. Levanta las manos, las baja de nuevo–. Tendría que haberlo hecho desde el principio, por lo menos en cuanto el nombre de Hellinger salió a relucir por primera vez.

–Aquel día se quedó usted bastante estupefacto. Lo recuerdo. Pero lo achaqué a una distracción de carácter personal.

MacDonald mira fugazmente a la puerta cerrada de la antesala, luego se fija otra vez en los expedientes.

–Esa otra historia es más complicada aún que la Operación Bottleneck, pero me parece que ya está usted enterado.

–Si de alguna forma puedo serle de ayuda en ello...

–Coja la pistola reglamentaria y hágale un agujero bien redondo en la cabeza al marido de la señora Berg –responde el teniente, y luego tuerce el gesto–. Solo era una broma. Ese problema seguramente tendré que solucionarlo yo solo, al contrario que el otro.

–La Operación Bottleneck. Fue usted a visitar a Martin Hellinger la mañana en que desapareció.

–Yo lo secuestré.

Stave se inclina en su asiento.

–Explíqueme la historia desde el principio.

–Soy oficial del Ejército de Su Majestad –empieza diciendo MacDonald–. Sin embargo, al mismo tiempo sirvo a otra organización que me reclutó ya durante mis días de estudiante, el British Intelligence Objectives Sub-Committee. Tenían un buen argumento para convencerme de que trabajara para ellos: se encargaron de que aquel escándalo de mi relación con una dama de buena familia que estaba casada se extinguiera como una cerilla.

–Debe de ser un organismo muy especial.

–Una especie de... –el teniente vacila–, servicio secreto.

–¿Como la Gestapo?

MacDonald pierde por primera vez la compostura y le lanza una mirada de indignación.

–Por favor. No somos más que unas decenas de hombres: oficiales de Su Majestad, varios funcionarios de diversos ministerios de Londres, científicos y técnicos de universidades, algunos profesionales seleccionados. Estamos bajo las órdenes directas del Gobierno. Nuestro trabajo consiste en localizar en la Alemania ocupada a científicos y técnicos del régimen nazi.

–¿Para castigarlos?

–Personalmente acogería muy bien esa opción, pero no. No castigamos a esos señores. Buscamos hombres de todas las ramas del conocimiento técnico. Constructores de motores de aviación. Físicos que han diseñado bombas. Fabricantes de submarinos. También especialistas que puedan serle de utilidad a nuestra industria, que ha quedado muy afectada: químicos que investiguen fertilizantes, ingenieros de la industria del acero y las explotaciones mineras, técnicos que tengan en sus cajones planos de nuevos motores o radios más eficientes.

–O relojes de precisión.

–Y calculadores de desviación de trayectoria. Las calculadoras son un campo del futuro, y el doctor Hellinger lo supo ver antes que muchos otros.

–¿Y después?

–Después secuestramos a esos caballeros –responde MacDonald, y suena como si estuviera informando de una gamberrada estudiantil–. Llamamos a su puerta y nos los llevamos. Un viaje en Jeep hasta el campo de aviación militar más cercano, un avión con los motores en marcha y antes de que se den cuenta ya son huéspedes de Su Majestad en un castillo de algún lugar de las Highlands. O en un laboratorio de las afueras de Londres. O en un astillero de Liverpool. Allí les exprimen todo lo que saben. Nos hacemos con el conocimiento de esos especialistas, los interrogamos, dejamos que hagan cálculos, experimentos, que confeccionen artefactos. Hasta que sabemos todo lo que saben ellos. Después lo aprovechamos para nuestras propias investigaciones, ya sean militares o civiles.

–¿Y los caballeros exprimidos se dejan hacer todo eso? ¿No existe algo así como una protección de patentes?

MacDonald ríe.

–¿Protección de patentes después de veinte millones de muertos? ¿Para qué gana uno la guerra, entonces? Antes se saqueaban los templos de los perdedores, ahora les robamos su conocimiento. Es un precio justo por lo que sus compatriotas le han hecho al mundo, en definitiva.

–¿Y esos especialistas están dispuestos a compartir sus secretos?

–Cuanto antes nos explica alguien todo lo que sabe, antes dejamos que regrese a casa. No somos monstruos. No hay necesidad de aplicar los métodos de la Gestapo. Solo esperamos. La mayoría de los candidatos nos desvelan todos sus secretos el primer día. Están tan orgullosos de sus descubrimientos como niños aplicados. Aunque se trate de las armas más letales. O precisamente por eso.

–¿De manera que el doctor Hellinger regresará algún día?

–Faltaría más. No es de los que se guardan lo que saben. Por desgracia, este maldito frío tiene atenazado también a mi país. Ya casi no nos queda gasolina para los aviones. Muchos puertos están congelados. Todavía no hemos podido enviar a Hellinger de vuelta, ni en avión ni en barco. En cuanto empiece el deshielo, regresará a casa. Hellinger le contará a su mujer cualquier patraña para explicar su ausencia, ya lo ayudaremos nosotros. Su familia y él recibirán a partir de entonces un extra en la cartilla de racionamiento por trabajos pesados y se comprometerán a guardar silencio. Eso es la Operación Bottleneck. Hasta ahora ha funcionado muy bien. Hellinger habría regresado en algún momento y su mujer habría retirado la denuncia de desaparición. Listo. Sin preguntas, sin armar revuelo.

»Pero primero llegó este frío. Luego el asesino. Después vino usted. Hellinger no tiene nada que ver con el asesino de los escombros. Ha sido una condenada casualidad. De pronto su nombre aparece en los expedientes de los asesinatos. A saber quién podría leerlos. Y luego, además, esa desafortunada nota de Hellinger. Yo mismo le dije el nombre de la operación cuando lo fui a buscar, como explicación, para que no se resistiera y no montara mucho escándalo. Y va y me la juega con ese papelito. No tengo ni idea de cómo consiguió escribirlo, no tardé más de dos minutos en sacarlo de la casa sin hacer ruido.

–Así que decidió robar los expedientes y ya está.

–Hacerlos desaparecer. Usted habría vuelto a encontrarlos cuando Hellinger hubiese regresado. Lo habría excluido de sus investigaciones, todo habría salido bien.

–Qué idea más tonta.

MacDonald lo mira un momento, desconcertado; después se echa a reír.

–Es verdad. No fue algo meditado. Un día vine aquí a ver a Erna. Usted no estaba.

–¿Estuvieron los dos en mi despacho?

–No le reproche nada a la señora Berg. Yo la convencí. Aquí dentro estábamos a solas; teníamos más intimidad que en la antesala, no sé si me entiende.

–¿Me está diciendo que aquí, en este despacho, con mi secretaria...? –empieza a decir Stave, pero luego no sabe cómo terminar la frase.

–Por el amor de Dios, hombre, ¿es que nunca ha estado enamorado? De pronto nos encontramos los dos solos, la ocasión era propicia.

–Y como era tan propicia, aprovechó usted también para llevarse los expedientes de los asesinatos. No parece precisamente que fuera un acto impulsivo.

–No se ofenda. Le juro que fueron motivos puramente amorosos los que nos trajeron a esta sala. Sin embargo, ya se sabe que después se queda uno con la cabeza muy despejada.

–Está visto que no.

Stave cierra los ojos y reflexiona.

–Lo creo, teniente, aunque solo sea porque su historia es muy desagradable y, sus motivos, poco meditados. Por lo tanto, también creo que Hellinger no tiene nada que ver con el asesino de los escombros. Sin embargo, su nombre aparece en estos expedientes, así que tendré que anotar por qué su desaparición ya no es relevante.

–¿Quién preguntará nada al respecto?

–Seguramente nadie, pero me gusta conducir mis investigaciones de forma correcta.

–Haga una excepción por esta vez.

–¿Y si no la hago?

–Una sola referencia más a la Operación Bottleneck en estos expedientes y será usted el próximo huésped de Su Majestad. Para eso sí que nos quedaría gasolina.

–Me lo temía –replica Stave–. Siempre he querido visitar un castillo de las Highlands.

–No a veinte grados bajo cero.

–Buen argumento. –Stave calla durante un rato y le da vueltas al asunto–. Tiene mi palabra de que no escribiré nada sobre la Operación Bottleneck –promete finalmente–. Los expedientes no dirán nada más de Hellinger. Ni de la desaparición de las carpetas.

MacDonald respira hondo.

–Se lo agradezco. Para mí habría sido muy desagradable ordenar algo tan abyecto como su secuestro, pero debo hacer lo que haga falta para mantener en secreto esta acción.

–¿No le resulta abyecto secuestrar a hombres como Hellinger?

–No –responde el teniente sin dudarlo–. Para el trabajo sucio, los nazis tenían a sus carniceros. En la Gestapo, en los campos de concentración. Seguro que conoce usted a esos tipos. Crueles, sin escrúpulos, pero demasiado estúpidos como para representar una amenaza para el mundo. Por eso Hitler necesitaba cabezas pensantes. Como nuestro cerebrito, el bueno del doctor Hellinger, con sus calculadores de desviación de trayectoria. Funcionaban a las mil maravillas, eso pueden confirmárselo diez mil viudas de marinos desde Liverpool hasta Halifax. No, no siento compasión por ellos.

–Entonces ya tenemos algo en común.

–Por eso disfruto tanto trabajando con usted, inspector jefe.

–¿Es eso extensible a mi compañero Maschke?

De pronto MacDonald adopta una actitud cautelosa.

–¿Por qué me lo pregunta?

–¿Qué sabe usted de él?

El teniente se encoge de hombros.

–Cuando me destinaron a esta investigación, naturalmente que consulté los historiales de mis futuros colaboradores.

–Qué atento.

–Es deformación profesional. Sea como fuere, en el historial de Maschke no hay nada llamativo. Más no sé.

–¿Podría proporcionarme ese historial?

–¿Como pequeño agradecimiento por su cooperación en el asunto de la Operación Bottleneck? Será un placer. Pero ¿cómo es que me pregunta justamente por Maschke?

–Ahora soy yo el que tiene un secreto, teniente, pero le prometo que se lo desvelaré. A su debido tiempo.

MacDonald asiente y se pone en pie.

–Me lo tomaré con deportividad. Usted hágamelo saber antes de que sea tarde.

Cuando el teniente tiene ya la mano en el tirador de la puerta, Stave carraspea otra vez.

–Prométame que no me hará padrino de su hijo –dice–. Aunque lo hayan fabricado en mi despacho.

–En eso se equivoca usted –replica MacDonald, inclina la gorra como gesto de despedida y sale.

Stave pasa un buen rato mirando por la ventana después de la marcha del teniente. Es un alivio que los expedientes hayan vuelto a aparecer. Cómo dependo de estas formalidades, piensa.

Margarethe se habría reído, pero también me habría tranquilizado: no es para tanto.

Se levanta la niebla. Ahora cree que puede confiar en MacDonald y también en Erna Berg, aunque la idea de que en ese despacho, sobre su mismísimo escritorio, una mujer casada se haya entregado a un oficial de las fuerzas de la ocupación sigue teniéndolo pasmado.

La desaparición de los expedientes de asesinato se ha aclarado. Hellinger ha quedado excluido de la investigación. No era sospechoso y, gracias a Dios, tampoco es otra víctima.

Stave ha recopilado suficientes declaraciones y documentos para llevar a Maschke ante los tribunales por ser un antiguo miembro de las SS y asesino de Oradour. Se pregunta si no será más inteligente detener a Maschke inmediatamente y luego seguir con el caso del asesino de los escombros. ¿O debería dejar a su compañero en suspenso, esperar a ver si se traiciona él mismo? Tendré que buscar el consejo de Ehrlich, piensa. El fiscal debe de sospechar que Maschke tiene un pasado nazi. ¿Por qué, si no, podría haberse cruzado con él en su despacho el otro día? Pretendía husmear. Pero por lo visto Ehrlich no sabe que Maschke estuvo en Oradour. El cazador de nazis le estará agradecido cuando le presente las pruebas. Un nuevo juicio, puede que en el tribunal de Curiohaus.

Sus pensamientos se ven interrumpidos por unos golpes en la puerta. Erna Berg abre desde la antesala y se asoma.

–Tiene una visita.

Andreas Brems, del Servicio de Desaparecidos.

Stave, tal como exigen los buenos modales, quiere ponerse de pie, pero de pronto tiene las piernas blandas como cámaras de bicicleta. Quiere decir algo, pero no consigue emitir ningún sonido.

Brems, acostumbrado a ser portador de noticias que cambian destinos, sonríe con educación, se acerca una silla, se sienta, desdobla un papel sin decir una sola palabra. Después lo señala: una lista multicopiada, nombres, nombres, nombres.

–Hemos encontrado a su hijo –dice, y enseguida añade–: Vivo.

Stave se agarra a la mesa. Las ideas le dan vueltas en la cabeza. Karl. Un muchacho de diecisiete años con un uniforme de la Wehrmacht que le queda grande. Rabia y desprecio en la cara cuando se despide de su padre. No es más que un muchacho. Alivio. Una cálida sensación de alegría en el estómago. Stave se obliga a darle las gracias a Brems formalmente, le estrecha la mano por encima del escritorio, luego se inclina sobre la lista. La agarra, ahora ya sin que le importe el temblor que sacude el papel. El único vínculo con su hijo.

«Stave, Karl.»

Después, una palabra más. Stave se detiene, la lee de nuevo, no entiende.

–¿Qué significa esto? ¿Vorkutá?

–El lugar en el que se encuentra actualmente su hijo. –Brems carraspea–. Un campamento de prisioneros. En Siberia.

–Siberia.

Stave cierra los ojos. En Hamburgo hace meses que se habla de «temperaturas siberianas», y él ha visto bien a los muertos congelados, pegados al suelo. Ha oído hablar de otras víctimas, víctimas que no han sido atacadas por un asesino, sino por el frío. Si en Hamburgo las temperaturas son tan crudas, ¿cómo serán allí?

–¿Qué puedo hacer yo? –se oye preguntar a sí mismo. Su voz suena cargada de esperanza y apagada a la vez.

–Nada. De momento, por lo menos. La Cruz Roja ha recibido esta lista. Es posible que en algún momento dejen pasar a un representante al campamento siberiano para hablar con los prisioneros o hacerles llegar correo. No es seguro. Naturalmente, nos esforzamos por conseguir cualquier mejora de su situación.

–¿Cuándo lo liberarán?

–Pregúntele al camarada Stalin. Nadie lo sabe. Cuando todavía llegaban trenes, a menudo regresaban prisioneros de allí. En estos momentos hace demasiado frío para eso, pero el invierno pasará algún día.

–¿Puedo al menos escribirle?

–Nos haremos cargo de su carta. No tenga prisa. Pasarán semanas antes de que uno de nuestros representantes consiga llegar al norte de Rusia. Si es que llega. Ahora está usted aturdido. Feliz pero confuso. Eso lo entiendo, lo veo todos los días. Deje que la buena noticia repose. Dese un poco de tiempo y escríbale entonces.

–Al menos lo han encontrado.

–Una vez que tenemos a alguien registrado, ya no volvemos a perderlo.

Por fin, Stave consigue levantarse de la silla.

–Muchas gracias –murmura–. También por haber venido personalmente hasta aquí.

–Usted nos ha visitado muchas veces –repone Brems, y le estrecha la mano para despedirse.

Stave vuelve a mirar por la ventana. En algún momento cae la noche, negra como la tinta. En la antesala, la silla de Erna Berg cruje sobre el suelo de linóleo cada vez que la acerca o la separa del escritorio. En un radiador casi frío se oyen borboteos de aire. Pasos en el pasillo, luego el silencio de una planta desierta.

Tengo que conseguir un mapa de Rusia, piensa entonces Stave. Ver dónde queda Vorkutá.

Una carta

Martes, 18 de marzo de 1947

Stave despierta y siente que algo ha cambiado. Por un instante tiene miedo porque cree que hay alguien en la habitación. Se yergue, mira alrededor. Nadie. Justo entonces se da cuenta de cuál es la diferencia.

Fuera canta un pájaro. En el cristal ya no hay una capa de hielo, solo quedan lugares mojados en el antepecho de la ventana, donde las flores de escarcha se han derretido. Ya no expulsa vapor al respirar, no le duelen las manos, no siente escalofríos al tocar el suelo con los pies descalzos.

Stave se levanta con cuidado, no da crédito a esa bonanza del tiempo, se acerca a la ventana, mira fuera parpadeando. La luz del sol. El muro de enfrente reluce, amarillo y cálido. Tres o cuatro personas en la calle que andan despacio, desconfiadas, todavía con bufanda y abrigo. Uno acaba de quitarse la gorra. ¿Cuándo vi eso por última vez?, piensa Stave. Una cabeza descubierta al aire libre.

Prescinde del desayuno, se echa un poco de agua en la cara, se queda inmóvil frente a la puerta del apartamento. ¿Se lleva el abrigo o no? No hay que ser demasiado entusiasta, se dice, así que descuelga la pesada prenda. Alcanza la pistola y la guarda bajo la chaqueta. No se olvida la identificación, pero sí deja la linterna sobre el estante que hay encima del perchero: ¿quién necesita una linterna en un día tan soleado?

En la calle se siente como si por dentro estuviera partido en dos, con la línea divisoria justo por encima de las rodillas: el suelo sigue duro y helado, el frío le trepa por las piernas; la cabeza y el cuerpo, no obstante, están bañados por el sol, el aire es suave como la seda. Stave inspira hondo con la esperanza de paladear la promesa de la primavera, flores, hojas, hierba. Pero todavía es demasiado pronto para eso, la vieja mezcla de polvo de piedra, óxido y podredumbre se le mete por la nariz con más intensidad que antes. Se abre el abrigo, camina despacio, disfruta de cada paso. En una esquina hay una docena de personas haciendo cola; cubos metálicos, garrafas, bidones viejos en las manos. Esperan pacientemente su turno para llenar de agua sus recipientes con una bomba manual. Desdichados a los que estas últimas semanas se les han reventado las cañerías en casa y ahora tienen que aprovisionarse en el exterior. Stave recorre la cola: hasta ayer, una pared de figuras embozadas y silenciosas; hoy todo el mundo tiene cara y habla. El inspector jefe oye incluso una risa a lo lejos cuando hace ya un rato que ha dejado la cola atrás. Un hombre de edad avanzada que se cruza con él por la acera levanta un poco el sombrero para saludar. Cuando mira a una mujer, esta se sonroja y le sonríe con timidez. Dos colegiales dan patadas a un ladrillo roto con sus zapatos harapientos hasta que llegan a un solar de escombros. Supervivientes, piensa Stave, todos somos supervivientes.

¿Habrá llegado el deshielo también a Siberia? ¿O allí siempre hará frío? Stave ha encontrado Vorkutá con la ayuda de Brems, porque no daba con ningún lugar llamado así en ningún mapa de la Unión Soviética. Un punto en el extremo norte de la cordillera de los Urales. Alejado de todo, de todas las ciudades, de todas las líneas ferroviarias que figuran en los atlas. El inspector jefe se pregunta cómo habrá ido a parar su hijo allí, desde Berlín hasta Vorkutá. Le ha escrito una carta para la que se ha pasado toda una fría noche junto al resplandor de una vela. Las palabras le costaban trabajo. «No es que sea usted un poeta», se habían burlado el fiscal Ehrlich y Anna von Veckinhausen.

A la mujer no la ha mencionado, desde luego, le daría vergüenza ante su hijo. Tampoco le ha dicho una palabra sobre el asesino de los escombros. En lugar de eso, sus recuerdos de Margarethe, descripciones de Hamburgo –maquilladas, porque no quiere inquietar a su hijo innecesariamente–, lugares comunes. Y solo al final, donde en efecto ha firmado como «Tu padre», ha añadido una posdata: «Te quiero y te echo de menos».

¿Cuándo fue la última vez que le dijo eso a su hijo? ¿Había llegado a pronunciar esas palabras alguna vez? No recuerda haberlo hecho.

Supervivientes, piensa Stave otra vez mientras observa con disimulo a los transeúntes que recorren las calles como recién liberados. Si en Hamburgo han podido sobrevivir a ese invierno, ¿por qué no va a ser posible en Vorkutá? Karl es joven y fuerte. Sobrevivirá. Tiene que sobrevivir.

Han pasado cuatro semanas desde que MacDonald confesó el robo de los expedientes y le habló de la Operación Bottleneck. Desde que conoce la verdadera identidad de Maschke. Cuatro largas y duras semanas sin ninguna novedad.

Eso ya es algo, piensa el inspector jefe: no ha habido más cadáveres. Cada día sin un hallazgo espectacular es un día en el que el lazo le aprieta menos en el cuello. Stave se siente como si pudiera moverse con libertad otra vez, como si volviera a tener espacio para maniobrar. No ha habido más cadáveres, tampoco más titulares. No más titulares, no más pánico entre la población. No más pánico, no más preguntas molestas, ni del alcalde ni de Cuddel Breuer, ni siquiera del fiscal Ehrlich. Y ahora, además, de la noche a la mañana ha hecho aparición la primavera. Todos olvidarán pronto al asesino de los escombros.

Yo seré el único que no, se dice Stave. Yo no.

En la Central, Erna Berg lo saluda mirando para otro lado. El inspector jefe se extraña, se inclina para acercarse a ella, la mira a la cara. Tiene el ojo derecho morado e hinchado.

–¿Su marido? –pregunta.

Ella se señala el vientre, que ya empieza a abultarse.

–Se lo he confesado. De todas formas no podía seguir ocultándolo.

–Ya me encargaré yo de él. –MacDonald acaba de entrar desde el pasillo sin que ninguno de los dos lo haya oído.

–Hablemos en mi despacho, no en la antesala –replica Stave.

–Los tres –dice el teniente, y agarra a Erna Berg del brazo.

–¿Qué se propone hacer? –pregunta el inspector jefe mientras se sienta tras su escritorio.

Erna Berg toma asiento en la silla de las visitas, MacDonald se queda de pie detrás de ella, posa las manos en sus hombros.

–Voy a divorciarme –responde la secretaria.

–Ya le he encontrado un apartamento a la señora Berg –añade el teniente–. Cuando este desagradable asunto haya pasado, nos casaremos. –Sonríe.

–Pero tiene usted otro hijo –objeta Stave. Mas no se atreve a decir: tal como están las cosas, un juez le concedería el niño al padre, ya que al fin y al cabo ha sido la madre quien ha cometido adulterio.

–También me encargaré de eso –contesta MacDonald, y su voz suena decidida–. El niño se criará con nosotros.

El inspector jefe lo mira unos momentos, hasta que comprende que MacDonald habla en serio y que ganará esa batalla. Lo cierto es que debería sentir lástima por el marido de Erna Berg, que perdió una pierna en la guerra y ahora, además, va a perder también a su familia. Pero las marcas de golpes en la cara de su secretaria lo han dejado conmocionado. De pronto, sin que pueda hacer nada por evitarlo, se siente imbuido de afecto hacia ese joven oficial británico tan seguro de sí mismo, tan cortés y natural, tan diferente de él, Stave.

–Tienen mi bendición –dice.

–No tenía idea de que fuese usted también pastor –repone MacDonald.

En el rostro de Erna Berg (la mitad que no tiene hinchada) se contorsionan pequeños músculos. Va a echarse a llorar, piensa Stave.

–¿Hay alguna novedad en nuestro caso? –pregunta enseguida, antes de que todos se pongan sentimentales.

–Nada, inspector jefe –responde la secretaria, que respira hondo, se endereza, sonríe con timidez, incluso con un aire algo conspirativo–. No hay más cadáveres. Ni preguntas del señor Breuer.

–No sabría decir cuál de ambas cosas sería peor –suelta Stave con alivio.

Después levanta la mano derecha como si quisiera hacer marchar a MacDonald y a Erna Berg, pero el gesto le queda a medio camino entre una bendición y un ademán amistoso.

–Tómense el día libre –dice–. Tienen que equipar su apartamento, y seguramente también tendrán un par de cosas que tramitar.

Treinta segundos después, está solo.

Stave observa fijamente los expedientes de los asesinatos que, no más gruesos que un cuaderno, tiene extendidos sobre el escritorio formando un abanico. Poco a poco va aceptando que no avanza. Que tal vez nunca consiga avanzar más.

No hay nuevas muertes y eso lo tranquiliza. Por un lado. Por otro, quiere decir que tampoco hay posibilidad de que el criminal cometa un error. Que uno de los atacados consiga resistirse y escapar. Que lo vea algún testigo. Que por fin alguien en Hamburgo identifique a una víctima.

Ahora que el invierno remite, en algún momento volverá a llover, piensa el inspector jefe. Las precipitaciones empaparán los carteles de la Policía, las fotografías irán cayendo de las columnas de anuncios, las exhortativas frases de Stave se emborronarán, y no puede imprimir nuevos carteles para no alarmar a la población.

¿Qué más puede hacer con esos cuatro casos cuyo papeleo ocupa la superficie de su mesa? Ya ha realizado todas las pesquisas posibles, ha interrogado a todos los testigos, ha seguido todas las pistas. Es posible que la casualidad le eche una mano algún día. Tal vez el asesino se emborrache en un bar y se delate, ya ha sucedido en más de una ocasión. Acaso un día alguien de fuera llegue a Hamburgo, vea un cartel que por casualidad se ha conservado y exclame: «¡Pero si yo los conozco!».

¿Y si no? Entonces el asesino de los escombros quedará libre, reconoce Stave con resignación. Y yo me pasaré toda la vida pensando en él. Nunca dejaré de preguntarme: ¿qué fue lo que no viste?

La autocompasión tampoco te servirá de nada, se dice, suspira, recoge los expedientes, los archiva con cuidado, se levanta de la silla y camina hacia la puerta con otro expediente bajo el brazo: el historial de Lothar Maschke, que MacDonald le consiguió con discreción. En él ha encontrado varios documentos interesantes. Quiere ir a ver a Ehrlich.

Qué es lo que no has visto, piensa mientras recorre el pasillo. Qué no has visto. La escalera con esas molestas cenefas en el suelo. Qué no has visto. El pórtico, el elefante de bronce. Qué no has visto. La escultura de la mujer. Qué no has visto. Un Mercedes delante de la Central. Qué no has visto. El camino hasta el despacho de Ehrlich. Qué no has visto. La escultura de la mujer. Ehrlich. La mujer. Mujer. Ehrlich.

–¡Pero qué idiota soy! –exclama de pronto Stave.

Y echa a correr.

Nombres

Stave regresa de una carrera a la Central. ¡Condenada pierna! Corre tan deprisa que tropieza. Llega jadeando ante el imponente edificio. Allí sigue aún el Mercedes, con la llave dentro. Stave abre la puerta de un tirón, se lanza al asiento del conductor y arranca a toda velocidad con un rugido del motor. Le importa un comino el reglamento.

Por todas partes hay gente en bicicleta, paseantes que disfrutan de la luz del sol. El inspector jefe reniega y toca el claxon, pisa el pedal, agarra el volante con fuerza y da bandazos con el viejo coche en todas las curvas.

Hace un mes que tiene la solución encima de la mesa, solo que no en esos expedientes de asesinato que con tanto celo protege, sino en sus notas. ¡Y no lo había visto! Le gustaría darse de bofetadas. Espero que mi testigo siga aún con vida, piensa un instante después. Espero que no sea uno de los que han muerto congelados este invierno.

Yvonne Delluc.

Anotó ese nombre, lo escribió meticulosamente. Una de las supervivientes de Oradour. Un nombre que ya había leído en otra parte: en las fichas de Maschke, esas fichas en las que el agente de Orden Público ha perpetuado a las golondrinas de la calle y sus pachás. Lo recuerda ahora como si no hiciera más de una hora que se coló en el despacho de su compañero: «Yvonne Delluc, tiene familia aquí».

Una superviviente de Oradour. ¡Una francesa! El pendiente de un joyero francés. Stave no tiene ni idea de qué se le habría perdido junto al Elba, pero no es de extrañar que nadie la identificara. Ningún vecino. Ningún británico. Ningún desplazado, porque los desplazados son antiguos condenados a trabajos forzados y presos de los campos de concentración que vagan sin rumbo, y los supervivientes de Oradour son ciudadanos libres, franceses de las provincias centrales. A ninguno de ellos lo deportaron al Reich.

«Tiene familia aquí.» La nota de Maschke/Herthge. La superviviente de Oradour llamó de algún modo la atención de Maschke, el único de los asesinos de Oradour que había escapado. Él anota su nombre y también el hecho de que hay más personas de su familia en la ciudad.

¿Será Yvonne Delluc la mujer más joven? ¿La mayor? ¿La niña pequeña? Stave lo averiguará enseguida..., quizá.

Aprieta el acelerador a fondo, el motor ruge, un neumático aúlla al derrapar en una curva.

¿Cómo encontraría Maschke a Yvonne Delluc? ¿Por casualidad? Cuando estuvieron interrogando a testigos en Reeperbahn, una de las chicas le comentó que el agente de Orden Público se tomaba su trabajo demasiado en serio, tanto que incluso confundía con putas a mujeres inocentes. ¿Se tropezó, pues, casualmente con Yvonne Delluc? Una mujer elegante, no acostumbrada al trabajo, que responde a un nombre francés. Muchas prostitutas se ponen nombres así, solo que el suyo es auténtico. Maschke, que cree que está interrogando a una prostituta, comprende entonces que tiene ante sí a una testigo de la matanza y acaba con ella. Después, para ir sobre seguro, despacha también al resto de la familia.

Luego se presenta voluntario para trabajar en la investigación; así podrá seguir de cerca las pesquisas. E intervenir en el momento oportuno. Dejar pistas falsas. O desaparecer justo a tiempo.

–Uno Peter, Uno Peter. ¡Póngase en contacto con la Central inmediatamente!

Stave se estremece cuando la voz sale a todo volumen de la radio. Furioso y con la mirada fija en la calle, golpea la cajita hasta que la voz metálica se interrumpe bruscamente.

Los frenos chirrían, el motor se apaga con un burbujeo ronco, Stave baja de un salto del Mercedes. Ante él se alza el sombrío monolito del búnker de Eilbek.

El inspector jefe abre la puerta de acero con un empujón, sube corriendo a la primera planta, recorre el pasillo hecho de tablones. El aire resulta aún más húmedo y cargante que en su primera visita, hace dos meses, solo que ahora es más cálido, mohoso, pútrido. La misma chaqueta impermeable de marinero sigue cerrando la entrada.

Stave suelta un suspiro de alivio: Anton Thumann sigue vivo. Irrumpe en el compartimento. El viejo marinero salta del catre, levanta los puños, luego lo reconoce.

–¡Podría ser un poco más educado, comisario! –exclama, pero no baja los brazos.

El inspector jefe se traga su ira. ¡Cuánto no le habría ahorrado ese desgraciado si hubiese querido hablar! Una de las primeras personas a quienes interrogó el mismo día en que encontraron el primer cadáver. La joven muerta. Le habló entonces de una familia francesa que había ocupado el compartimento de al lado, y de un policía que se los llevó de allí. ¡Un policía!

Stave rebusca en el bolsillo de su chaqueta. Los ojos de Thumann se abren más.

–¡No me dispare! –grita.

El inspector jefe no hace caso de su súplica, saca las fotografías de los muertos. Thumann, con alivio, baja los puños. Stave le acerca las imágenes, la mano le tiembla de rabia.

–Eran los de aquí al lado –dice el viejo marinero con indiferencia–. Los franceses.

El inspector jefe cierra los ojos un momento.

–¿Por qué no ha informado a la Policía hace tiempo? –pregunta, esforzándose mucho por no perder los nervios.

–¿Por qué tendría que haberlo hecho?

–¿Es que no ha visto los carteles? ¡Pero si están por toda la ciudad! –exclama Stave sin dar crédito.

Thumann se vuelve hacia los tablones de la pared con la mirada vacía.

–Apenas salgo fuera. Y cuando lo hago, nunca miro esas cosas. No sé leer. Nunca aprendí bien. Tampoco lo necesito para nada.

Stave se apoya contra los toscos maderos, se pasa la mano por los ojos.

–¿Sabe usted cómo se llamaba la familia de al lado?

–Nunca vinieron a presentarse.

–¿Delluc?

–Puede ser, aunque tal vez no.

–Descríbame a la familia: ¿cuántos eran? ¿Hombres, mujeres, niños?

–Un viejo que siempre caminaba con un bastón. Dos mujeres. Damas finas, no sé si me entiende. Una, joven y guapa pero descarada. La otra, guapa también pero ya no tan joven. Y también una mocosa.

–¿Una niña?

–Sí.

–¿De qué edad?

–No sé, yo no tengo críos. Era pequeña.

El inspector jefe respira hondo. Thumann será un testigo de primera ante un tribunal, piensa con resignación.

–¿De unos seis años? ¿O más bien catorce?

–Más bien seis.

–¿Había algún pariente más?

–Solo esos cuatro de los retratos, por lo que yo sé.

Stave saca otra fotografía. Una copia de la identificación de Maschke.

–¿Fue este el policía que se los llevó?

–Ese fue. Dejó toda la planta llena de humo, pero no me dio ni un Lucky Strike. Perro arrogante.

–¿La familia se fue con él voluntariamente?

–¿Quién se va voluntariamente con la Policía?

–¿Qué quiere decir con eso?

–Ninguna de las dos parecía muy contenta, pero el agente no tuvo que sacarlas a la fuerza. No hubo esposas ni porras. Ni siquiera dieron voces.

–¿Las dos?

–La mujer mayor y la niña. Los otros dos no estaban aquí. No sé adónde irían. El caso es que no han vuelto a aparecer.

–¿Vuelve a estar ocupado el compartimento?

–Sí, pero no sé nombres.

–Eso no es muy importante. ¿Quedan todavía cosas de los franceses?

Thumann mira al suelo.

–No queda nada –masculla.

–¿Nada? ¿Se lo llevó todo el policía?

–No. Cuando los franceses llevaban un par de días sin aparecer por aquí, unos chicos del piso de arriba vinieron y se quedaron con sus cosas.

–Vaya a la Central de Investigación Criminal de Karl-Muck-Platz y preséntese ante el inspector de policía Müller. Él le tomará declaración.

–¿Por qué no viene usted también?

–Tengo otra cosa de la que ocuparme.

–¿Y si no voy?

–Entonces acabará en un agujero que hará que este búnker le parezca un hotel de lujo.

Stave cruza Hamburgo a toda velocidad. Con un poco de suerte, todavía no estarán buscando el coche, piensa. Y con un poco de suerte, quedará suficiente gasolina en el depósito. Tarda más de una hora en llegar al Warburg Children's Health Home.

Espera tanto a frenar que está a punto de llevarse la verja por delante. Stave toca el claxon, toca sin parar. El joven que ya le abrió la última vez llega corriendo.

–¡Que aquí viven niños! –grita, indignado, pero le abre la verja.

–A uno de ellos vengo a ver –contesta el inspector jefe antes de arrancar por el camino de entrada tan deprisa que lanza gravilla a uno y otro lado.

Thérèse DuBois está tras una de las ventanas de la galería, mirándolo. Unos instantes después lo recibe en la puerta de la villa.

–¡Ya lo tiene! –exclama.

–Tengo que hablar con Anouk Magaldi –replica Stave.

Cinco minutos después, le enseña a la niña las fotos de los cadáveres sin reparos. En sus dos visitas anteriores no se atrevió a enseñarles las fotografías a los niños más pequeños. Y estos, según le ha dicho la tutora, nunca salen de la mansión. En tal caso, ¿cómo habría podido ver Anouk Magaldi los carteles?

La pequeña mira las imágenes algo triste pero sin especial interés. La primera. La segunda. Stave contiene la respiración. La tercera. Entonces se detiene, mira fijamente la cuarta foto con lágrimas en los ojos. Es la fotografía de la mujer joven.

–Mademoiselle Delluc –susurra la pequeña.

El inspector jefe inspira hondo, se reclina en el sillón de mimbre.

–¿Una superviviente de Oradour? –pregunta Thérèse DuBois.

–Que se encontró en Hamburgo con su asesino –murmura el inspector jefe.

–¿Su compañero?

Stave asiente con cansancio.

–Mi compañero, que entró en la Policía con un nombre falso. Que antes fue de las SS. Que ha resultado ser quizá el único asesino de Oradour que sobrevivió a la guerra. Que se encontró en Hamburgo con una testigo de su crimen. La estranguló para protegerse de sus acusaciones y la desvalijó hasta dejarla como vino al mundo para que nadie pudiera identificarla.

–¿Y las otras tres víctimas?

Stave pregunta a Anouk Magaldi y pronto descubre que nunca había visto a los tres familiares de Yvonne Delluc. La joven francesa no era originaria de Oradour, solo estaba allí porque se había alojado en casa de unos amigos. Su familia debía de vivir en otro lugar.

–Tal vez en París –murmura Stave, pensando en el pendiente.

Entonces recuerda el medallón y le enseña a la pequeña una fotografía. Ella le sonríe, se lleva la mano al cuello y se saca de debajo del jersey un medallón igual.

Stave se la queda mirando, luego contempla la diminuta joya en la mano de la niña, cierra los ojos.

–Tan cerca –susurra–. He estado tantas veces tan cerca. –Recobra la compostura–. ¿Qué significa? ¿Una cruz y dos dagas?

La niña dice algo, habla deprisa. Con orgullo en la voz. Thérèse DuBois traduce:

–Es el escudo de armas de Oradour. No me pregunte qué quieren decir estos símbolos. Los supervivientes los llevan, y también muchos de sus familiares. Es un recuerdo.

–También los familiares –repite el inspector jefe con satisfacción–. Poco a poco tengo todo lo que necesito. ¿Podría decirme la pequeña una última cosa sobre Yvonne Delluc? ¿A qué se dedicaba? ¿Estaba casada? ¿Tenía hijos?

Anouk Magaldi lo piensa y sacude la cabeza. Luego sonríe.

–*Elle est juive, comme moi* –dice.

–Era judía –explica la tutora–. ¿Por qué vendría una judía que había escapado a una matanza precisamente al país de los asesinos?

–No puedo responder a eso –contesta Stave con voz lúgubre–. Pero tenga paciencia, seguramente pronto sabremos todos los detalles. En el próximo juicio de Curiohaus.

Mediodía. Esperemos que Ehrlich no haya salido a comer a un restaurante, piensa Stave, ni al club de los británicos. Quiere comunicarle un par de cosas interesantes al fiscal. Tiene suerte y al cabo de poco está sentado en la silla de las visitas de su despacho, observado por esos ojos que miran desde detrás de los enormes lentes.

Stave le habla de la vida anterior de Lothar Maschke, que en realidad se llama Hans Herthge y perteneció a un regimiento de granaderos anticarro de las SS. Le habla de la huérfana del hogar infantil Warburg, del mapa que encontró en el escritorio de Maschke, pero no explica detalles sobre cómo consiguió ese documento. Ehrlich, que recuerda su encuentro a una hora avanzada en el despacho del Departamento de Orden Público y a quien de pronto se le enciende una luz, asiente brevemente. El inspector jefe deja la ficha del Servicio de Desaparecidos con el nombre de Maschke junto al mapa. Informa sobre el escudo de la ciudad de Oradour en el medallón que se les encontró a dos de las víctimas. Sobre la joya de París. Sobre el marinero analfabeto del búnker de Eilbek que no mira los carteles porque no sabe leer y que no se extraña de que desaparezca la familia que vive al lado. Una familia francesa.

Ehrlich lo escucha con paciencia. Después se limpia los cristales de los lentes y sonríe satisfecho.

–¿Cuál es, pues, su versión de los hechos?

–Herthge, alias Maschke, se encuentra con Yvonne Delluc en Hamburgo. No sé si se da cuenta enseguida de que es una superviviente de Oradour, o si es ella quien lo reconoce y se enfrenta a él. Como tampoco sé por qué la joven y su familia estaban aquí, en nuestra ciudad, ni cuál era la relación de parentesco que la unía a las otras tres víctimas.

»Los dos se encuentran. Herthge/Maschke comprende que la joven francesa puede llevarlo al patíbulo, así que la mata. Puede que no enseguida, no directamente en su primer encuentro. Quizá primero huye de ella. Quizá le tiende una mano. Quizá la secuestra y se la lleva contra su voluntad. En cualquier caso, tuvo tiempo suficiente para hacerle una ficha en la que anota que tiene familia en la ciudad. Eso debió de descubrirlo de algún modo.

»Así que actúa con cautela, es metódico. Una vez que sabe en qué situación se encuentra Yvonne Delluc, la asesina sin piedad y elimina todas las pistas. La mata en algún lugar de la ciudad y esconde el cadáver en los escombros. Cómo la llevó hasta allí, todavía no lo sé. Acecha entonces al anciano y, por lo visto, lo asesina allí mismo, donde lo encontramos. Es posible que se enterara de que el viejo hacía siempre el mismo camino. Por último, saca del búnker a la mujer mayor y a la niña con algún pretexto. Seguramente ellas dos no saben nada, puesto que no estuvieron en Oradour. Cuando salen del búnker de Eilbek, Herthge/Maschke vuelve a atacar y oculta también esos dos cadáveres. Es muy probable que en esa ocasión utilizara un coche de la Policía para llegar a los lugares donde encontramos los cadáveres y que depositara a sus víctimas entre las ruinas en un momento propicio.

»¿Qué había que temer? Yvonne Delluc y su familia se alojaban en el búnker desde hacía solo unas semanas, según parece ser. La gente de los búnkeres no se preocupa por sus vecinos. Había muchas probabilidades de que en el búnker nadie se acordara de ellos. Aparte de esos cuatro, no parece que hubiera nadie más en Hamburgo que conociera a la familia. La pequeña no iba al colegio, por lo que todas las investigaciones en ese sentido fueron infructíferas. No tenían una cartilla de racionamiento expedida aquí. Ningún médico de Hamburgo los trataba, tampoco en todo el Reich... Tendríamos que haber buscado en Francia. Pero ¿cómo íbamos a saberlo?

»Cuando por fin se descubre el primer cadáver, Herthge/Maschke se presenta voluntario para formar parte del equipo de la investigación y tenerlo todo controlado. Sabe perfectamente que encontraremos más víctimas y que el asunto causará bastante revuelo. Lo que no sabe, sin embargo, es que al desvalijar a toda prisa a las víctimas se ha dejado un par de objetos.

Y no sospecha que en Hamburgo vive una superviviente más de Oradour, una testigo que fue la que finalmente me puso tras su pista.

–Entonces, ¿Herthge sigue sin sospechar nada? ¿No sabe que va usted tras él?

–Por desgracia –reconoce Stave–, envié de viaje a Herthge, alias Maschke, por el caso del asesino de los escombros. Tenía que consultar con médicos de todo el norte de Alemania. No supe nada de su doble identidad hasta que ya estaba fuera. Hasta hace unas cuatro semanas, llamaba a la Central con cierta regularidad para informar, pero desde entonces no ha vuelto a hacerlo.

–¿Ha informado usted a las comisarías de allí? –pregunta Ehrlich.

–Con discreción. He solicitado que busquen a Maschke, pero haciendo que parezca que simplemente estamos preocupados. No que queremos atraparlo.

–Ahora ya podemos olvidarnos de tanta prudencia. ¡Cursaremos una orden de búsqueda y captura contra Maschke/Herthge!

Ehrlich se reclina en su asiento. Mira al agente de Investigación Criminal con satisfacción.

–¿Hace mucho que sospechaba de él? –pregunta Stave.

El fiscal sonríe.

–¿Porque también yo quería hacer una discreta visita a su despacho? Efectivamente. Había indicios: declaraciones de miembros de las SS que, viéndose a las puertas del patíbulo o de una vida en el presidio, delataron a sus compañeros. En esos círculos se ayudan mucho unos a otros; enseguida se corre la voz si alguien desaparece o cambia de identidad. En una ocasión se mencionó el nombre de Maschke. Un agente de policía. Agucé bien el oído, pero no encontré a ningún miembro de las SS con ese nombre en ningún expediente. Al final supuse que «Lothar Maschke» debía de ser una nueva identidad y que el hombre debía de estar registrado en las SS con la anterior.

Sin embargo, no conocía ni su verdadero nombre ni su antigua función. Estoy impaciente por interrogar a Herthge en persona para sacarle esos detalles. En el juicio. Tengo una gran deuda con usted.

–Entonces, seguro que podrá hacerme dos favores –replica Stave.

El fiscal enarca una ceja.

–¿Qué favores?

–Llame a Cuddel Breuer y explíquele por qué me he llevado prestado el Mercedes.

–Prestado –repite Ehrlich riendo–. Un eufemismo de «robo de vehículo» que seguro que el director de Investigación Criminal no habrá oído nunca saliendo de la boca de un fiscal. Para mí será un placer cumplir ese deseo suyo. ¿Y el segundo?

–Quisiera saber quiénes eran las otras tres víctimas. Quiero nombres. Ya sé que en realidad da lo mismo. Ya están muertos. Pero es que me siento mejor si tengo nombres. Si por lo menos los nombres perduran...

El fiscal asiente.

–A mí me sucede igual.

Una breve llamada telefónica y Ehrlich parpadea haciéndole una señal tranquilizadora a Stave, que sigue en la silla de las visitas, escuchando.

–Su jefe solo quería saber si le ha hecho alguna abolladura al Mercedes. Y se alegra de su informe. La resolución del caso del asesino de los escombros coincide gratamente con el final del invierno, ha dicho.

La siguiente conversación telefónica dura mucho más. El fiscal habla francés con mucho acento, cree Stave, pero parece que con fluidez. No deja de asentir con la cabeza, hace anotaciones, a veces levanta una ceja sorprendido. No le gusta lo que oye, piensa el inspector jefe. Espero que no haya problemas. Ahora no.

Ehrlich cuelga por fin el auricular. Un gesto suave.

–Los Delluc son judíos –empieza a explicar.

–Sí, eso lo sabía.

–Varios miembros de la familia habían sido deportados ya. Los demás permanecían escondidos. Tres en París. Una mujer en Oradour.

–Yvonne Delluc.

–El abuelo se alojaba en París: René Delluc. Un banquero con amigos que siguieron a su lado también en los tiempos difíciles. Tenía un hijo y una hija. Al hijo lo deportaron. La hija, Georgette, se escondió con él.

–La mujer con la cicatriz de la operación.

Ehrlich asiente.

–Era la tía de la niña: Sarah. Y también de Yvonne. Sarah e Yvonne eran hermanas, hijas del hijo deportado.

–¿Qué fue lo que los trajo a Hamburgo?

–La llamada de Palestina, supone mi colega francés. No puede demostrarlo, aunque hay algunos indicios. Según él, desde 1945 los Delluc intentaban llegar a Tierra Santa. Sin embargo, los británicos no dejan entrar allí a ningún judío, como sabrá usted.

Stave recuerda lo que le explicó Thérèse DuBois.

–Por eso querían partir desde la zona británica. Porque aquí los controles para viajar a Palestina son menos estrictos.

–El puerto está muy destruido. Hasta los británicos se alegran cuando un buque consigue descargar o cargar parte de su mercancía más o menos en condiciones. Es vital para la zona de la ocupación. En estas circunstancias, ¿quién controla todos los papeles de los barcos? ¿Quién comprueba si un vapor que ha entregado un preciado trigo después no sigue viaje hacia Chipre? ¿O si no pone rumbo luego hacia algún otro puerto algo más al este? Un largo camino para llegar a la Tierra Prometida, pero, después de todo lo que han tenido que pasar los judíos en los últimos años, el riesgo merece la pena: cada vez más se cuelan a bordo de barcos que zarpan con rumbo a Palestina. Desplazados, y también judíos que no llegaron hasta después de 1945.

–Como los Delluc.

–Sí, pero tuvieron la mala suerte de llegar demasiado tarde: salieron de Francia a finales de noviembre de 1946. Justo entonces se congeló el Elba y el carbón empezó a escasear. Ningún barco zarpaba ya. Quedaron atrapados. Seguramente estaban esperando a que las temperaturas volvieran a subir para poder continuar con su huida. No sospechaban que quedarían retenidos aquí durante semanas. Y no sospechaban que se cruzarían en el camino de uno de los asesinos de Oradour.

–¿Dónde estará ahora Herthge?

Ehrlich levanta las manos.

–De alguna forma se ha enterado de que vamos tras él. Tal vez no sepa nada en concreto, pero es precavido y por eso desapareció cuando lo envió usted al norte de Alemania. Una ocasión más propicia no volvería a presentársele.

»Después de dictar su orden de busca y captura, naturalmente enviaremos a un agente a casa de su madre, aunque no creo que sea tan tonto como para haberse escondido precisamente allí. ¿Quizá esté de camino hacia Sudamérica? Argentina, Chile, Paraguay: ya no es ningún secreto que allí han surgido colonias nazis.

–Será difícil conseguir llegar a Sudamérica desde el norte del país. Aunque puedan ayudarlo antiguos compañeros.

–El único puerto en toda la costa del que zarpan barcos hacia Latinoamérica es el de Hamburgo. Pronto llegará el deshielo. Es posible que dentro de una o dos semanas ya vuelvan a partir los primeros vapores.

–¿Cree que permanecerá escondido hasta entonces?

–Sabe moverse entre los escombros, eso ya lo ha demostrado. Ahora que hace menos frío, quizá por fin le resulte más fácil arreglárselas por ahí.

–Tal vez busque refugio junto a una muchacha de la calle. O en casa de algún chulo. Tiene contactos de sobra.

–O con algún viejo compañero. Todavía quedan bastantes hombres de las SS en libertad.

–Haré que impriman carteles de búsqueda –dice el inspector jefe, y se levanta de la silla–. Causará un poco de revuelo entre los de Investigación Criminal, lo de tener que perseguir a uno de los nuestros. Aun así, prefiero ver la cara de Herthge en un cartel de búsqueda y captura a la fotografía de otra chica estrangulada.

Ehrlich le estrecha la mano para despedirse. Un gesto que, Stave se da cuenta ahora, había evitado hasta ese momento.

–Algún día tenemos que ir a comer juntos –dice el fiscal.

Stave sale de la oficina de Ehrlich. Recorre en silencio el breve trayecto que hay hasta la Central de Investigación Criminal y entra en su despacho, que le parece más pequeño y tranquilo que nunca, pero en cierto modo más luminoso.

En su mesa hay un sobre grande, claro, con un sello de la Cruz Roja.

La vida sigue

Stave se queda mirando el sobre, paralizado de pronto. Tiene que obligarse a dar los últimos dos pasos que lo separan de su escritorio, alargar las manos, alcanzar la carta. Rasga el sobre. Le tiemblan los dedos. En el interior hay un segundo sobre: mucho más pequeño, de un papel gris y recio, como el del papel higiénico barato. Su nombre como destinatario y la dirección de la Central. Con la letra de su hijo.

El inspector jefe se deja caer en la silla, mira por la ventana, luego la carta otra vez. ¡Karl está vivo! Y, aun así, siente miedo: ¿qué le habrá escrito?

Por fin hace acopio de valor para abrir el segundo sobre, despacio, como si descubriera un tesoro. Una hoja pequeña, ni siquiera del tamaño de un cuaderno, rasgada por el borde inferior como si antes hubiese sido mayor y la hubiesen partido. Letras apenas legibles escritas con un lápiz gris claro, pero la caligrafía de su hijo es inconfundible, la misma con la que escribió tantos deberes de la escuela que su padre corrigiera una vez para que el maestro no encontrara más errores.

Padre:

Solo dispongo de este pedazo de papel, así que seré breve. Estoy bien, dadas las circunstancias. Me hicieron prisionero en Berlín. Un tribunal soviético me condenó, no sé por qué. Creo que a diez años en Vorkutá, aunque tal vez me reduzcan la condena. Todavía soy joven. Aquí nos ayudamos entre nosotros todo lo que podemos. Siberia es muy fría, pero dentro de uno o dos meses habrá pasado el invierno. Volvemos a tener luz de día, ya no hay noche polar. Espero estar pronto en nuestra casa de Hamburgo. Entonces hablaremos de todo.

Karl

Stave deja caer el papel con cuidado sobre el escritorio. Ha estado a punto de arrugarlo, aunque sea tan valioso.

Se siente decepcionado y al mismo tiempo se avergüenza de ello. Qué frías son esas líneas. Nada sobre cómo es la vida en el campo de prisioneros, sobre cómo le ha ido en los últimos casi dos años, ni una palabra personal dirigida a él. Otra vez tu maldita autocompasión, se dice entonces. Vuelve a leer la carta, con más atención esta vez. Karl no tiene más que ese pedazo de papel, ¿qué va a escribir, una novela? Además, seguro que todo lo que se escribe en Vorkutá es revisado por un censor soviético. Karl, el joven distante, orgulloso, sensible, no querrá que un funcionario cualquiera del Politburó lea unas palabras tan personales. Tal vez, piensa Stave, mi hijo ha conseguido sacar clandestinamente un mensaje oculto en estas sobrias líneas.

Vuelve a leer la carta, y ahí está: «Espero estar pronto en nuestra casa de Hamburgo».

Nuestra casa.

Esa única palabra, «nuestra», ¿no indica acaso la comunión entre padre e hijo? ¿No demuestra que Karl quiere regresar? ¿Que ese sigue siendo su hogar? Y ¿qué significa un hogar? Unión, confianza y, con suerte, amor.

Stave se habría echado a llorar si no hubiese temido que en cualquier momento pudiera entrar en su despacho un compañero y sorprenderlo derrumbado sobre su escritorio. Es el primer paso de todos los necesarios para su regreso, nada más, pero tampoco nada menos. Karl tendrá que dar aún mil pasos más, tengo que pensar con calma, se dice.

Sale de la Central y recorre los cientos de metros que hay hasta Hansaplatz. Con suerte hoy no habrá ninguna redada, piensa. Y con suerte no lo reconocerá nadie de la última vez.

«Siberia es muy fría», ha escrito Karl. ¿No se pueden enviar paquetes a través de la Cruz Roja? Así que Stave, con los cigarrillos y los billetes de marcos del Reich que ha ahorrado y que lleva siempre consigo por miedo a que entren a robar en casa, se dirige al mercado negro. ¿Qué podría comprar? Abrigo. Gorra. Bufanda. Y zapatos, sobre todo un buen calzado de invierno, zapatos gruesos, botas o algo así.

El inspector jefe se levanta el cuello del abrigo aunque el aire es tibio. De esta manera, la tela y el sombrero bien calado le ocultarán el rostro, o eso espera. Entonces se confunde con la multitud, con las figuras que trafican, que vagan de aquí para allá por la plaza. Se queda inmóvil un momento, contempla disimuladamente la mercancía que le ofrecen bajo un abrigo, oye una oferta entre murmullos y contesta también en voz baja:

–Calzado de invierno, del 42. Calzado de invierno. Calzado de invierno.

–Yo tengo –masculla de pronto una mujer mayor, con aspecto apesadumbrado, que pasa junto a él como por casualidad. A Stave le resulta vagamente conocida. Debieron de pescarla en la última redada, pero no la interrogó él en persona. Espero que no me reconozca, piensa. La mujer sonríe con timidez. Seguramente creía que, ahora que de pronto ha llegado el calor, ya nadie le compraría unos zapatos de invierno. Aprieta el paso y él la sigue hasta el borde de la plaza. El portal de una casa. En la penumbra, la mujer abre una vieja bolsa de la compra. Dos zapatos de caballero marrones, suelas gruesas, cuero recio, podrán pasar como calzado de invierno. Marcas en el cuero, las suelas están algo gastadas.

–Apenas se han usado –miente la mujer.

–¿Cuánto? –pregunta Stave, y espera que sean del número correcto.

–Quinientos marcos del Reich –responde ella.

Qué caradura, piensa el inspector jefe, ahora que el invierno ha pasado ya.

–Hecho –dice, no obstante. ¿Qué otra opción tiene?

Dos movimientos rápidos, miradas furtivas y el trueque ya se ha realizado. La mujer se aleja deprisa sin volverse ni una sola vez.

–¿Un buen negocio?

Stave da media vuelta espantado, en una fracción de segundo piensa alguna excusa descabellada por si es alguien conocido de la Central quien lo ha pillado. Pero entonces contiene la respiración con perplejidad.

Anna von Veckinhausen.

Stave siente cómo se va sonrojando. Todo lo que se le ocurre decir sonaría tonto, así que, desesperado, sigue buscando palabras adecuadas.

Ella se le acerca y señala el par de zapatos.

–Yo los escondería bajo el abrigo –le aconseja–. Si no, lo pararán todos los municipales que hay en un radio de quinientos metros. Aunque, de todas formas, si acabamos en una redada tampoco le servirá de nada. Entonces es mejor tirarlo al suelo y hacerse el tonto.

–Eso último ya lo estoy poniendo en práctica –murmura el inspector jefe, pero guarda su mercancía.

–¿Para usted? Lo cierto es que el invierno ya ha terminado.

–Para mi hijo. En Siberia, allí todavía hará frío una buena temporada.

Anna von Veckinhausen ya no sonríe.

–Está en un presidio ruso. –No es una pregunta, es una afirmación–. Debe de ser duro para usted, como padre.

–La verdad sea dicha: no –replica el inspector jefe–. Hasta hace cuatro semanas ni siquiera sabía si mi hijo seguía vivo. Así que un campamento en Siberia es una buena noticia.

–Adónde hemos ido a parar que hasta noticias como esa nos hacen felices... –susurra ella. Después lo agarra del brazo–. ¿Me hace el favor de venir un rato a pasear conmigo?

Stave se siente desconcertado, dice que sí con la cabeza, echa a andar más rígido que nunca. Se siente tan inseguro como un chiquillo de catorce años. Anna ha posado la mano en su antebrazo, solo las chaquetas y las mangas de los jerseys separan piel de piel. Hacía años que no estaba tan cerca de una mujer.

–¿Qué negocios la han traído a usted a Hansaplatz? –pregunta.

–Lo de siempre: una cita con un oficial británico en la estación. He encontrado una copia pasable del *Monje a la orilla del mar* de Caspar David Friedrich. Un marco horripilante, seudobarroco y dorado, desconchado en varios puntos. Pero el cuadro en sí era un óleo y, evidentemente, lo pintó alguien que conocía su oficio.

–¿Un buen negocio?

Ella sonríe, pero no dice nada.

Stave se pregunta si le habrá vendido la copia al británico como original. Los oficiales americanos, según se dice por ahí, tienen tan poca idea que se quedan con cualquier porquería. Pero ¿los ingleses? No insiste más. Si no, me tomará otra vez por el típico policía.

–¿Por qué no vamos a ver algunos originales de Friedrich? –propone él en voz alta–. ¿Qué le parecería dar una vuelta por el Museo de Arte?

No son más que un par de minutos a pie, pasada la estación, donde tres trenes aguardan en las vías con las chimeneas humeando.

–Debe de haber carbón otra vez –comenta Stave–. No sé cuándo fue la última vez que vi más de un tren en la estación.

–Eso quiere decir que pronto volverán a suministrar carbón para las casas. Calculo que, para verano, podremos encender otra vez las estufas –dice Anna von Veckinhausen. Luego sonríe–. No pretendía ser sarcástica. Todo el mundo hace lo que puede.

Detrás de la estación, tuercen a la derecha y a doscientos metros ven alzarse el Museo de Arte. Una caja gris con una rotonda abovedada en el centro: como una enorme bala de cañón atrapada en un trozo de manteca. La impresionante fachada del viejo museo está sucia, pero ha quedado casi intacta. Un par de cicatrices de metralla, estrías de humo en las molduras. Delante de la rotonda hay un arce viejísimo y nudoso; su tronco es más grueso que las columnas de la fachada.

–Es increíble que no le haya pasado nada a ese árbol –murmura Stave.

–Algunos logran sobrevivir. Eso vale hasta para las plantas.

A la sombra del arce hay una alta escultura de bronce: un jinete sobre un caballo; el hombre va desnudo salvo por su casco arcaizante.

–«Jinete» –lee Stave en la plaquita del podio–. Quién lo habría dicho.

–Otro milagro –dice Anna von Veckinhausen–. Tampoco han fundido la escultura.

–Seguramente le gustaría a algún nazi. Por lo menos más que las campanas de las iglesias. Casi todas ellas se convirtieron en carcasas de granada.

Stave saca dos entradas, su acompañante se lo agradece con un ademán de la cabeza.

–¿Cómo sabía que el Museo de Arte había vuelto a abrir?

–No lo sabía. Ha sido suerte –contesta Stave.

El museo reabrió sus puertas poco después de la guerra. Parte de la colección soportó los años de bombardeos en cajas fuertes de bancos; parte, en el búnker de Heiligengeistfeld. Por lo menos la parte que los gobernantes pardos no denunciaron como «arte degenerado» ni vendieron por poco dinero en el extranjero. Sin embargo, en invierno no había forma de calentar las enormes salas, sobre todo porque el techo quedó dañado en un punto por las pocas bombas que le cayeron y solo lo repararon provisionalmente. Así que el Museo de Arte había permanecido cerrado, pero ese cálido día es el inicio de la nueva temporada.

La mayoría de la gente, sin embargo, prefiere disfrutar del sol; a casi nadie se le ha ocurrido la idea de pasar las preciosas horas de luz bajo un techo. Por eso Stave y Anna von Veckinhausen tienen el museo casi para ellos solos. Él está encantado de pasear con ella de sala en sala. Algunas paredes se han oscurecido a causa de escapes de agua, ciertas salas están sospechosamente vacías, sobre todo las de arte moderno. A pesar de ello, van pasando por delante de obras maestras, despacio, disfrutándolas. ¿Qué es lo que más me gusta?, se pregunta Stave, y enseguida se da una respuesta: los colores. Los óleos y las acuarelas, el azul y el rojo, el amarillo y el verde, el dorado de los viejos maestros: qué curativo para la mirada, después de todo el gris y el negro de los escombros, el marrón de las vestimentas. Anna von Veckinhausen sigue agarrada de su brazo. Él no sabe en qué estará pensando ella. Ninguno de los dos dice nada.

Por fin llegan a la sala de los cuadros de Caspar David Friedrich. Stave contempla los paisajes fantásticos, las pequeñas figuras que hay en ellos, mujeres con cofia, hombres con antiguos trajes tradicionales alemanes, todos volviéndole la espalda al espectador. Se queda un buen rato observando *El mar de hielo,* en el que unas monstruosas placas de hielo destrozan un barco. Antes le había parecido una imagen irreal; tras ese invierno, ya no. La última vez que estuvo allí fue hace años. Con Margarethe. Enseguida ahuyenta el recuerdo.

Stave señala los cuadros.

–Apenas tienen más de cien años y, aun así, me parecen reliquias de una época distinta en un continente distinto.

–Eso es lo que son. Nada de lo que Friedrich veía sigue existiendo hoy. Nada de lo que él creía se sigue creyendo.

–Pero los cuadros siguen colgando de estas paredes. Y hay personas que vienen hasta aquí para contemplarlos. Como nosotros.

–Porque sentimos añoranza de esa época. Porque sentimos que hemos perdido algo, aunque no seamos capaces de decir qué es.

–Eso, por otra parte, le habría gustado a Caspar David Friedrich.

–Habría sido lo único. Retrató ruinas entre bosques y montañas. Si viera las ruinas reales de la actualidad, se le acabaría ese gusto por ventanas vacías y muros derrumbados.

Cruza sobre el pecho el brazo que le queda libre y se estremece.

–Quiero salir –murmura–. Al sol.

Desde la salida, no hay más que cuatro pasos por la acera de Glockengiesserwall hasta el Alster Interior. El río, estancado para que forme un gran rectángulo, reflejaba antes de la guerra las afamadas fachadas de Hamburgo: Jungfernstieg, donde tiene su consulta el psicólogo, queda justo al otro lado. Árboles en la orilla, paseos; detrás, las imponentes fachadas de impresionantes sedes de compañías navieras; sobre los relucientes tejados, las agujas de las iglesias más famosas de la ciudad. Por allí paseaban los ciudadanos de Hamburgo antes de la guerra con el traje de los domingos, y por allí vuelven a pasear ahora, cerrando los ojos con valentía a las cicatrices de las fachadas y sus vestidos gastados.

Su acompañante y él caminan con cuidado de no pisar las vías provisionales que recorren Ballindamm, rodean dos vagonetas vacías y olvidadas con las que, hasta la llegada del invierno, los trabajadores se llevaban los cascotes de la ciudad hasta el Alster y los lanzaban al agua. El hielo del río ya no reluce, sino que yace blanco y acuoso bajo el sol, como una extensión de leche. Pero es solo la superficie. Por debajo sigue sólido aún, con tres metros de grosor. Algunos valientes con patines trazan círculos y salpican agua con sus cuchillas. La mayoría de los paseantes se quedan en la orilla, no obstante, como si fuese indecoroso pisar el hielo.

Stave siente frío. El fresco que llega del Alster le recuerda la morgue, pero no quiere volver a ponerse el abrigo que se ha echado sobre el brazo libre tapando los zapatos de invierno, atados entre sí por los cordones. Porque para eso tendría que separar su otro brazo de la mano de su acompañante. Anna von Veckinhausen, sin embargo, tiembla también, como si el hielo hubiese desatado recuerdos inquietantes.

–No nos quedemos aquí, por favor, vayamos mejor caminando a lo largo del Alster –pide.

Stave accede con alivio y, antes de que haya podido comprender por qué, siente que se transforma. Quizá porque él, que no tiene ninguna experiencia en ello, de pronto se ha convertido en paseante. El trayecto junto al agua tiene una meta y al mismo tiempo carece de ella, porque uno recorre la orilla siguiendo un camino determinado y precisamente ese camino no llega a ningún lugar: cuando se alcanza el final de un paseo, se llega de nuevo al punto de partida. Ese andar despreocupado, ese hacer y no hacer nada a la vez, desata un nudo en el alma de Stave. Así pues, de pronto el inspector jefe habla, no sabe muy bien cómo ha empezado a hacerlo y menos aún por qué, pero habla de su hijo que está en Siberia y de cómo se pelearon aquella primavera de 1945 cuando se marchó al frente. Habla del desprecio y del idealismo del joven, tan terriblemente voluble, tan dolorosamente real. De Margarethe y de la noche del bombardeo, hace ya cuatro años. Y habla del asesino de los escombros, que es su compañero. De una familia judía que huye porque quiere llegar a un nuevo hogar, y que se ha quedado atrapada por un temporal de hielo en una ciudad hostil. Una ciudad en la que circula un asesino cuyo destino está ligado al de esa familia. De Lothar Maschke, que en realidad se llama Hans Herthge y del que ya ha llegado a saber mucho, cuando no todo, y a quien no puede atrapar. ¿De qué sirve tener unos conocimientos si esos conocimientos no traen consecuencias?

Llegan al final de Ballindamm, pero en lugar de torcer desde allí hacia Jungfernstieg y seguir recorriendo la orilla del Alster Interior, dan media vuelta y regresan por el mismo camino. No han malgastado ni una palabra, pero los dos ven que hay cientos de paseantes caminando en círculos. Ballindamm, con sus vagonetas abandonadas, está más vacío.

Aún hay más soledad pasada esa calle. Cruzan el Lombardsbrücke, el puente que separa el Alster Interior del Exterior. Este último se extiende hasta el mar; sus orillas están cubiertas de cañas. El blanco pastel del hotel Atlantic se refleja en la película de agua que recubre el hielo. La mayoría de los edificios que quedan justo detrás del lujoso hotel fueron bombardeados, pero la zona de la devastación termina varios cientos de metros más allá: villas rodeadas de verde en dirección al norte, más bajas que los edificios suntuosos del Alster Interior, también más discretas, construidas más lejos del agua y ocultas aún tras árboles y arbustos. Son mansiones requisadas por los británicos, y ellos no tienen necesidad de cortar la leña de su propio jardín.

Pasean en dirección norte. El sol ya está bajo, la luz es dorada y cálida. Stave, agotado y algo abochornado, se detiene por fin. Anna von Veckinhausen lo sabe ahora, según parece, todo sobre él. Sobre ella, por el contrario, él sigue sin saber casi nada. Lo ha acompañado en silencio, pero está convencido de que se trata de un silencio benévolo.

Se quedan unos momentos detrás del Atlantic. A su derecha, un sauce los protege de la calle y de las villas con un velo de ramas finas y desnudas, como un telón corrido. Se acerca la hora de recogerse, de modo que los pocos paseantes que han escogido ese camino desaparecen lentamente entre las casas. El Alster está vacío, inmenso.

–Disculpe que haya hablado tanto –masculla Stave con timidez–. No suelo hacerlo.

–Entonces es que hoy he tenido suerte –repone ella–. Me ha gustado mucho escucharlo.

–Lo cierto es que no sé qué más podría explicarle.

–Cuando un hombre no sabe qué más decirle a una mujer, entonces tiene que besarla.

Stave cree que no la ha oído bien, pero Anna von Veckinhausen le echa los brazos tras la nuca y lo atrae hacia sí.

Su día termina en una casa de huéspedes: HOTEL PENSIÓN RUDOLF PREM, ha escrito alguien en un cartel de madera que cuelga sobre la puerta del único edificio sin destruir entre el Atlantic y el barrio de villas. Están demasiado ávidos el uno del otro como para recorrer el largo camino que los separa del apartamento de Stave. El barracón Nissen, con sus separaciones de mantas raídas, tampoco es una opción de todas formas. Y para el Atlantic no tienen dinero.

Así que Stave pide una habitación en la pensión Prem, deja un par de billetes de marcos del Reich sobre el mostrador y los inscribe a ambos como «señor y señora Schmidt» en el libro de huéspedes. Es un embuste tan evidente que el viejo portero medio ciego levanta una ceja con reprobación y masculla algo incomprensible, pero luego les entrega una llave.

La habitación se encuentra en el primer piso, es pequeña y está más o menos limpia. Con el resplandor de la tarde, reluce como si los cristales de las ventanas fuesen de ámbar. Casi no se dan tiempo ni para empujar la puerta y cerrarla. Enseguida se hunden en la estrecha cama, ávidos de calor humano y ternura. Solo después, cuando el hambre primera ya está saciada, se calman, se vuelven más dulces, más curiosos.

En un momento dado, Stave la abraza, su cuerpo desnudo brilla a la luz de la luna como el alabastro, pero él siente su pulso, su respiración sobre el pecho, su calor. Estamos vivos, piensa. Volvemos a vivir.

Con las yemas de los dedos recorre suavemente la larga línea de su espalda.

–Todavía no sé nada sobre ti –susurra.

Ella suspira, no disgustada, más bien con burla.

–Ahora mismo no está usted de servicio, inspector jefe.

–No lo pregunto como policía, sino como amante.

Anna sacude la cabeza.

–Dame un poco de tiempo –le pide. Después lo besa–. Nos han quitado tanto que ya casi no nos queda nada. Solo tiempo. Tiempo tenemos de sobra.

Él piensa en sus palabras. Como agente nunca tiene suficiente tiempo. Siempre llega demasiado tarde; esa es la esencia de su trabajo, siempre tiene que haber sucedido algo antes para que lo llamen a él. Después, siempre hay demasiado que hacer. Siempre la presión de atrapar al delincuente antes de que vuelva a atacar. Pero ¿debe organizar toda su vida como si fuera un interminable caso criminal?

–Tienes razón –le susurra, y de pronto se siente más liviano, más feliz, liberado–. Tenemos todo el tiempo del mundo.

Pasada la medianoche, salen a hurtadillas de la habitación. Nadie puede descubrirlos allí por la mañana. El viejo portero ronca tras el mostrador. Stave deja la llave con cuidado sobre la madera, junto a la campanita, y luego abre la puerta para desaparecer en la noche.

La identificación policial amarilla de Stave los libra del toque de queda. Si los detiene una patrulla de la Policía Militar británica, siempre puede decirles que está de servicio. Sin embargo, ¿protegería también a Anna con esa declaración encubridora? ¿O la detendría la Policía Militar? Mejor no tener que descubrirlo, así que la acompaña hacia Eilbek por calles apartadas. La luz de la luna cubre la ciudad con un resplandor plateado. Las paredes llenas de cicatrices y las ventanas vacías parecen de pronto ruinas antiguas: el gigantesco campo de escombros se convierte en una ciudad con templos de dioses y foros, anfiteatros y palacios. El aire sigue siendo tibio, pero desde el suelo se filtra todavía el frío que se ha almacenado durante meses. Stave ha echado su abrigo sobre Anna y sobre sí, ambos caminan abrazados por estrechos senderos entre restos de muros. Respira feliz el aroma de ella.

Su hijo vive. Él ha encontrado un nuevo amor. El invierno ha pasado. De repente siente que todo renace por doquier, siente que ha encontrado una colosal e inmerecida felicidad. Un nuevo comienzo. Una nueva vida. Una alegría que casi lo asfixia, que quiere salir de su cuerpo. Le encantaría ponerse a gritar y a bailar como un loco. No sería lo más inteligente en una ciudad silenciosa, callada bajo un toque de queda, pero sí aprovecha ese silencio y su euforia de otra forma muy grata. Se queda quieto, atrae a Anna hacia sí y la besa con pasión en mitad de la calle.

Cuando por fin se separan, ella le sonríe confusa, sin aliento, pero no le pregunta el porqué.

Al final llegan a los barracones Nissen, que se alzan negros al borde de la calle como caparazones vacíos de tortugas gigantescas. Apenas se atreven a respirar mientras recorren los últimos metros. No quieren hacer ruido. Allí, solo un par de milímetros de chapa ondulada los separan de cientos de ojos y oídos. Junto a la puerta del barracón de ella, se despiden con un beso. Stave anota su dirección en una hoja de su cuaderno, la arranca y se la da.

–Mañana por la tarde pasaré a verte –dice Anna. Después se cuela sin hacer ruido por la puerta y desaparece en el oscuro interior de la barraca.

Stave se aleja con cautela hasta que cree estar a bastante distancia del campamento de barracones para que no puedan descubrirlo. Entonces aprieta el paso, tuerce por la amplia avenida de Wandsbeker Chaussee, casi corriendo. Tiene la sensación de estar flotando. Ni siquiera la pierna tullida le duele ya.

¡Vivo!, piensa. ¡Vuelvo a vivir!

Alguien le echa entonces un fino lazo al cuello desde atrás y tira de él.

El asesino de los escombros

Stave resuella, quiere gritar, tomar aire, salir corriendo. Nada. Está atrapado por un espantoso torniquete que le presiona la garganta. En su imaginación destellan imágenes de la mesa del forense: la laringe aplastada, marcas finas de un marrón rojizo en el cuello. Presa del pánico, descarga golpes ciegos. Sus puños vuelan por el aire, como mucho rozan una o dos veces un poco de tela tras su espalda. Lleva un abrigo grueso, piensa Stave. ¡Contrólate! ¡La funda de la pistola! Pero la tiene bajo su propio abrigo, y se lo ha cerrado al alejarse del campamento de barracas. Tira de los botones, no consigue abrir ninguno. La sensación de estrangulamiento en el cuello es abrumadora, la cabeza le retumba como si fuese a estallarle el cráneo, le tiemblan las piernas. Cae de rodillas. Enseguida me habré ido, se dice. Deja de tirar de los botones. Otra vez lanza el puño hacia atrás. El atacante debe de estar ya sobre él: la posición perfecta. Los golpes ciegos de Stave son cada vez más débiles, más espasmódicos.

Algo duro.

¡Los zapatos para su hijo! Están en el bolsillo exterior de su abrigo. Stave mete la mano, agarra las suelas duras, saca los zapatos de un tirón y arremete con ellos hacia atrás.

Un gruñido sordo sobre él. Le ha dado al atacante en la rodilla. Lo ha pillado por sorpresa, se tambalea, afloja un poco.

Stave se arrodilla y se abalanza hacia delante. El lazo le corta el cuello, empieza a manarle sangre, pero la presión ya no lo estrangula. Consigue pasar la mano izquierda por debajo y aflojar un poco el alambre. Más sangre aún, esta vez en la mano, pero al fin consigue inspirar aire. Con la mano derecha sigue golpeando hacia atrás.

Quiere gritar, solo que no consigue proferir más que un graznido.

Respira. Golpea. Una patada hacia atrás.

Con ella le da al atacante.

La presión del cuello desaparece de pronto. Crujidos entre las piedras, pasos apresurados.

Unos velos rojizos bailan ante los ojos de Stave, que se tambalea dando vueltas, todavía con el alambre al cuello. Distingue una sombra frente a una pared medio derruida. Mueve las manos temblorosas en el abrigo. ¡Maldita sea, maldita sea, maldita sea! Stave se arranca el abrigo, los botones salen volando. Siente el frío acero de la empuñadura de la pistola. Tira de la FN 22 para sacarla de su funda.

El estrépito del disparo resuena en su cabeza, su eco recorre las ruinas. Otro más. Y otro. Stave, casi sin ver nada, vacía el cargador con una furia ciega en dirección a la sombra.

Silencio.

El inspector jefe se desploma jadeante bajo la luz de la luna, se quita el lazo del cuello, inspira hondo, espira, inspira hondo. Tiene el corazón acelerado. Las manos temblorosas. Pero el cerebro le vuelve a funcionar.

El asesino de los escombros, piensa.

Stave se levanta a duras penas, cojea hasta donde ha desaparecido la sombra, entre dos muros como de la mitad de altura de un hombre. Hay una mancha en el suelo.

Stave se agacha. Sangre. Le he dado, comprende con un sentimiento triunfal. Mira alrededor: dos solares de escombros, un peligroso laberinto de cascotes, vigas de acero, cables retorcidos, añicos de cristal, por ninguna parte hay un camino.

Otra gota.

Ha trepado por los cascotes. Stave sigue el rastro de sangre, la pierna tullida le resbala, maldice en voz baja. Vuelve a guardarse los zapatos en el bolsillo, aferra la pistola con la mano derecha. Tiene el cargador vacío, pero es lo bastante contundente como para abrirle la cabeza a alguien. Dos ladrillos se sueltan bajo sus pies y caen rodando con suaves golpeteos por la pendiente de cascotes. Polvo de cemento. Le lloran los ojos.

Detrás del solar de escombros, distingue el rectángulo de unos treinta metros de alto de una casa de vecindad bombardeada: todas las paredes exteriores están carbonizadas; las ventanas, vacías; no hay tejado, ni suelos en el interior. Hay un cartel junto a la abertura destrozada del portal, en la que solo la parte superior de una puerta cuelga de una bisagra: ¡PROHIBIDO! ¡PELIGRO DE DERRUMBE!

El rastro de sangre conduce allí dentro.

Ya te tengo, piensa Stave, y cruza con cuidado al interior de la casa incendiada.

Oscuridad. Solo unos rayos de luz de luna entran por los agujeros de las ventanas. Por todas partes hay sombras, manchas oscuras, negrura. Stave contiene la respiración. No se oye un solo ruido.

Sí, pasos. Arrastrados, como si alguien tirara de algo. ¿Una pierna herida? ¿Una carga pesada? El inspector jefe aguza el oído. El desconocido se mueve en algún rincón de esas ruinas. Busca la linterna en su abrigo. Nada. Justamente hoy no la lleva encima. Porque pensaba que no encontraría ningún cadáver más entre los escombros, porque al fin ha llegado la primavera y los días son más luminosos. Condenada negligencia. Mira alrededor, intenta reconocer algún detalle en la penumbra. La casa no tiene techo, tampoco paredes interiores: ¿dónde puede haberse metido el atacante? ¿Qué sabes del asesino de los escombros? Siempre ha dejado a sus víctimas en sitios profundos: sótanos, huecos de elevador, cráteres de bombas.

El sótano.

Stave se interna en el edificio. Los altísimos muros parecen temblar. Imaginaciones tuyas, se dice. No te vuelvas loco. Distingue un crujido en algún lugar entre las piedras, y un poco de argamasa cae al suelo detrás de él. Oye un paso, dos pasos, luego más, casi en el centro de la casa. Pasos en algún lugar, esta vez más cerca. Stave levanta la pistola.

Es la escalera que baja al sótano de la casa de vecindad. Todo lo que queda por encima del suelo fue destruido por las bombas, pero la escalera, medio escondida entre los escombros, baja a un sótano que quizá siga intacto. Más pasos. Ahora Stave cree oír también una respiración. Jadeos. Como de dolor, de alguien herido.

La oscuridad es total. Con la mano izquierda por delante, Stave va palpando el camino hasta el sótano; con la derecha empuña la FN 22. Reconoce un pasillo, estrecho, pero por lo visto muy largo. Corrientes de aire. El sabor del polvo de piedra en los labios. Madera astillada. Stave palpa con la mano un puntal de refuerzo sostenido con cuñas encajadas entre el suelo y el techo del sótano. Son medidas de urgencia, todavía de la época de los ataques aéreos. Los condenados a trabajos forzados, por orden del jefe de la circunscripción territorial, corrían a estabilizar los sótanos con vigas y reforzar los muros justo después del fin de la alarma. Eso debía impedir el derrumbe de los grandes edificios bombardeados para poner a salvo así a quien hubiera quedado sepultado y permitir el trabajo de los bomberos.

Da tres pasos más. Un recodo en el pasillo. Detrás, claridad: por una grieta del techo se cuelan plateados velos de luna hasta el suelo. Y en el suelo, una figura retorcida.

Lothar Maschke. Hans Herthge.

Stave se le acerca con cuidado. El hombre que fuera una vez su compañero está tumbado de lado. Se aprieta el vientre con la mano derecha. La sangre mana de entre sus dedos y se encharca en el suelo de ladrillo, viscosa como aceite. La izquierda está cerrada sobre el polvo. Le tiemblan las piernas.

Un tiro en el estómago, piensa Stave. Debe de tener unos dolores infernales. Morirá. El inspector jefe se acerca más, se agacha con cautela, aún con la pistola en la mano.

La cara de Herthge está brillante de sudor. Los ojos permanecen muy abiertos.

–¿Me entiende? –pregunta Stave.

–¿Es que no descansa nunca? –dice Herthge entre jadeos, apretando los dientes–. Quiere ver cómo la palmo.

–No es una imagen agradable –replica Stave. No siente compasión por el asesino. Lo teme, incluso ahora que está tirado sobre un charco de su propia sangre. Quizá también lo odia, pero Stave reprime ese sentimiento, se obliga a mostrar una curiosidad profesional. Quiere saberlo todo sobre los crímenes antes de que sea demasiado tarde.

–Dígame lo que todavía no sé –le pide a Herthge–. Después me iré. Puede morir aquí, solo. No enviaré a una pareja de agentes hasta que haya muerto. Pero si no habla, me quedaré a su lado, mirando. Aunque tarde horas.

–El mejor trato de mi vida –susurra Herthge, y tuerce el gesto en una terrible mueca sonriente.

–¿Cómo dio con Yvonne Delluc?

–La tomé por una golondrina de la calle: joven, bien vestida, iba soltando palabras en francés –consigue decir el moribundo–. No la tenía en mis fichas, así que la paré y la interrogué. –Herthge toma aire con dificultad, las gotas de sudor brillan en su frente–. En realidad, ella solo pretendía llegar al mercado negro, vender algo para sacar un poco de dinero. No la reconocí, de Oradour. Pero ella me identificó. De repente empezó a gritarme, insultándome, llamándome asesino. Amenazó con denunciarme. Por suerte, solo hablaba francés. En la calle no la entendió nadie.

–Y entonces la estranguló.

Herthge aprieta los labios. Tiene la cara tan pálida que Stave teme que muera antes de haberlo contado todo, pero tras un par de segundos el herido vuelve a respirar.

–No –suelta en un gemido–. No sabía cómo había llegado la mujer hasta aquí. Ni quién más podía estar en Hamburgo. Desmentí todo lo que decía, la convencí de que debía de ser una equivocación. En algún momento me creyó. Entonces la dejé marchar. Y la seguí en secreto.

–Hasta el búnker de Eilbek.

–Así supe dónde vivía y con quién. Al día siguiente, cuando volvió a salir hacia el mercado negro, la esperé entre las ruinas y la estrangulé. Luego la desnudé para que nadie pudiera identificarla. La ropa la quemé después, en mi horno. Así que habría podido organizar usted muchas redadas más, inspector jefe.

Sonríe con burla, a pesar del tormento.

–Después fui en coche hasta el búnker. En ese Mercedes de Investigación Criminal que tan oficialmente me habían dejado. Por desgracia, solo encontré a la otra mujer y la niña. No fue difícil meterlas en el coche con un pretexto. Allí las esposé. Conduje hasta una calle solitaria y las hice callar para siempre, como a Yvonne Delluc. Pero antes le saqué a golpes a la mujer dónde estaba el viejo. Había ido de pillaje al otro lado del Alster.

–¿Por qué no ocultó a esas dos víctimas juntas?

–No quería que las encontraran enseguida. –Herthge suelta un quejido–. Debía conseguir un par de horas sin que nadie me molestara –sigue contando–. Estuve un buen rato buscando al viejo. Ya anochecía cuando lo encontré. El resto fue fácil.

–Fácil –repite Stave con desprecio. Entonces piensa–. ¿Por qué quería acabar conmigo? Ya es demasiado tarde, seguro que lo sabe. Que yo muera o no es indiferente, ya lo están buscando. ¿Por qué no se ha escondido?

Herthge sonríe sin fuerzas.

Su respiración es más tenue. La sangre ha formado ya un charco enorme alrededor de su cuerpo y sigue manando entre sus dedos.

–Bueno, no lo sabía todo –jadea–. Solo albergaba la sospecha de que me tenía usted en el punto de mira. Creía que la única que podía ponerme en peligro era esa testigo que me vio en Lappenbergsallee.

–Anna von Veckinhausen.

–No fue precisamente difícil descubrir que fue ella quien le dio esa información. Estaba en los expedientes. Tampoco fue difícil dar con su paradero. Pensé que, si la quitaba de en medio, haría callar a la única testigo que quedaba. Decidí seguirla.

–¿Hoy?

–Sí, pero no estaba sola. Como sabe usted perfectamente.

Stave se imagina a Herthge espiándolos. En el Museo de Arte. Junto al Alster. Esperándolos frente a la pensión donde le ha hecho el amor a Anna. Deslizándose tras ellos, de noche, entre los escombros. Siente náuseas. Debe controlarse para no soltarle una patada al moribundo.

–Y, como no ha conseguido atacar a su verdadera víctima, al final ha decidido ir a por mí...

–Estaba furioso. Se había interpuesto en mi camino. No he actuado con conocimiento. Todos cometemos errores alguna vez.

La respiración de Herthge es cada vez más leve. Ya no tiene espasmos en las piernas. El charco de sangre es grande como una alfombra.

–Tengo frío –susurra.

–El infierno es un lugar frío –dice Stave, que se levanta, da media vuelta y se va.

En una casa de apartamentos de alquiler casi intacta, a poca distancia de allí, algunas luces titilan tras los cristales, velas, bombillas débiles. Las ventanas están abiertas. Gritos en la noche. Música de gramófono. El inspector jefe Frank Stave dirige una última mirada al sótano en el que Herthge se está muriendo. Contempla un rato las ruinas, sublimes a la luz de la luna. Después, se aleja cojeando a la sombra de un muro lleno de cicatrices.

Epílogo

Un «asesino de los escombros» acabó realmente con la vida de cuatro personas en Hamburgo durante aquel terrible y frío invierno de 1946-1947. Con ese nombre lo conocieron y lo temieron en su época, pero quién fue en realidad es algo que todavía hoy sigue sin saberse.

Esta novela policíaca está basada en un caso real. Me he esforzado por retratar lo mejor posible la realidad de la ciudad bombardeada, desde las cartillas de racionamiento hasta la serie radiofónica que retransmitió la recién fundada NWDR. Algunos personajes de la novela son personalidades de la época, como el alcalde Max Brauer o el director de la Brigada de Investigación Criminal, Cuddel Breuer (cuyo apodo algunos autores contemporáneos escribían también como «Kuddel»). Con otros, me he tomado mayores licencias poéticas. Un agente llamado Frank Stave prestó realmente sus servicios a la Policía, pero mi protagonista no tiene nada que ver con esa figura histórica. La mayoría de los demás personajes son fruto de la imaginación, y cualquier parecido que puedan guardar con personas de la época es meramente casual.

Los cuatro asesinatos se desarrollaron en principio tal como se narra aquí: los datos de las víctimas, los lugares y las fechas en que se encontraron los cadáveres se han extraído de los informes de las investigaciones de la Policía y el forense. Las citas de los carteles de búsqueda también son auténticas, igual que los numerosos datos de las autopsias. No obstante, he añadido alguna pequeña prueba decisiva, que son las que ponen finalmente al inspector jefe Stave tras la pista del asesino; por desgracia, solo en la novela.

Esas pruebas no existieron en la realidad. La Policía intentó resolver el caso por todos los medios, y lo cierto es que durante años. Sin embargo, nunca encontraron ninguna pista que señalara hacia la identidad del criminal, como tampoco al motivo del crimen. La serie de asesinatos terminó con esos cuatro cadáveres tan repentinamente como había empezado. Tampoco aquí podemos especular por qué sucedió así.

Y lo que resulta aún más terrible: los agentes de Investigación Criminal nunca consiguieron aclarar la identidad de los fallecidos. A pesar de los esfuerzos que se hicieron y que también se reflejan aquí –como la campaña de carteles con las fotografías de las víctimas, no solo en la ciudad, sino en toda la Alemania ocupada, incluida la zona soviética–, nunca apareció nadie que conociera al anciano, a las dos mujeres ni a la niña. Si las víctimas estaban emparentadas o no, si las unía otra clase de vínculo y por qué tuvieron que morir, todo ello sigue sin saberlo nadie en la actualidad.

Durante el proceso de documentación para esta novela he manejado montañas de bibliografía, artículos de periódicos, cartas y otros documentos. Como guías de esa época fueron especialmente importantes para mí el doctor Ortwin Pelc, del Museo de Hamburgo, y Uwe Hanse, del Museo de la Policía de Hamburgo, así como Wolfgang Kopitzsch, que trabajó para la Escuela de Policía y ahora es jefe del distrito Hamburgo-Norte. El doctor Uwe Heldt, de Mohrbooks, y Angela Tsakiris, de DuMont, revisaron el manuscrito con ojo crítico. A todos ellos va dirigida mi gratitud. Y, naturalmente, también a mi mujer, Françoise, así como a nuestros hijos, Léo, Julie y Anouk, por su indulgencia durante muchas horas intempestivas, tanto de la noche como de la mañana, frente al ordenador.

Índice